COMMENT J'AI ÉCHAPPÉ À L'ORDRE DE LUMIÈRE

HAROON MOGHUL

COMMENT J'AI ÉCHAPPÉ À L'ORDRE DE LUMIÈRE

Traduit de l'anglais (Pakistan)
par Nicolas Richard

COLLECTION
AILLEURS
DOMAINE INDIEN
dirigé par Jean-Claude Perrier

le
cherche
midi

Titre original : *The Order of Light*
Éditeur original : Penguin Books, New Delhi, Inde.

23, rue du Cherche-Midi, 75006 Paris.

Vous pouvez consulter notre catalogue général et l'annonce
de nos prochaines parutions sur notre site Internet : cherche-midi.com

Le Tout-Puissant dit dans Son Livre

Noun.
Par le calame et par ce qu'ils écrivent !
Grâce à la faveur de Ton Seigneur,
Tu n'es pas un possédé !

Une récompense exempte de reproche t'est destinée ;
Tu es un caractère élevé.

Tu verras bientôt
Et ils verront eux-mêmes
Quel est celui d'entre vous qui est tenté.

Oui, Ton Seigneur connaît parfaitement
Ceux qui sont égarés loin de son chemin
Et il connaît ceux qui sont bien dirigés.

LE CORAN
Sourate LXVIII, signes 1 à 7.

Prologue

La fin de l'islam

Kibr al-Akrad aurait-il pu savoir qu'il périrait de sa propre main quelques années avant sa naissance ? Aurait-il pu saisir l'enchaînement des événements qui l'amènerait à une telle impasse, le conduirait en ces temps si étranges, rares et effrayants, où le seul moyen d'avancer c'est à rebours ?

Au milieu du VIIe siècle, la cité byzantine de Jérusalem était tombée aux mains des Sarrasins arrivés en masse, tenants d'une religion jusqu'alors inconnue. Au fil des décennies qui suivirent, la plupart des habitants chrétiens et juifs de Jérusalem – les peuples indigènes de Palestine – se convertirent à l'islam, abandonnant graduellement l'hébreu et l'araméen sémites pour adopter l'arabe sémite. Les chrétiens qui restèrent en Palestine suivirent les rites de l'Église d'Orient et de l'Église orthodoxe ; autant dire qu'ils constituaient aux yeux du souverain pontife une minorité hérétique sur un territoire gouverné par des barbares musulmans.

En 1095, le souverain pontife Urbain II confia à l'Europe catholique une mission dite de reconquête : les chrétiens allaient libérer Jérusalem. Peu après l'appel lancé par le pape, une multitude de guerriers catholiques – nobles, rêveurs et criminels – se ruèrent sur l'Anatolie, où les valeureux nomades turcs levantins leur opposèrent une farouche résistance. Cependant, même la formidable cavalerie turque ne put endiguer cette marée soudaine. En 1099, un monde musulman divisé perdit Jérusalem. Des dizaines de milliers de chrétiens, de juifs et de musulmans – plus de quatre-vingt mille, selon certaines estimations – furent massacrés par les croisés de la première croisade. Le dôme du Rocher, où Muhammad et les saints prophètes se réunissaient pour la prière, devint une citadelle catholique.

Rien, semble-t-il, ne pouvait arrêter les croisés conquérants. Le nord-est de l'Afrique fut gouverné par la dynastie des Fatimides ; de leur capitale de Foustat, ces Ismaéliens eurent l'audace de s'allier aux croisés contre leurs compatriotes musulmans. Les Turcs seldjoukides, sunnites, avaient depuis longtemps perdu de leur vigueur, laissant sur le trône le calife abbasside de Bagdad au pouvoir très affaibli. Aussi Dieu choisit-il la droiture de la foi : Joseph, le fils de Job, également appelé Saladin Youssouf ibn Ayyūb, allait réparer l'honneur bafoué et reconquérir les territoires perdus. Détrônant la dynastie des Fatimides, Saladin fit de l'Égypte son bastion, y rassemblant ses forces vives, tout en ramenant simultanément la population à l'islam traditionnel.

Le 4 juillet 1187, sous le commandement de Saladin, les armées islamiques écrasèrent les croisés à Hittine et reprirent Jérusalem, mettant un terme aux humiliations subies pendant presque neuf décennies ; petit à petit, les avant-postes et les forteresses encore sous tutelle étrangère retombèrent aux mains du monde musulman renaissant. Cependant, l'ambition que nourrissait Saladin de lever une puissante armée avec laquelle il aurait soumis les insatiables croisés ne se réalisa pas. En effet il rejoignit Dieu quelques années après ses triomphes terrestres, et l'on se souvient aujourd'hui de lui comme d'un fervent défenseur de la foi en péril.

Pendant un certain temps, ses leçons furent retenues.

Durant la dynastie des fils d'Osman, connue en Occident sous le nom d'Empire ottoman, l'islam se relança à la conquête de l'Europe et retraversa la Méditerranée. Pendant quelques siècles, les musulmans n'étaient pas seulement en sécurité, ils triomphaient : le sultan ottoman, trônant à la Sublime Porte de Constantinople, se chargeait de maintenir leur dignité. Mais, comme auparavant, après le flux vint le reflux. Forts de leurs récentes innovations technologiques et stratégiques, les Anglais, les Russes et bien d'autres peuples se retournèrent contre le monde musulman, lui faisant à la fois renoncer à des territoires conquis récemment et à d'autres qu'il occupait depuis des lustres. Un par un les États musulmans succombèrent aux humiliations.

1881 marqua le début de l'usurpation sioniste, avec l'immigration de populations étrangères sur la terre de Palestine, provoquant un déplacement lent mais implacable des autochtones. En 1967, les pays arabes musulmans qui se trouvaient dans une situation navrante furent démantelés par la dévastatrice guerre des Six Jours, au terme de laquelle Jérusalem se retrouva aux mains d'un État juif affichant des visées expansionnistes. Les masses musulmanes avaient sombré dans l'ignorance, la déviance et le désespoir, et si quelques rares individus en appelèrent à Saladin, la plupart étaient persuadés qu'un sauveur de l'envergure du Kurde décédé était introuvable. La foi s'affaiblit, le nombre des fidèles diminua, jusqu'à ce que les peuples islamiques commencent à se diviser et à être assimilés par d'autres modes de vie, certains nouveaux, d'autres n'étant que la résurgence d'époques antérieures au Prophète.

Cependant, un espoir subsistait, quand bien même il n'était pas visible. Si le monde musulman connaissait les nombreux exploits que Saladin avait accomplis pour le défendre, il ignorait son ultime initiative. Saladin avait envoyé en Égypte les lieutenants en qui il avait le plus confiance, accompagnés de leurs familles. Il avait choisi les meilleurs, les plus brillants et les plus pieux parmi ceux qui avaient combattu et survécu à la libération de Jérusalem. Ces hommes et ces femmes furent sélectionnés pour disparaître aux yeux du monde et eurent pour mission de vivre sans se faire remarquer, tapis dans la Madinat al-Qahirah – la Cité victorieuse[1] – nouvellement fondée. Sur place, ils eurent pour mission de rester fidèles à leur poste jusqu'à ce que la notion même de victoire ait déserté les bouches musulmanes. Avant de les laisser à leurs responsabilités, Saladin les réunit tous et leur transmit ce message :

« Prenez racine, vous et vos familles, dans la Cité victorieuse. Pendant la longue nuit d'attente, ne vous laissez pas distraire de votre cause par les caprices d'autres hommes, car assurément ils feront obstruction à votre mission et vous détourneront du droit chemin.

« Dans les périodes de ténèbres, souvenez-vous que vous êtes nuit et jour au service de Jérusalem, vous tous incarnez la promesse d'une lumière aveuglante qui viendra. Car parmi vous se dressera un jour un puissant guerrier qui vous apportera l'immortalité.

« À la vérité, il n'est de pouvoir et d'honneur qu'avec Dieu. Placez vos espoirs en Lui. Il ne vous appartient pas de l'emporter par la force des armes, car la défaite de Satan est dans les mains sacrées de Dieu. Il ne réclame que votre allégeance, et Sa Volonté se déploiera. »

Presque huit cents ans plus tard naquit Kibr al-Akrad, alors que nombre de Kurdes de la Fin des Temps en étaient venus à mettre en doute l'existence même des ordres de Saladin. Mais le père de Kibr, Youssouf ibn Imad al-Din, apprit néanmoins à son fils les préceptes de l'islam, la science de ses textes et l'importance de son histoire, reliant Kibr au fier destin de ses ancêtres. Dès son plus jeune âge, Kibr entendit parler de la magie du sang d'Abraham, qui avait produit les deux grandes

1. *Madinat al-Qahirah* : Le Caire. *(Toutes les notes sont du traducteur.)*

descendances d'Isaac et d'Ismaël. Un pouvoir certes moins puissant mais de même nature coulait dans le sang de Saladin, dont Kibr était un descendant. Nonobstant, la famille de Kibr assista à la lente disparition de la communauté kurde du Caire ; de nombreux Kurdes en effet renoncèrent à leurs traditions pour accompagner la tendance à la sécularisation très présente en Égypte. Ils se marièrent, se mélangèrent, se diluèrent et finalement disparurent. Beaucoup se demandèrent si Saladin n'avait pas commis une regrettable erreur en leur confiant la terrible destinée d'attendre – et pour rien du tout.

Jusqu'aux grandes attaques. Des paroles de guerre furent à nouveau prononcées, des armées rassemblées, et le monde islamique courut au-devant d'une défaite qui allait humilier tous ceux qui jusqu'alors avaient manié l'humiliation. Jusqu'à ce qu'un prêcheur d'une cinquantaine d'années arrive au sein de la communauté kurde du Caire, pour emplir les oreilles d'une cité ingrate et d'une *oumma*[2] apeurée. Ceux qui l'avaient déjà entendu dirent que sa voix était bien plus grande que son corps, qu'elle était capable de transpercer les murs de l'unique mosquée kurde du Caire. Ils annoncèrent qu'un jour cette voix vaincrait des nations. Alors Kibr et tous les autres Kurdes en état de marcher vinrent écouter. Ils entendirent un homme qui, assez étrangement, se faisait appeler Rojet Dahati, un nom qui en kurde évoquait l'avenir. Ce Rojet déclara que lui aussi était un Cairote de souche kurde, même si ses parents, longtemps auparavant, l'avaient placé sur un chemin autre, un chemin dont il était revenu uniquement grâce à la sagesse et la patience d'un érudit du nom de Abd al-Bari.

Mais en dépit des paroles de Rojet, la plupart des Kurdes ne reconnurent point son autorité. La plupart d'entre eux refusèrent de lui accorder le moindre crédit et certains s'opposèrent même à lui. Parmi ses nouveaux inébranlables partisans se

2. *Oumma :* terme du Coran qui désigne la « communauté » des croyants.

trouvait le père de Kibr. Sur ses conseils, Kibr suivit Rojet et bénéficia de son enseignement, jusqu'à ce que l'*oustad* mette le jeune disciple dans la confidence : Abd al-Bari avait été le *Qutb al-Aqtab*, le Pôle des Pôles, et Rojet son *Qutb*. Tout ce qui leur fallait désormais, c'était quatre *awtad*, quatre « piquets », pour fonder l'Ordre de Lumière, composé de disciples méritant l'immortalité. Ceux qui s'estimèrent à la hauteur d'une tâche infiniment lourde et grandiose rencontrèrent Rojet le vendredi suivant. Un homme d'âge mûr – un certain Wanand – fut le premier à répondre ; Kibr fut le second. L'Ordre de Lumière résolut de rassembler ses énergies pour libérer Jérusalem lorsque le temps de la libération serait venu. En échange, l'islam retrouverait sa gloire et la dignité serait restituée à ses terres et à son peuple, une justice compensatoire sacrée dans laquelle l'Ordre et ses soldats seraient appelés à jouer un rôle décisif.

Mais il n'y eut point d'aube nouvelle. Les attaques d'une mystérieuse « Base » déclenchèrent un autre conflit qui, Rojet le comprit d'emblée, était condamné à l'échec. De nouveau les croisés déferlèrent, et de nouveau le monde musulman se trouva divisé et sans défense. Trop tôt, Rojet fut obligé de lancer ses troupes. Des armes, dont le monde n'aurait imaginé qu'elles fussent déployées, le furent, et en de multiples occasions, faisant du cœur du monde musulman un carnage pourri et radioactif. Des dizaines de millions d'individus périrent jusqu'à ce que, finalement, le Pôle ait perdu son protecteur et n'ait plus que ses « piquets ». Alors, seul dans la Tour de Lumière, Rojet adressa au Tout-Puissant la plus étonnante des requêtes : être autorisé à revenir pour essayer à nouveau.

Quoique doutant de la sagesse de cette décision et de ses douloureuses implications, Kibr s'obligea à taire ses doutes. Des années durant, avant les guerres, les défaites et les massacres, il avait promis allégeance à Rojet, quoi qu'il arrive il suivrait le chemin que celui-ci prêchait. La prière de Rojet ramènerait-elle simplement le monde musulman à sa défaite ultime – bien que décalée dans le temps, cette fois-ci ? Cela, on ne pouvait le savoir. La seule chose dont les « piquets » avaient connaissance était la suivante : ils seraient obligés de se donner la mort, et emporteraient avec eux tous les souvenirs et toute la douleur née d'un temps où l'islam, irrésistiblement, avait été chassé de la Terre.

Embareh

Hier

Mourons avant que de mourir, Babou :
C'est alors seulement que le Seigneur peut être atteint.

Sultan BAHU

Notre appartement faisait penser à la révolution islamique

Peut-être étais-je le seul à avoir le sentiment de ne pas tourner rond ? Peut-être faudrait-il que je coure tout seul ? Une fois de plus. Nous étions arrivés à la mosquée juste au moment où il commençait à y avoir foule. Haris avait tapé ses sandales l'une contre l'autre et s'était installé à l'avant de la congrégation, me laissant près du mur du fond, face à une rangée de moustachus qui manifestement s'ennuyaient et regardaient dans la mauvaise direction, tournant le dos à la Ville sainte. À mon avis, eux non plus n'avaient pas particulièrement envie d'être là, pourtant quelque chose les avait attirés. Avaient-ils des colocataires ? Peut-être étaient-ils venus pour s'asseoir sur des tapis verts comme la prairie, se détendre sous les ventilateurs qui faisaient de leur mieux pour évoquer les fraîches rivières des Champs élyséens, ou peut-être pour échapper au soleil du désert dont nous protégeait le dôme, au-dessus de nos têtes ? Impossible de ne pas rendre cet hommage à la (défunte) civilisation à laquelle nous appartenions (avions naguère appartenu ?).

Et parce que je n'avais pas voulu venir à la mosquée, j'eus droit à un sermon que, par la suite, je ne voudrais plus jamais réentendre. Comme si les événements de la veille n'étaient pas suffisamment humiliants, l'imam y alla de son laïus sur l'importance du mariage et de la famille aujourd'hui. Qu'est-ce que c'était que ce radotage ? Dans notre monde envahi par l'individualisme et le monopole des machines, combien avaient le courage, l'envie, ou même le désir, de fonder un foyer, et ce faisant de reconnaître que nous constituions une race éphémère ? Dans la mosquée, l'atmosphère devint de plus en plus étouffante au fil du sermon, l'humidité tuant mes pensées dans l'œuf. J'endurai tant bien que mal la prière puis rejoignis mon colocataire sur le marbre brûlant de l'escalier.

Pour rentrer à l'appartement, le chemin le plus rapide consistait à faire une longue boucle en contournant un concessionnaire BMW enclavé à un endroit fort improbable : un immeuble délabré ne donnant sur aucun des axes principaux. De là, nous prîmes une rue en zigzag : le chemin de la maison. Notre appartement se trouvait sur Shari al-Ghayth, au quatrième étage d'un bâtiment situé au milieu du pâté de maisons, à équidistance de deux postes de police le plus souvent déserts, ayant pour vocation de protéger un politicien important qui habitait la même rue que nous, mais de l'autre côté.

Son appartement était plus chouette que le nôtre.

Une fois la salle d'exposition automobile passée, mon colocataire me demanda :

– Qu'est-ce que tu veux faire pour le déjeuner ?

Cette fameuse question éternellement sans réponse. Du moins en Égypte.

– Pourquoi ne pas y réfléchir une fois que nous serons à l'appartement ?

Je m'interrompis, regardant dans une direction puis dans l'autre, pour ne pas me faire renverser par un chauffard. Un martyr après le sermon du vendredi : pourquoi pas ?

– Autant se poser la question au frais, là où c'est climatisé, ajoutai-je.

Il ne pipa mot. Autrement dit : d'accord. Je sortis une cigarette, l'allumai puis jetai l'allumette derrière moi.

– Tu sais que c'est vraiment mauvais ?

Mon colocataire tout craché. Six jours sur sept, c'est lui qui assume le rôle de l'imam.

– Ah non, j'avais oublié, répondis-je en souriant, avant de souffler la fumée devant moi. Merci de me le rappeler.

– Mais enfin, tu n'écoutes jamais ce qu'on te dit.

De ma main libre, j'indiquai les autos garées dans la rue.

– On respire *leurs* saloperies tous les jours.

– Pourquoi vouloir aggraver ton cas ?

Je haussai les épaules et tirai une autre bouffée.

– C'est une sale habitude, conclut-il.

– Et dire aux autres ce qu'ils doivent faire, ce n'en est pas une, peut-être ?

Notre appartement faisait penser à la révolution islamique : compte tenu de tout ce qu'on nous avait promis, la déception était immense. En entrant, on se trouvait face à un minuscule vestibule qui donnait sur une pièce tout en longueur un peu aberrante, et dont la première moitié était une salle à manger équipée d'une table aussi monumentale qu'inutile. Qui donc allions-nous inviter à dîner, nous deux, modestes étudiants étrangers ? Le salon était vide à l'exception d'une encombrante causeuse et de deux « chaises-citronnade », ainsi baptisées car ces chaises pliantes en tissu écossais ultrafin me rappelaient des étés plus glorieux, l'époque de l'arrosage automatique des pelouses et de la citronnade maison. L'espace était dépourvu de table et le sol franchement douteux. On avait beau asperger, frotter, laver et briquer, il restait sale ; à croire que les taches faisaient partie des motifs.

Derrière le vestibule se trouvait notre cuisine : pas terrible question aération, mais ce point faible était compensé par un carrelage bleu vif et des appareils électroménagers d'un blanc redoutable, directement sortis d'une sitcom des années cinquante. À côté de la cuisine se trouvait la première de nos deux salles de bains, totalement inutilisable, et pas seulement parce que dépourvue de lumière et de WC. Quand bien même les WC auraient fonctionné, il aurait été tout bonnement impossible de s'asseoir dessus. Un de mes genoux aurait frotté contre la colonne du lavabo hideusement rouillée, l'autre serait entré en contact très intime avec la porte en bois. La seconde salle de bains, en revanche, était le point fort de l'appartement : propre, spacieuse, bien éclairée, accueillante. Bien sûr, elle n'en demeurait pas moins une simple salle de bains. Nous avions également deux chambres à coucher, toutes deux à peu près de taille égale, quand bien même le mobilier de la première se composait uniquement d'un lit. L'autre réglait par anticipation le problème : elle était équipee de deux lits une personne, d'un tapis, de tables de chevet et d'autres meubles modernes.

C'était notre refuge.

Pendant que j'attendais dans la salle à manger, mon colocataire alla dans la cuisine chercher de l'eau en bouteille. C'est seulement quand il fut sorti que je m'y aventurai à mon tour pour m'approvisionner en eau, moi aussi. On se retrouva dans le vestibule, sans se regarder, chacun les yeux fixés sur sa boisson.

– Ce n'était pas un peu idiot de revenir jusqu'ici pour ressortir juste après ? risqua Haris.

– Un peu d'exercice fera peut-être du bien à mes poumons encrassés, fis-je remarquer en souriant.

Il passa devant moi en émettant un grognement. J'eus envie de tendre la jambe et de le faire trébucher, que son visage s'écrase sur le carrelage crasseux. Mais il risquait de se rebiffer. Je me demandais si Haris serait capable de m'envoyer au tapis. Pourquoi ne pas avoir des pensees plus gaies ? Celle-ci, par exemple : je sors de l'ascenseur et j'aperçois une Égyptienne prodigieuse qui attend devant l'immeuble. C'est moi qu'elle attend.

Cette pensée-là me plaisait beaucoup. Je l'avais inventée le jour où nous avions emmenagé, et pourtant à chaque fois qu'elle me venait à l'esprit, la nouvelle fin était différente de la précédente, plus fantastique encore. Quoi qu'il en soit, le plus amusant – plus que l'histoire qui allait avec –, c'était de penser à la fille elle-même. En plus de sa beauté affolante, il fallait que ce soit une Occidentale d'Orient, extérieurement islamique mais intérieurement séculière, se partageant entre les deux avec une impétueuse hypocrisie qui collerait parfaitement avec la mienne. Tant et si bien que je ne cessais de me poser la question suivante : comment la piété de mes parents avait-elle produit une personne capable de se satisfaire de déodorant, d'eau en bouteille et des beautés de contes de fées ?

Pour l'instant, cependant, tout ce que j'avais, c'était Haris. Pas seulement un imam mais aussi un mari et une femme. À nous deux, nous aurions pu constituer une société. Alors l'un des deux aurait fait campagne en faveur de la loi islamique et aurait tout fichu en l'air.

Haris fit cliqueter ses clés et se dirigea vers la porte.

– Allons-y.

– Où ça ?

Ce n'était pas juste une serveuse

Jamiat al-Douwal al-Arabiyah, l'avenue de la Ligue des États arabes, un monstre à huit voies qui commence à la bordure occidentale du quartier Mohandissine et descend jusqu'à sa lisière orientale, juste au nord de notre quartier d'Agouza. C'est sur ce boulevard énorme que se trouvent la plupart des restaurants occidentaux (et la plupart des commerces occidentaux en général) du Caire, dont l'indispensable supermarché Metro, où nous faisions fréquemment halte, parfois pour de bonnes raisons, mais pas toujours. Ce vendredi-ci, c'était pour utiliser leur distributeur de billets. Et pour se reposer dans un espace climatisé, après une longue marche en plein cagnard.

– Veux-tu manger quelque part en particulier ? ai-je demandé.

C'était une question idiote, dans la mesure où nous savions tous les deux qu'il n'y avait rien de valable. Il y a bien longtemps, à l'époque où personne ne prenait les mosquées en photo, lorsque les villes vivaient dans leurs murs et que le vieux Caire n'existait pas, personne ne posait de telles questions. Les questions sont pour les morts. Les réponses pour les vivants. Ma carte de crédit a accroché la lumière et l'hologramme s'est mis à scintiller.

Pour n'importe quel passant, nous n'étions que deux touristes perplexes, désemparés, qui se retrouvaient à un guichet automatique. Je n'aurais pas été surpris outre mesure si de gentils

Égyptiens s'étaient approchés pour nous informer que nous nous trouvions en réalité bien loin des pyramides. En fait, nous étions venus au Caire pour apprendre l'arabe, sauf que cela ne se passait pas très bien. Nous n'étions vraiment pas motivés pour apprendre, c'est le moins qu'on puisse dire. Nous n'avions pas très envie (voire pas du tout envie) d'ouvrir un manuel, et encore moins d'étudier dans un manuel. Nous ne ressentions pas non plus le besoin pressant d'approcher une mosquée, mis à part l'intérêt occasionnel de mon colocataire pour la prière, et les indispensables rouleaux de photos que nous prenions pour impressionner les amis et la famille, là-bas, en Amérique.

– Quelle mosquée magnifique, s'exclamaient-ils. Est-ce que tu y as prié ?

– Je n'arrive plus à me souvenir, répondais-je.

Autrement dit : je préférerais oublier.

De temps en temps, ma pratique religieuse connaissait un regain de ferveur, conséquence d'une impulsive et passagère piété, dont l'effet à long terme était négligeable. Bien vite, cette vague m'effrayait et je faisais tout pour la réduire à néant, jusqu'à ce qu'il ne reste plus que d'insignifiants murmures dans une existence somme toute bien morne. C'est pour cette raison que j'étais venu passer l'été en Afrique : afin de trouver un moyen de ravigoter mon islam. Cependant, l'épuisement quotidien qui avait miné mon ardeur à New York, où je faisais mes études, continuait de m'affecter.

En fait, c'était de ma faute. Pour me donner de l'espoir, je m'étais rendu dans une région où l'espoir avait depuis longtemps cédé la place aux théories du complot, aux intrigues sionistes et aux conspirateurs du Mossad, aux assassinats de la CIA et autres organisations sinistres planifiant à l'avance les erreurs que les gens allaient commettre. N'aurais-je pas dû faire davantage preuve de bon sens ? Et puis, encore un mois, et je rentrerais en Amérique sans avoir progressé d'un iota, ayant probablement aggravé mon cas : assis dans mon appartement de l'Upper East Side, je m'en voudrais de n'avoir rien fait de plus productif de mes précieux mois à l'étranger ; toujours à regarder en arrière, à regretter.

Mais regretter, ça menait à quoi ?

En me regardant dans les yeux, Haris me fit peur.

– Pourquoi ne pas manger au Chili's ? demanda-t-il. On n'y est encore jamais allés. (Je le dévisageai avec scepticisme, aussi mit-il un terme à la discussion.) Tu as une autre idée ?

Je fis mentalement défiler la moitié la plus à la mode de Jamiat al-Douwal, autrement dit l'autre partie de ce monumental boulevard. Non, je n'avais rien d'autre à proposer. Je m'activai donc sur les écrans bleutés du distributeur, bondissant d'un menu au suivant, pour retirer soixante guinées[1], la somme quotidienne maximale à laquelle j'avais droit. Soit environ quinze dollars au taux de change du début du siècle. Pendant que mon colocataire hélait un taxi, je fourrai l'argent dans mon porte-monnaie, tâchant de ne pas trop attirer l'attention. Il était préférable de dissimuler notre richesse (au demeurant toute relative), si nous ne voulions pas dépenser l'argent du déjeuner en frais de taxi. Les chauffeurs du Caire étaient comme les costauds de l'école qui vous harcèlent à la récréation.

Je me concentrai alors sur l'horizon, détournant les yeux et les oreilles de ce qu'offrait mon environnement immédiat. Voici qui ne manquerait pas d'influer sur l'opinion que pourrait avoir notre chauffeur de ses clients : à l'évidence nous habitions ici depuis longtemps, nous ne nous intéressions donc pas à ce qui nous entourait. Je tendis le cou et, regardant en l'air, remarquai quelque chose d'assez inattendu. Un panneau d'affichage jaune hideux, placé de telle manière que très peu de gens pouvaient l'apercevoir. Des lettres majuscules noires carrées tout à fait banales annonçaient : SANS DIEU IL N'EXISTE NI GLOIRE NI PUISSANCE. Coincée en bas à droite, d'une écriture aussi soignée,

1. Guinée : autre nom de la livre égyptienne.

quoique plus petite, figurait la mention du gouvernement de la République arabe d'Égypte, qui avait financé l'affiche.

Notre chauffeur de taxi reposa la question :

– Comment s'appelle le restaurant ?

– Chii-liiz, répondit mon colocataire.

Celui qui avait eu la bonne idée de hisser le panneau complètement en hauteur, à côté de la deuxième étoile à droite, avait également dû choisir la sortie du Chili's, en se disant que ce serait une bonne idée d'implanter un restaurant derrière un épais rideau d'arbres et un grand magasin d'électronique qui lui faisait de l'ombre. Les constructeurs, décidai-je, étaient fatalement musulmans. Comme pour indiquer que tant d'incompétence lui déplaisait, notre taxi nous abandonna devant la mosquée Moustafa Mahmoud, qui eût été un emplacement bien plus judicieux pour ouvrir un restaurant. Je m'offris le plaisir d'une cigarette, que je fumai pendant le trajet à pied jusqu'au Chili's.

Un jeune homme empressé nous fit entrer, ouvrant la porte de telle manière qu'il manqua d'assommer Haris. Bien évidemment, je vis gros comme une maison qu'il allait m'arriver la même chose, mais en pire. Heureusement mes verres de lunettes étaient incassables. Comme ça, j'allais me retrouver avec le morceau entier planté dans l'œil, ce qui m'éviterait le désagrément d'avoir à en retirer une infinité de petits bouts de verre aux bords déchiquetés.

– Ne t'approche pas trop de Houssam, lui soufflai-je en souriant.

Mon colocataire éclata de rire.

– Du moment que ce n'est pas lui qui fait le service.

Effectivement, ce n'est pas lui qui vint prendre notre commande. On nous informa en revanche qu'une serveuse allait s'occuper de nous. Ce qui conduisit à l'inévitable conjecture : serait-elle charmante ? Nous épouserait-elle ? Et lequel de nous deux ? Au cas où nous serions contraints de livrer bataille pour elle, le perdant serait-il quand même tenu de continuer à payer le loyer ? Et pire encore : hériterait-il de la chambre la plus moche ? Mais de telles spéculations étaient quelque peu déplacées. Elle n'était pas laide. Elle n'était pas jolie. Elle était soit l'un soit l'autre, mais en aucun cas entre les deux. Au gré de ses expressions pour le moins emphatiques, notre serveuse franchissait la ligne de démarcation brouillée qui sépare l'adorable du répréhensible.

Las d'étudier une carte pleine de redites – Chili's s'avérait un fast-food onéreux, il allait être difficile de maintenir mes ablutions –, je me mis à énumérer pour mon colocataire les traits savoureux de notre serveuse, dans l'espoir qu'il tente de la draguer. Mais ma tentative de promouvoir les charmes de la jeune femme échoua. Si elle était aussi ravissante que je le prétendais, alors il eût été ridicule de laisser à Haris le loisir de la conquérir. Une pointe de vaine jalousie me submergea, me poussant à flirter avec une fille qui ne m'intéressait même pas.

Lors de sa première visite à notre table, tandis que mon colocataire s'apprêtait à réclamer un peu plus de temps (il hésitait entre le *burger* et le *cheeseburger*), je pris mon air le plus sérieux.

– Est-ce que je pourrais commencer avec des *quesadillas*[2] au fromage ?

Quel écho magnifique cela fit, lorsqu'elle confirma ma commande ! Une jeune Égyptienne énergique, à la voix haut perchée, dont la langue arabe s'était musclée au gré des exigences de ce langage vigoureux, et qui essayait à présent, mais sans y parvenir, de s'adoucir pour prononcer une bribe d'espagnol. Une fois qu'elle fut repartie avec ma commande, répétée à deux reprises, puis notée noir sur blanc, mon colocataire s'inquiéta pour ma santé :

– Tu ne risques pas d'être malade, avec les *quesadillas* ?

2. Plat mexicain typique à base de tortillas.

– Non, ça ira, répondis-je avec fermeté.

Il était jaloux, voilà tout. Notre serveuse avait concentré toute son attention sur moi, le considérant tout juste comme un petit animal (certes doté d'argent et d'appétit), assis en face d'un client bien plus attirant. Lorsqu'elle revint avec mon entrée, je passai à la vitesse supérieure. Mon sourire timide se métamorphosa en un large sourire, qui fit rapidement place à un rire contagieux et à des plaisanteries bon enfant. Toutefois je finis par tout gâcher en me fendant d'un désastreux clin d'œil droit, tandis qu'elle approchait de notre table pour apporter le troisième Pepsi que j'avais commandé. Ce n'était pas juste une serveuse, c'était une serveuse musulmane. Mon flirt excessif la mettait mal à l'aise, alors qu'il allait de pair chez moi avec un certain optimisme, sans trop que je sache pourquoi. Nos anciennes valeurs – enfin, anciennes pour moi – survivraient peut-être à cette sombre époque, pour déboucher sur des temps meilleurs : sous franchise islamique, le Chili's serait remplacé par un restaurant à peu près identique, moyennant quelques ornementations ici ou là. Autrement dit un lustre superficiel de foi recouvrant une infinie vacuité.

Mon colocataire faisait tourner sa paille dans son gobelet, provoquant un petit tourbillon de Pepsi qui l'amusait fort, et – je dois, non sans honte, le reconnaître – piquait ma curiosité. Il s'interrompit, leva la tête. La paille fut brusquement emportée et tournoya sur elle-même, avant de vite perdre de son élan.

– J'ai besoin d'aller chez le coiffeur.

Il se posa les mains sur la tête, tira sur l'extrémité de ses cheveux de manière merveilleusement comique pour indiquer qu'ils avaient poussé dans des proportions inacceptables.

– Nous avons l'après-midi de libre. Veux-tu aller chez le coiffeur à côté de chez nous ?

Une allure de soufi déconfit

Toute l'Égypte est dans les tons bruns. Les bâtiments, les rues, les gens et les pyramides. Bon sang, même les chameaux sont de cette couleur. Vu d'avion, Le Caire est une civilisation du tiers-monde, croûtée de boue, qui s'est étendue trop rapidement – rien d'autre qu'un château de sable tentaculaire. Le salon de coiffure pour hommes de Shari al-Ghayth, situé à quelques pas de notre immeuble, de ce point de vue, contrastait étonnamment avec le reste. La moitié de l'échoppe était en sous-sol – une volée de marches abruptes, d'un beige regrettable, qui s'arrêtaient juste devant la porte. Si quelque chose méritait qu'on y consacre une pellicule entière, c'était bien le magasin lui-même, peint dans un rouge pimpant affolant au goût de viande salée, qui me brûla les yeux comme du fer en fusion. Et ensuite, il y avait la porte ! Entièrement en verre, et pratiquement de la taille de la boutique elle-même, au chambranle d'un honorable vert printanier musulman. Ce qui n'était absolument pas étonnant, vu que le fondamentalisme du sympathique coiffeur atteignait des sommets. Des livres tels que *Histoires des prophètes* étaient posés sur l'unique table, la lecture étant rendue plus agréable grâce au robuste climatiseur qui ronronnait obséquieusement dans le fond.

Mais comme je ne répondais rien, Haris s'inquiéta.

– Tu ne veux pas y aller, *yaar*[1] ? C'est un bon coiffeur.

Là encore, il avait raison. La veille encore, j'aurais sauté sur l'occasion.

C'était étrange de voir comment Haris pouvait passer d'une émotion à son exact contraire. À un moment donné, il pouvait être maussade, déprimé, au bout du rouleau, et pas d'humeur à appeler quiconque à l'aide. Et l'instant d'après, un fin sourire rectangulaire lui éclairait la figure, et chacun de ses traits rayonnait d'une infinie gaieté. Cette fois-ci néanmoins, il était simplement perplexe. Ses yeux trahissaient sa perplexité. De même que sa bouche, son nez, ses joues, son menton, ses oreilles et son front.

– Tu ne veux vraiment pas te faire couper les cheveux ? Pourtant, ça ne te ferait pas de mal, *yaar*.

Merci pour le compliment.

– Je ne suis vraiment pas d'humeur à y aller.

– Mais on a tout l'après-midi devant nous. Qu'est-ce qu'on va faire, autrement ?

Rester assis à se disputer pour des idioties.

– Écoute. (Je voulais être ferme, intraitable, au lieu de quoi ma voix se craquela. Heureusement que la serveuse n'était pas dans les parages !) Je n'ai vraiment pas envie de me faire couper les cheveux.

– Euh, et pourquoi ?

Parce que je n'ai pas de petite copine. Mauvaise réponse, je sais. Mais c'était ma réponse, alors il allait falloir qu'il s'en satisfasse. Mais comme je ne prononçai rien de tout cela à voix haute, Haris enchaîna avec une autre question.

– Tu es sérieux ?

Cette façon qu'il avait d'insister était troublante. Mais peut-être que mon intransigeance lui faisait le même effet. Après

1. *Yaar :* terme utilisé en ourdou, en hindi et en pendjabi, signifiant « ami », « mon copain », « mon vieux ».

tout, quel être humain sain, en cette ère d'ordre et de rationalité dans laquelle nous vivions, quand la vie entière était une marche réglée vers l'oubli (par opposition à une chute libre qui, elle, aurait eu un sens, je suppose), refuserait quelque chose d'aussi utile qu'une coupe de cheveux ? Aurions-nous été dans l'Émirat islamique d'Afghanistan et aurais-je refusé de prier que l'effet sur l'autorité morale de mon colocataire eût été à peu près identique.

La serveuse laissa tomber la note sur la table et je ne lui accordai même pas un deuxième coup d'œil. Je vérifiai le total, déposait la somme exacte sur la table, et me tournai vers mon colocataire.

– Quand je suis sorti – enfin, quand je me suis échappé en courant – de l'appartement hier soir, j'ai aperçu le coiffeur dans son salon. Je veux dire, je suis passé devant sa boutique. Et il m'a vu...

– D'accord, fit-il en fronçant un sourcil. Et alors, pourquoi est-ce que tu ne veux pas y aller ?

– Parce qu'il m'a vu.

– Quoi ?

Je me levai, invitant Haris à faire de même. Comme nous sortions, prenant soigneusement l'initiative d'ouvrir la porte, pour que Houssam n'ait pas à s'en charger, je précisai :

– Tu sais que c'est un intégriste. Et s'il me demande ce que je fabriquais dehors si tard ? (Je m'arrêtai à la première marche.) Qu'est-ce que je lui réponds ?

– C'est toi qui as pris tes jambes à ton cou.

– Ouais. (Certes.) Il n'était pas censé me voir.

– Mon Dieu !

Haris projeta les mains en l'air, si bien que – l'espace d'un instant – on put croire qu'il allait se mettre à prier. Je me souvins alors que je n'avais pas fait mes prières matinales. Au moins avais-je assisté à celles du vendredi. Une sur deux. Dans un établissement scolaire américain, j'aurais échoué. Passé le jour du Jugement dernier, j'irais en enfer.

–Je trouve que ce serait bizarre, tu sais, de lui expliquer pourquoi je courais aussi vite.

Haris secoua la tête.

–Évidemment. Tu quittes ton appartement en courant comme un dératé, et ensuite tu t'étonnes que quelqu'un t'ait vu. Tu as de la chance de ne pas avoir croisé la police.

En guise de réponse à cette pertinente remarque, je fixai le vide, devant moi. Sur ma droite, une rue plus loin, se dressait la mosquée Moustafa Mahmoud, construite par un scientifique de renom qui était revenu à la religion, puis avait créé une fondation pour divulguer son mélange d'empirisme et d'intégrisme. Sur ma gauche, se trouvait une tentative avortée de rond-point. Il y avait apparemment eu jadis une fontaine au milieu, qui désormais n'était plus alimentée. Jamiat al-Douwal passait légèrement de guingois ; l'artère étant encore encombrée de voitures marron et beige, comme tout le reste par ici. Je consacrai ce temps d'observation à réfléchir à ce qu'il fallait que je fasse.

Le coiffeur allait évidemment me demander pourquoi j'étais passé devant chez lui en courant, la nuit dernière. C'était un type tellement gentil, toujours à nous renseigner sur les restaurants les moins chers, les bonnes épiceries – et voilà que je projetais une ombre sur notre relation jusqu'alors cordiale. Étant religieux, il allait cesser totalement de me respecter, et décréterait certainement Haris coupable par association. Il allait peut-être même refuser de nous voir. D'un autre côté, ne pas y aller n'était pas non plus une solution. Il fallait vraiment que je me fasse couper les cheveux. Et si j'attendais que mon colocataire ait à nouveau besoin de retourner chez le coiffeur, je finirais par avoir une allure de soufi déconfit. De plus, si Haris s'y rendait seul, mon absence ne ferait qu'attiser les soupçons du coiffeur. Je ne pouvais pas non plus y aller seul. Il m'était en effet pratiquement impossible de comprendre ce que racontait notre coiffeur. Seul Haris pouvait m'aider à décrypter ses questions.

– Qu'est-ce qu'on attend ? demanda-t-il.

– Rien, en fait, répondis-je en feignant une quinte de toux. Tu es prêt à rentrer à pied ?

– À pied ? répéta-t-il abasourdi. En plein après-midi, au Caire, au mois de juillet ? Il fait quarante-trois degrés.

Vraiment ?

– Ma foi, commençais-je en me disant qu'il était temps que je regarde ailleurs (le sol par exemple ; dommage, mes pieds ne constituaient pas un spectacle très excitant). J'ai dépensé tout notre argent pour le repas.

Haris s'approcha, comme pour me frapper. Je ne reculai pas, sachant que je le méritais.

– Ce que tu peux être bête, des fois. Pourquoi a-t-il fallu que tu commandes des *quesadillas* ? (Il fouilla dans son porte-monnaie, ce qui ne servit pas à grand-chose.) Je n'ai plus que dix guinées. Ça suffit pour le taxi et le coiffeur pour une personne, ou alors pas de taxi et le coiffeur pour deux personnes.

Ce qui était une autre façon de poser la même question : veux-tu te faire couper les cheveux ?

– Allons-y en taxi, proposai-je. Je n'ai pas besoin de me faire couper les cheveux.

Il jeta un coup d'œil à la vilaine tignasse noire désespérante que j'avais sur le crâne.

– Boucle-la, *yaar*. Je paierai pour toi. Rentrons à pied.

Ma vie a été une suite d'échecs intimement liés entre eux, qui se sont produits à un rythme de plus en plus effréné, chaque erreur créant un problème, chaque problème porteur de dilemme, et chaque dilemme – bon, et cetera, jusqu'à ce que je me réveille un jeudi matin, tremblant comme une feuille dans un pays surchauffé, me demandant à quoi bon sortir du lit. Et cela a beau être une mauvaise question, mon incapacité à y répondre est mille fois pire. Mais hier, après avoir battu en retraite une fois de trop, j'ai pris une initiative sans précédent : une décision. J'ai décidé de foncer, de prendre en main ma destinée. Enfin, pas complètement en main, puisqu'elle m'a filé entre les doigts. Mais cela ne change pas le fait que, pour une fois, j'ai fait quelque chose.

Hier soir tard, au milieu d'une nuit mélancolique de plus au Caire, je suis sorti en trombe de notre appartement, sans adresser un mot à mon colocataire. J'ai galopé et galopé jusqu'à ce que mon corps trempé de sueur s'arrête devant le Hardee's, sur la rue Batal Ahmad Abd al-Aziz. Mon regard a transpercé chacune des imposantes vitres du restaurant, je me suis forcé à écarquiller les yeux, malgré la poussière qui les suppliait de pleurer.

Sauf qu'à ce moment-là, elle avait disparu depuis belle lurette.

La première utopie islamique du XVe siècle

Ce fut la perspective de ce salon de coiffure pour hommes rouge pomme d'amour et vert pomme amère qui fit diminuer la chaleur qui me pesait tant. Notre fidèle coiffeur maintenait en effet sa boutique à une température glaciale d'une rigoureuse exactitude, présentant un cas fascinant de mariage heureux de l'islam et de la modernité, pour le plus grand bénéfice de l'un et de l'autre. Mais ce n'était pas tout, le rituel lui-même était divin. Un de ses deux apprentis (qui, en vertu des lois de probabilité égyptiennes, s'appelait nécessairement Muhammad) allait commencer par faire tremper nos têtes dans un lavabo et nous laver les cheveux à l'aide d'un shampoing aromatique aux amandes. La mousse serait rincée à l'eau froide chlorée d'un vaporisateur – avant *et* après la coupe de cheveux. C'était la première utopie islamique du XVe siècle. Je souris donc à la perspective de la concrétisation de cet agréable événement, jusqu'à me rendre compte que je souriais à l'idée de me faire couper les cheveux. Ceci, voyez-vous, c'est ma vie.

J'étais déjà épuisé par ma propre déshydratation, mais la situation n'allait pas tarder à empirer.

Lorsque nous passâmes le coin pour déboucher dans notre rue, un poids rua dans mes entrailles, provoquant un gargouillis intérieur de fort mauvais augure. Autrement dit le Sphinx gastro-intestinal. La Vengeance du pharaon. La Ruine de Ramsès. La Diarrhée des dynasties.

– Oh, mon Dieu, geignis-je, ces saletés de *quesadillas*.

Haris se retourna, mais en me voyant cramponné à mon ventre, il ne rigola pas. Il en oublia même que je lui avais fait parcourir une si prodigieuse distance sans même une bouteille d'eau à se partager. L'humeur était plutôt à la compassion.

– Ça va, *bhai*[1] ?

– Je te retrouve chez le coiffeur, lui promis-je en lui faussant compagnie précipitamment. (Destination : notre appartement. Haris, pendant ce temps, continua dans la direction opposée, vers l'ombre des arbres et le salon de coiffure, qui se trouvait juste au-delà.) Je t'en prie, m'écriai-je, ne parle pas non plus de ça au coiffeur.

Il ne se moqua pas non plus de cette dernière supplique. Je le remerciai en ne disant pas merci. Je dois faire remarquer pour ma défense que j'étais confronté à des préoccupations plus pressantes, pour ne pas dire plus... courantes. Je filai vers notre immeuble en priant Dieu infiniment miséricordieux que l'ascenseur soit déjà en bas, et m'évite ainsi une seconde supplémentaire de cette douleur atroce. Amusant de voir avec quelle soudaineté la piété redevenait promesse de salut. Par miracle, l'ascenseur attendait dans le hall de l'entrée, comme descendu des hauteurs dans l'unique but de soulager mon calvaire.

Je me soulageai dans nos toilettes, au terme d'épreuves terribles qui m'épuisèrent. Les WC furent envahis par une épouvantable puanteur que j'eus la folie d'essayer de chasser à l'aide d'une vingtaine de pulvérisations d'eau de Cologne Armani de Haris. La solution fut pire que le problème qu'elle

1. *Bhai :* terme utilisé en ourdou, hindi et pendjabi pour dire « mon frère », « camarade ».

était censée régler, m'obligeant à sortir des cabinets en réprimant une furieuse envie de vomir.

Dans la cuisine, je tâchai de me ressaisir en ingurgitant un Pepsi sucré, espérant que le mélange de caféine et de saccharine réinjecterait dans mon corps las une vigueur qui, pour l'instant, me faisait cruellement défaut. Je bus directement à la bouteille, n'étant pas d'humeur à me chercher un récipient intermédiaire : l'affaire était urgente. Après tout, les verres étaient comme les prêtres. Étais-je chrétien ? Non, assurément je ne l'étais pas. J'étais un musulman qui venait juste de dépenser soixante guinées dans un repas qui circulait présentement dans la tuyauterie du Caire.

Avant d'oser descendre chez le coiffeur, j'attendis cinq bonnes minutes. La séance chez le coiffeur promettait d'être bien assez gênante comme ça ; mais alors si en plus mon estomac perturbé lançait une contre-offensive. Au moment où il me demanderait ce que je faisais à courir devant son salon au beau milieu de la nuit, je sentirais mes tripes se rappeler à mon bon souvenir. Sans pouvoir répondre à son impérieuse requête, je me verrais à nouveau obligé de prendre mes jambes à mon cou, détalant de sa boutique, cette fois-ci, avec la moitié des cheveux bien coupés, l'autre moitié encore sous forme de friche vaguement chaotique. Entre-temps, mon colocataire expliquerait au coiffeur que je m'étais rendu malade pour impressionner une fille qui ne m'intéressait pas.

– Il est très bête, ferait remarquer le coiffeur en souriant. Il me rappelle la Ligue arabe.

Quand j'arrivai chez le coiffeur, Haris était encore en train de se faire couper les cheveux. Le coiffeur se retourna pour me saluer, approchant dangereusement la lame brillante et tremblotante de l'oreille de mon colocataire. Je le vis par deux fois tressaillir. Une fois devant moi, puis une deuxième fois dans la glace, à l'autre bout de la pièce.

– *Salam aleikoum wa rahmatoullâhi wa barakâtouh*, lança le coiffeur.

Non seulement il me saluait en implorant que la paix soit sur moi, mais il m'offrait l'amour et la bénédiction de Dieu. Je n'avais d'autre choix que de me fendre de la réponse complète qui s'imposait.

– *Wa aleikoum salam wa rahmatoullâhi wa barakâtouh.*

Cinq minutes plus tard, c'était à mon tour. L'un des apprentis du coiffeur (peut-être celui qui statistiquement s'appelait Muhammad, mais peut-être pas) me fit asseoir devant le lavabo sur colonne, et m'immobilisa la tête selon un angle bizarre. Le fait que je sois grand n'arrangeait pas les choses. Il s'enduisit les mains de ce shampoing magique et se mit non sans emphase à m'en oindre le cuir chevelu, faisant partir la crasse du Caire qui y avait trouvé refuge. Pour le rinçage, j'eus droit à de l'eau pratiquement gelée : était-ce l'eau tant désirée ? Mais oui. Simplement j'avais oublié l'excitation que l'on ressentait à surmonter le glacial choc initial.

Ensuite, Muhammad m'arracha une couche de peau du visage avec sa serviette. Les choses étaient moins subtiles ici. Mon colocataire s'installa sur un fauteuil noir au milieu du salon, tandis que je prenais place. Tout en m'enveloppant dans le tablier, le coiffeur poursuivit la discussion qu'il avait commencée avec mon colocataire. La quasi-totalité de leur conversation m'échappa, cependant, car le style et le vocabulaire utilisés étaient bien loin du formalisme que j'affectionnais. Comme pour le reste de ma vie. Je parlais bien anglais, mais j'aurais préféré que ce soit une autre langue à la place.

Mon père venait d'un village – même pas un bourg – situé dans un coin du sous-continent baptisé Pakistan. Dans son petit hameau, on ne parlait que le pendjabi, la langue crue et poétique des rivières. De la même façon que des petites îles se forment à la suite d'une crue farouche – des avant-postes de boue et de gadoue qui survivront et deviendront de futures terres arables pour les générations à venir –, le pendjabi est la langue non pas de la réalisation mais du potentiel ; non pas de la modernité mais de l'espoir de modernité ; non pas de demain, mais du coucher de soleil héraldique. Ceux qui le parlent ont des langues comme des mains qui s'écrasent dans des flaques d'eau profondes en raison des pluies de la saison, attendent impatiemment la chaleur pour émerger, apportent de l'énergie pour l'effort. C'est ainsi que nous autres Pendjabis courons à la lisière des cours d'eau sinueux, qui prêtent à cette langue sa mélodie offensive et son audace rimée.

Mais le pendjabi ne devint pas la langue officielle du Pakistan. Les élites séculières de cette nouvelle idée nationale, qui avaient tant bien que mal réussi à concocter un mélange d'islam et d'Atatürk, choisirent l'ourdou comme médium de leur paradoxe : après le tâtonnement, ce fut le déclin puis l'échec. On ne peut que s'interroger à ce sujet. L'ourdou est la langue du royaume à venir, car il remonte à l'époque du Taj Mahal, au temps où il brillait dans la nuit et n'était pas encore un attrape-touristes. L'usage que l'on peu faire de l'ourdou, dans cette obscurité qui précède l'aube, est inexplicable.

Mais ceci ne consola en rien mon père, qui n'avait jamais trôné à la cour ni composé de poésie. En revanche, il chantait, et uniquement en pendjabi, tandis que sur le champ de bataille il devait défendre ces « nationalistes » – des hommes qui n'avaient jamais vécu dans son pays ni parlé sa langue, mais décrétaient que ce qui était à lui leur appartenait également. Pour lui, et donc pour moi, l'ourdou fut toujours le dépouilleur d'âme, le voleur de vie, le briseur de dos, la faucheuse, une écriture symbolisant les ambitions fantaisistes et anesthésiantes que le Pakistan a toujours incarnées, mais qui, depuis maintenant des siècles, ne se sont jamais réalisées. Pas étonnant donc que mon père se soit enfui pour cause de bouleversements linguistiques, économiques, sociaux et politiques. Pour aller où ?

Je vous le donne en mille : précisément là d'où les colonisateurs venaient. C'est ainsi que tout au long de ma (certes) courte vie, je n'ai pas eu de langue à moi, mais seulement différents langages pour me mettre en relation, non pas avec des lieux, des gens ou des visages, mais seulement avec des idées.

Le coiffeur me dit quelque chose que je ne saisis pas. Pour m'aider à comprendre, il me planta les doigts sous les favoris.

– Non, marmonnai-je, on n'y touche pas.

C'est alors, je pense, qu'il me demanda quel type de coupe je voulais.

– Pareil, répondis-je. Un peu plus court, c'est tout.

Mes cheveux furent coupés avec une redoutable efficacité. Mais je n'étais pas triste de les voir tomber. Comme toujours, ils finiraient par repousser. Quant à savoir si oui ou non mon colocataire serait là pour payer, ça, c'était une autre question. Suivie d'une troisième, que le coiffeur n'allait pas manquer de me poser, je le savais.

– C'est toi qui es passé en courant devant mon salon, la nuit dernière ?

Je lançai un regard à Haris, qui tâcha, en vain, de réprimer un sourire. Je t'en prie, laisse-moi faire face seul à cette question, aussi périlleuse soit-elle. C'est ce que ne manqua pas de faire mon colocataire. Il se plongea dans un livre et fit semblant d'être devenu sourd. Je ne le soupçonnai d'ailleurs pas d'écouter en douce. Ce n'était pas son genre.

Me retournant pour faire face au coiffeur, je fis de mon mieux pour sourire.

– Oui, je suis passé en courant devant votre salon, hier soir. (Il faut dire aussi que je parle un arabe exécrable.)

– Il était là ? demanda le coiffeur en s'aidant de sa paire de ciseaux pour montrer Haris.

– Non. Il n'y avait que moi.

Je faisais juste un peu d'exercice, voulus-je dire. Mais le coiffeur ne posa pas d'autres questions, m'empêchant ainsi à la fois de me défendre et de mentir – car c'est ce que j'aurais fait, s'il avait poursuivi son interrogatoire. Les événements de la nuit dernière n'étaient rien d'autre qu'une tension tâchant de s'éradiquer d'elle-même par l'action, aussi étrange ou soudaine que fût cette action. Hier soir tard, j'ai couru aussi vite que j'ai pu jusqu'au Hardee's, à la recherche de quelque chose susceptible de me recoller en un seul morceau. Ce n'est pas que je m'étais brisé d'un coup en mille morceaux, mais je m'étais effrité, lentement d'abord, puis plus sûrement, jusqu'à toucher le fond et me briser, me détachant de moi-même en explosant de toutes parts. Pendant quelques minutes, je fus un autre, m'observant évoluer dans le temps, comme si l'on pouvait assister à la répétition et ensuite retourner en arrière pour rectifier le tir. J'avais abandonné tout ce que je n'avais jamais eu dans l'espoir de trouver quelqu'un ressemblant à une issue de secours, du moins à une distance de quelques pas.

Hier soir, il n'y avait que moi. Seul. Moi seul en train de courir pour, peut-être, ne pas être.

L'ambassade du Pakistan oriental

Au cours de notre première semaine en Égypte, mon colocataire et moi-même renonçâmes à la cuisine locale. Des plats généralement peu impressionnants qui, pour le même prix, s'avéraient cruels avec nos estomacs. Malheureusement, la meilleure alternative était les restaurants cinq étoiles qui proposaient des mets fantastiques à des tarifs plus fantastiques encore. Alors, où donc pouvions-nous aller, nous autres Égyptiens temporaires aux revenus moyens ? En direction de l'Occident, bien sûr.

Le raisonnement égyptien est le suivant : puisque l'Amérique est puissante, le fast-food américain est nécessairement délicieux, sain et ludique. (Il est rarement, voire jamais, les trois à la fois.) Et pourtant, ainsi tourne la roue pour les perdants. Et c'est aussi ce qui explique l'incroyable profusion de fast-foods au Caire, qui y poussent comme des champignons, en moins de temps qu'il n'en faut pour prononcer Jamiat al-Douwal al-Arabiyah. Mais comme les prix étaient bas et la nourriture relativement hygiénique, nous fûmes, au cours du premier mois, condamnés à manger dans ces endroits.

Pour rompre la monotonie, nous achetâmes un guide sur papier glacé des nombreux restaurants du Caire. Toutefois, comme ce guide n'était acheté que par ceux qui avaient des revenus comparables ou supérieurs aux nôtres, les options présentées s'adressaient dans une large mesure à des Égyptiens qui ne désiraient pas manger comme les Égyptiens. Mais là encore, je ne peux pas leur en tenir rigueur. S'il y a un point faible dans leur culture, il se situe au niveau de l'estomac.

Au Pakistan, la mosquée Badshahi fournit un excellent indice quant à la qualité de la cuisine du pays. Dans le cas de l'Égypte, les pyramides offrent une analogie similaire : simple, fade, en miettes, antique, dépourvue du moindre ornement. À leur décharge, de nombreux égyptologues font valoir que les trésors se trouvent *à l'intérieur* des pyramides – mais moi, j'ai croqué dans la nourriture égyptienne, et les richesses cachées, je les cherche encore. Le goût aussi, d'ailleurs. Et pourtant, McDonald's ne place pas la barre très haut. Une pyramide plus petite, peut-être, avec une cabine à touristes et des rayons laser, le tout tendant à masquer le fait que la nourriture a pour effet de retrancher des jours et des mois à votre espérance de vie. Bref, un menu McDo, mais aussi une tombe.

C'était un jeudi soir et Haris, appuyé sur la table, balayait du regard notre guide gastronomique à une vitesse impressionnante.

– Hé ! s'écria-t-il comme si j'étais à trente kilomètres. Si on mangeait chinois ?

Comme il n'était pas pendjabi, je ne pouvais lui pardonner d'avoir ainsi haussé le ton.

– Du calme, mon gars, tu parles fort.

– Et alors ?

– Et si le portier monte jusqu'ici ? lui fis-je remarquer.

Il éclata de rire tout en faisant glisser le doigt pour repérer la page, de manière à ce que je puisse voir. Wok-n-Roll, restaurant chinois, mais franchise américaine : c'était par conséquent sans doute bon mais pas terriblement toxique. Un peu cher, aussi, ce qui n'était pas une très bonne chose, mais pas non plus exorbitant pour un jeudi soir. Qui, en Égypte, était le début du week-end.

– Il n'y a pas de numéro de téléphone, me plaignis-je. Juste une adresse.

Au Caire, vous avez beau avoir l'adresse d'un établissement, ce n'est pas pour autant que vous parviendrez à le localiser : les numéros obéissent souvent à une logique farfelue.

– Mais c'est sur Jamiat al-Douwal al-Arabiyah, riposta Haris. Ça ne doit pas être loin des autres bons restaurants.

– Je ne l'ai jamais vu.

– Ma foi, il n'y a rien d'autre, soupira-t-il. Tu veux vraiment retourner à la restauration rapide ?

– Si je dois manger encore une fois du fast-food, je me tue.

– Pourquoi te tuer ?

– Bonne question, fis-je en lui repassant le guide, toujours ouvert à la bonne page. Je ferai plutôt sauter le restaurant.

Nous optâmes pour du chinois.

Au bout d'une bonne vingtaine de minutes à faire des allers-retours sur Jamiat al-Douwal, nous comprîmes que nous ne trouverions pas le Wok-n-Roll tout seuls. Le pénible recours consistait à demander notre chemin. Le premier problème qui se posait était le nom du restaurant – Dieu seul sait à quoi l'Égyptien de la rue crut que nous faisions référence. Le deuxième problème, plus cocasse celui-ci, était le caractère égyptien. Je pourrais dire tout ce que je veux sur leur compte, mais je dois reconnaître que les Égyptiens possèdent une qualité qui les distingue dans un monde sinon uniformément marron : ils sont généreux, chaleureux, accueillants, bref fidèles à l'image qu'on peut se faire de l'authentique Arabe, par opposition à de nombreuses nations arabes, dont les populations font étalage d'un racisme assumé tellement commun qu'il cesse d'être insultant pour devenir simplement attendu. L'Égypte est une braise encore rougeoyante d'un feu pratiquement éteint partout ailleurs dans le monde arabe. Mais le problème, avec des braises comme ça, c'est que, par propagation, elles brûlent trop et vous rôtissent. Et avec soixante-dix millions d'habitants, c'est l'embrasement garanti.

Même si un Égyptien n'a pas la moindre idée de ce que vous lui demandez, il fera de son mieux pour vous aider. Des étrangers nous avaient fréquemment prévenus : demandez à un Égyptien quelque chose qui n'existe pas, il vous aidera à le trouver. Demandez l'ambassade du Pakistan oriental et vous obtiendrez autant de réponses que de personnes. Vous imaginerez la délicieuse précision des réponses que nous obtînmes en demandant aux gens s'ils savaient où se trouvait « le restaurant chinois ». Dans la rue, chacun connaissait la réponse. Et chacun était certain que ce n'était pas du tout là où la personne précédente avait confirmé que c'était.

Nous avons dû traverser une douzaine de rues en une douzaine de fois. À la moitié, nous étions déjà tous les deux furibards. Plus d'une heure s'écoula sans le moindre résultat. Sauf à comptabiliser les deux cigarettes qui furent les victimes de notre errance. Mais nous ne savions pas à qui ni à quoi nous en prendre. Hosni Moubarak ? Ariel Sharon ? Christophe Colomb ? La révolution arabe ? Les éditeurs de notre guide des restaurants du Caire ? Je pris donc sur moi, et Haris fit certainement de même, et nous priâmes tous deux pour que notre fureur se dissipe devant un repas qui en vaille la peine.

Repas que, bien entendu, nous ne mangeâmes jamais.

Nous capitulâmes au croisement de Batal Ahmad Abd al-Aziz et Jamiat al-Douwal qui grouillait de monde, devant un Hardee's et un Pizza Hut de deux étages qui faisaient l'angle. Des milliers de Cairotes passaient leur chemin, certains d'entre eux nous regardant du coin de l'œil, se demandant pourquoi nous restions ainsi paralysés. Je vous en supplie, ne nous proposez pas votre aide.

– Retour au fast-food, murmurai-je.

– Qu'est-ce que tu vois d'autre, comme solution ?

– Je déteste cet endroit.

Haris flanchait.

– Mais il n’y a rien d’autre, *yaar.*

– Vraiment, je déteste cet endroit.

– Mangeons ici, et puis c’est tout, proposa-t-il en consultant sa montre. Sinon, on va chercher pendant encore combien de temps ?

Ici, c’était Pizza Hut ou Hardee’s. Entre l’humidité et la chaleur, rien n’était particulièrement tentant, et la restauration rapide encore moins. Nous avions le choix entre des pizzas graisseuses et des sandwichs au gras.

– Les pizzas d’ici ne m’inspirent pas, dis-je. En plus, on n’a encore jamais mangé au Hardee’s.

Grâce à Dieu, Haris s’adoucit. En poussant la porte, il sourit.

– Au moins, ce sera bon marché.

Certes. Mais ce ne serait pas non plus de la vraie nourriture.

Nous fîmes la queue derrière des grappes d’adolescents égyptiens, dont les mains effleuraient timidement leurs petites copines, avant de se retirer, ne sachant trop s’ils avaient le droit d’établir ainsi un contact charnel. Un parent n’était-il pas en train de les épier ? Dieu y accordait-il réellement la moindre importance ? Les filles étaient plus appétissantes que tout ce qui figurait au menu.

– Tous ces fast-foods devraient fusionner, suggérai-je. De toute façon, ils vendent tous la même marchandise.

– Comme ça, tu pourras les faire exploser plus facilement, fit remarquer mon colocataire en riant.

J’ignorai sa remarque.

– Qu’est-ce que tu veux manger ?

– En fait, il faut que j’aille aux toilettes, dit-il. Je me retiens depuis qu’on a trouvé ce restaurant à la Casper-le-gentil-fantôme. Tu peux commander pour moi, s’il te plaît ?

– Qu’est-ce que tu veux ?

Il regarda de nouveau la carte puis secoua la tête.

– Tu as raison. C’est du pareil au même. Prends-moi la même chose que toi.

Je commandai un sandwich au poulet grillé avec un soda et des frites en quantité excessive, et c'est donc ce qui fut également servi à mon colocataire. Une seule table était ouverte au public et je m'y assis, attendant Haris avant de commencer à manger. Nous convînmes très rapidement que la nourriture était encore pire que tout ce qu'on pouvait trouver au McDonald's.

– Tu devrais vraiment faire sauter cet endroit en premier, dit Haris.

– Nan...

– Pourquoi pas ?

– Il faut bien que tu comprennes, répliquai-je. Si je fais sauter en premier les meilleurs fast-foods, comme McDonald's, il ne restera plus que les endroits vraiment mauvais, comme Hardee's. Et ils mettront la clé sous la porte sans l'aide de personne. Il faut avoir une stratégie, pour ces choses-là.

Mon colocataire leva son sandwich et me le montra.

– Ils devraient avoir une stratégie pour réchauffer ces machins au micro-ondes. Bon sang, comment se débrouillent-ils pour louper un sandwich au poulet ?

– C'est peut-être bien plus délicat que ça en a l'air.

Haris fit tourner son sandwich sur lui-même.

– Ça fait des années qu'ils en font. Et ils ont quand même réussi à le louper !

Pas seulement loupé, mais ravagé et brûlé. Le poulet avait un goût de volaille abandonnée à la cuisson du soleil du Caire, la chaleur et la lumière ayant fait évaporer tout le moelleux et la saveur qu'il pouvait y avoir initialement. Les frites, en revanche, c'était tout le contraire : dégoulinantes d'une sueur huileuse, sortant d'une friteuse large comme un fleuve – de quoi rivaliser avec le Nil. Il était même difficile de faire en sorte que le ketchup tienne dessus. Le meilleur, dans ce repas, ce fut le soda, ce qui était le pire. Car le soda, on aurait pu l'acheter n'importe où ailleurs, et pour le quart du prix.

De mon siège, j'avais une vue imprenable sur l'entrée. Nous ne trouvâmes rien de mieux à faire que de nous moquer des clients qui arrivaient. Nous envisageâmes la possibilité de vendre auxdits clients notre nourriture, mais nous eûmes la sagesse de promptement écarter cette option. Au lieu de cela, nous nous interrogeâmes sur l'identité des uns et des autres, tâchant de deviner ce qu'ils fabriquaient au Hardee's, surtout quand leurs vêtements indiquaient qu'ils avaient les moyens d'aller ailleurs. Tandis que je trempais la fin de mes frites dans une mare de ketchup, sur le coin de mon plateau, la porte s'ouvrit à nouveau. Mais la créature qui fit son entrée était si belle que j'en abandonnai ma frite dans le ketchup, glissant si vite en avant que je faillis renverser mon verre sur mon colocataire.

– Du calme, *bhai*...

– Boucle-la et regarde derrière toi, dis-je à Haris, l'interrompant.

Une déesse égyptienne se tenait au début de la file des gens qui attendaient pour passer leur commande. Pour la première fois depuis bien longtemps, je sus avec certitude ce que je voulais. Sa chevelure noire tombait sous les omoplates, caressant le haut d'un chemisier ample à manches longues de couleur crème, coupé court, sans pour autant être impudique. Cette remarquable sobriété s'accompagnait d'un pantalon noir exceptionnellement ajusté, magnifique, d'une intensité telle qu'à l'extérieur, le ciel nocturne paraissait par contraste d'un bleu marine bien pâle.

– Tu t'imagines avec une fille comme ça ? lui demandai-je.

Il lui fallut une bonne seconde pour formuler une réponse appropriée.

– En tout cas toi, oui, manifestement, tu te l'imagines.

Je le dévisageai, lui – une véritable aberration, sachant qu'elle était encore dans le restaurant.

– Qu'est-ce que tu racontes ?

– Elle est certainement musulmane, *yaar*, dit-il en se retournant pour la regarder à nouveau, avant de hocher la tête. En plus, elle est seule. Qu'est-ce que tu voudrais de plus ?

Elle était seule. J'étais seul. Elle était probablement musulmane. J'étais probablement musulman. Grâce à Haris (malheureusement), tout s'expliquait soudain. Voilà pourquoi nous n'avions pas trouvé le restaurant chinois. Voilà pourquoi mes semaines avaient été si vides, laissées à l'abandon, pourquoi chaque soir avait été aussi joyeux qu'une gargote de petite ville de province juste avant la fermeture. Voilà pourquoi ma vie avait jusqu'alors été si vaine. C'est comme ça que je sus qu'Allah m'aimait. Ici, au Hardee's – allez savoir pourquoi – se présentait l'occasion de gommer mon extrême timidité et ma lâcheté. Ma maîtrise balbutiante de l'arabe relèverait non pas de l'ignorance pathétique mais de l'effort louable d'un esprit incapable de fonctionner devant un tel miracle. Je lui dirais que je n'étais pas égyptien, même pas arabe, mais un Pendjabi du Pakistan (je lui fournirais plus tard de plus amples explications), venu de l'autre bout du monde pour bredouiller devant une jeune femme aussi charmante qu'elle. Ce serait adorable. Remarquable.

Autrement dit, parfait. Mais si, toute votre vie, vous avez estimé n'être rien, eh bien, voilà ce que vous accomplirez : rien.

Mon corps qui allait à reculons

– Bon sang, qu'est-ce qui cloche, chez moi ?

Haris savait que ce n'était pas à lui que je m'adressais.

Je m'avachis contre le flanc du taxi, la tête appuyée contre la vitre.

Nous avions quitté le Hardee's dix bonnes minutes après qu'elle y était entrée et je ne lui avais pas dit un mot. Sur le chemin du retour, je songeai qu'aucun gars n'était capable d'aborder toutes les filles qui lui tapaient dans l'œil. Mais elle, ce n'était pas n'importe qui. C'était la plus jolie que j'aie vue de toute l'Égypte – sans un père, un frère, un petit ami ou un mari à ses basques. Une chance en or, sans précédent, et je l'avais laissée passer. Eût-ce été trop demander que de l'approcher pour lui dire *salam* ? À chaque fois que cela se produisait, je pensais : la prochaine fois, ça ne se passera pas comme ça. Sauf qu'à chaque prochaine fois, ça se passait comme ça.

Peu de choses peuvent briser le dos d'un jeune homme aussi efficacement que sa propre nullité. Je me suis vu allongé au sol, à encaisser une avalanche de coups de pied dans le ventre assénés par un autre moi, debout, me surplombant, en train de glousser. Je vomissais du sang et je m'étouffais avec ma propre salive. Mais je continuais à donner des coups de pied. Je me roulais par terre en essayant de crier, mais je ne marmonnais que des sons inaudibles. Arrête ! Mais je n'arrêtais pas.

Je m'infligeais ce que mes mains coupables méritaient. Sur la petite banquette arrière du taxi, toutes mes frustrations me submergèrent. Elles se moquaient et me raillaient, s'accumulant en une rage dont je ne pourrais me soulager que par un acte violent et imprévisible. J'espérais que ce serait un acte violent, que le ciel me tomberait sur la tête, pour me punir de l'absurdité dont je faisais preuve chaque jour. Si j'avais été au volant, j'aurais foncé tel un kamikaze dans le premier talus, en commençant par ralentir, de manière à ce que mon colocataire, qui ne se doutait pas le moins du monde de ce qui se tramait sous mon crâne, puisse descendre de voiture et assister de loin au spectacle.

Je sortis du taxi, fis claquer la portière tellement fort que notre portier s'éveilla, se précipita à la porte du hall d'entrée, regardant dans toutes les directions, les yeux écarquillés derrière ses verres en cul de bouteille.

– Qu'est-ce qu'il cherche ? demanda Haris.

Je n'en avais pas la moindre idée, et je m'en fichais éperdument.

Quelques minutes plus tard, nous étions de retour à l'appartement, même si je ne me rappelle pas être monté dans l'ascenseur, ni avoir franchi le seuil, ni même avoir enlevé mes baskets. Je revois de vagues clichés, des bribes, un égarement désespéré contre lequel je ne pouvais rien. Je cherchais quelque chose dans l'appartement. Quoi ? Je ne m'en souviens pas. Et de toute façon, je ne l'ai pas trouvé. Au lieu de cela, je finis dans le salon, debout en plein milieu de cet espace vide, tandis que mon colocataire s'installait confortablement dans la causeuse en posant sur ses genoux un exemplaire du *Cairo Community Times*. J'étais alors tellement en colère que j'avais du mal à respirer.

– Il faut qu'on parte en vacances, fit remarquer mon colocataire en tournant quelques pages. Regarde ça, *yaar*. On peut partir en croisière et nager avec des dauphins.

Haris retourna le journal pour que je puisse voir, comme si j'étais capable de déchiffrer les petits caractères à trois mètres de distance. Puis il se replongea dans sa lecture, sans attendre ma réaction. Peut-être ne s'attendait-il pas à ce que je réponde. Ses doigts tournèrent d'autres pages, mais son satané sourire – il rêvait de dauphins, espérant nager dans la mer à leurs côtés – allait devoir disparaître. Les dauphins étaient-ils carnivores ? *Inch'Allah.* Qu'ils le dévorent. Et moi ensuite.

Mais je savais qu'aucun dauphin meurtrier ne viendrait frapper de sitôt à notre porte. C'était ma propre limite Chandrasekhar[1] : la solution de la famille pakistanaise à tous les problèmes, à savoir que le problème est en soi le problème, avait charrié son hypocrisie débilitante depuis trop longtemps. Ma vie explosait enfin et l'explosion se produisait derrière mon visage. Lorsque ma voix trouva enfin le chemin jusqu'à ma bouche, ce fut un pitoyable gémissement :

– Pourquoi n'ai-je rien dit ?

Haris leva la tête de son journal.

– Tu as parlé ?

– J'ai eu l'impression de me regarder... grommelai-je. J'aurais dû dire quelque chose.

Mais il n'entendit pas un seul des mots que je venais de prononcer. Aussi se replongea-t-il dans son journal, bien plus excité par ses projets idiots de vacances. Il était loin de se douter des profondeurs insondables de ma fureur. Comment aurait-il pu deviner ?

Je sentis mes jambes trembler, aussi me cramponnai-je à la table, espérant me stabiliser. Mais avant que ma main ait

1. La limite Chandrasekhar : en référence à l'astrophysicien américain d'origine indienne (Lahore, 1910 – Chicago, 1995), prix Nobel de physique en 1983, elle désigne la masse maximale d'une naine blanche. Si le cœur de l'étoile a une masse supérieure à la limite de Chandrasekhar, la pression de dégénérescence n'est plus suffisante pour s'opposer à la gravité et l'étoile continue donc de s'effondrer et devient soit une étoile à neutrons, soit un trou noir.

parcouru la moitié du trajet, l'air qui était en moi fut comme aspiré hors de mon corps. Comme si quelqu'un m'avait jeté une brique sur la poitrine. Ma peau me brûla douloureusement, mais ma bouche était si sèche que je ne pus crier. J'avais l'impression de voir ma bouche – non pas avec mes yeux, mais d'une autre façon – et je la vis pendre irrémédiablement dans ma bouche, elle ne répondait plus à aucun ordre rationnel. Il me fallut quelques secondes pour me rendre compte que j'avais été arraché à moi-même, éloigné, de telle sorte que je vis quelque chose que je n'avais encore jamais vu : moi.

J'étais le chaînon musulman manquant debout au milieu de la pièce, ses bras – mes bras, en fait (dus-je me rappeler) – pendouillant stupidement le long de mon corps. Mon colocataire était à quelques pas, en train de tourner des pages. À l'envers. En y regardant de plus près, je vis quelque chose d'ahurissant. Haris se déplaçait à rebours, lui aussi. Au bout de quelques secondes, il se dirigea, de nouveau à reculons, vers la porte, il l'ouvrit en sens inverse, puis la referma derrière lui. En un instant mon corps disparut également. Était-ce parce que je n'arrivais pas à me rappeler comment j'étais entré dans la pièce ? Étais-je un esprit distendu flottant au milieu d'une pièce vide, le regard braqué sur le corps que j'avais naguère habité ? J'entendis une clé que l'on retirait de la serrure, puis je me retrouvai seul.

Si seulement j'avais pu suivre à la trace mon corps qui allait à reculons, et lui emboîter le pas. Peut-être y avait-il quelque chose que je verrais à la deuxième fois, quelque chose que Dieu voulait que je sache. Mais comment allais-je pouvoir me déplacer sans bras ni jambes, sans mains ni pieds ? Rassemblant toute ma force, je sollicitai mon esprit pour qu'il avance en direction de la porte afin de rattraper mon corps qui venait de partir. Mais il ne se passa strictement rien. Je restai avec la vue d'une caméra panoramique, mon regard se limitant à une pièce vide. Quelque part, mon colocataire et moi-même retournions au Hardee's.

J'avais laissé l'appartement loin derrière. Je me trouvais face à la grande devanture vitrée du Hardee's, je voyais Haris et je me voyais. C'était horrible. Je suppliai Dieu d'arrêter cela, car il ne pouvait rien y avoir de pire que de me voir manquer une deuxième fois cette occasion. Et j'étais là, à mastiquer, tel un balourd imbécile, à saisir maladroitement mes frites, à siffler mon soda comme un goujat. Heureusement que je n'avais pas adressé la parole à cette fille. Dire que j'avais pensé la mériter alors que je n'étais en fait qu'une présence repoussante qui faisait probablement fuir toutes les filles à son approche. Je voulais traverser la vitre et rentrer dans mon corps, l'occuper, le déplacer, m'éviter l'humiliation d'une tâche qui était bien au-dessus de mes forces. Mais je ne pus m'avancer davantage. Le verre heurta mon esprit, provoquant une étrange douleur, totalement différente de son pendant physique, bien que très similaire.

Et puis cela disparut.

Haris était revenu dans la causeuse, tandis que mon corps accélérait vers moi. Je clignai des yeux, mû par un sentiment sans doute proche de la peur – peur de me rentrer dedans et de me faire tomber à la renverse – mais mon corps tint bon et continua de fonctionner. Voilà que j'étais à nouveau en un seul morceau, ressoudé par quelque colle étrange : mes bras, poitrine, jambes, visage, yeux, oreilles et langue à nouveau solidaires de mon esprit. En une seconde, ce fut terminé, je trébuchai, fis un pas en arrière, si doucement que mon colocataire, pourtant particulièrement attentif, ne remarqua rien. Bon sang, mais qu'est-ce que c'était que ce truc ? Était-ce la preuve que ma furieuse propension à hésiter et à rester paralysé jusqu'à ce que ma chance soit passée était capable de me mettre dans un tel état que je voyais les choses se déplacer à rebours ?

Une pensée émergea de quelque part et se coinça. La pression était trop forte pour que j'y résiste. Je ramassai mes clés qui se trouvaient sur la table et enfilai mes baskets. Mon colocataire tourna la tête vers moi, si lentement que je pus me glisser sur le côté sans que nos regards se croisent. En fonçant vers la porte, je l'ouvris avec une telle vigueur que je manquai de me la prendre en pleine figure. Mais pas question que je laisse ma propre maladresse me ralentir. Le temps que notre porte se referme, j'étais déjà au deuxième étage. Après quoi, enfin, la porte se rouvrit. Haris cria quelque chose, mais je n'essayai pas d'entendre, pas plus que je ne pris la peine de répondre. J'accélérai la cadence, sortis de notre immeuble au pas de charge et filai à toutes jambes sur la gauche, en me disant que c'était le chemin le plus rapide pour arriver à destination.

Derviche retourneur

Il faisait nuit, le ciel était sombre, lourd et suffisamment toxique pour que les étoiles s'y noient. Je me sentais en train de recycler une énergie qui venait de l'extérieur et m'apportait une férocité explosive et libératoire.

En m'approchant du salon de coiffure, je pris la folle initiative de regarder à l'intérieur, et j'aperçus le coiffeur debout au beau milieu de sa boutique, la tête inclinée, si bien qu'il me vit passer – comme si Dieu l'avait placé là dans ce but unique. Ma précipitation fit naître la confusion sur son visage calme, mais sur le coup, je ne fis pas attention à lui. Je disparus hors de sa vue en une seconde, repris de la vitesse, et débouchai sur un axe principal qui m'était inconnu. Plus aucun poids ne pesait sur ma poitrine. Il n'y avait plus que le bruit de mes chaussures sur le revêtement noir de la chaussée. Je m'éloignais de moi-même en courant, en sang, couvert de bleus, battu, mais au moins j'allais quelque part, je retournais auprès de quelqu'un qui prouverait finalement à mon persécuteur que je valais quelque chose.

Dix minutes plus tard, j'y étais : le visage collé à la vitre, les mains écartées, la cherchant du regard. J'inspectai chaque endroit : du côté des caisses, dans les box, parmi les gens qui faisaient la queue, à présent moins longue que tout à l'heure, les bancs, complètement sur la gauche, même dans les toilettes.

Mais elle n'était pas là. Pendant ce temps, alors que je me reprochais avec virulence d'être celui que j'étais, elle avait disparu. Après tout, elle était venue seule. Elle avait très certainement dû commander des repas à emporter.

J'ôtai mes mains de la vitre et commençai à rebrousser chemin. L'espoir et les promesses qui m'avaient fait sortir en trombe de l'appartement m'avaient abandonné, je n'étais plus qu'une balle de pistolet usagée, incapable d'égratigner une simple vitre. Derrière moi, des livreurs de chez Pizza Hut rigolaient, la cadence hachée et précipitée de leur chamito-sémitique m'entrant par une oreille, sortant par l'autre. J'espérais que ce n'était pas de moi qu'ils se moquaient. Les reflets des taxis du Caire glissaient sur les vitres du Hardee's ; la nuit, au lieu d'allumer les phares, ils conduisaient au klaxon. Il ne me restait plus qu'à rentrer à la maison. Et contrairement à l'aller, je n'avais pas l'énergie de courir.

Je n'avais qu'une idée en tête : en dehors de notre appartement, mon persécuteur m'attendrait, enhardi par mon échec. Allais-je rentrer non seulement blessé mais aussi épuisé ? Il me montrerait du doigt en riant, tandis que je gravirais les marches et entrerais dans le hall, mais il faudrait bien que son rire cesse. Car Haris allait arranger les choses pour moi. Certes, je sentirais la morsure de l'humiliation – je commençais d'ailleurs déjà à l'éprouver – mais elle serait atténuée par l'inquiétude inconditionnelle que j'aurais provoquée chez Haris. En fait, il était à l'instant même probablement assis dans la causeuse, m'attendant avec impatience. La fille du Hardee's ne s'était pas donné la peine de m'attendre, ce qui ne m'avait pas empêché de m'envoler comme une tornade à sa poursuite, ignorant mon camarade qui avait été à mes côtés pendant tout ce temps. Ce que j'avais pu être bête d'en vouloir à mon colocataire ! Aussi envisageais-je mon retour avec un enthousiasme grandissant.

Haris m'offrirait quelque chose à boire, me ferait asseoir dans la causeuse et ferait de son mieux pour me remonter le moral. Mais que lui raconterais-je de cet embarrassant épisode ? Il fallait que je lui dise quelque chose et que je dise quelque chose à l'homme qui me détestait, celui qui logeait constamment en moi ; une histoire qui nous satisferait tous les trois, et qui ferait de moi quelqu'un de compétent et d'acceptable. Je ne pouvais donc pas seulement avoir été à la poursuite de la fille du Hardee's. Il fallait qu'il y ait eu autre chose. Peut-être le fait de lui avoir couru après avait-il éveillé en moi un esprit nouveau ? Quelque part sur Jamiat al-Douwal, dans la nuit de jeudi à vendredi, la personne brisée et désespérée que j'étais avait péri en une irrévocable flambée, pour renaître dans la peau d'un homme plus fort, plus déterminé.

À chaque enjambée, je passais en revue chaque partie de mon histoire en développement. Si je la dotais d'une fin et d'un début tout simples, alors mon colocataire se rendrait vite compte que je ne m'étais pas réellement transformé en une personne nouvelle. Non, j'allais plutôt construire une arabesque narrative qui tournerait géométriquement autour d'un noyau immuable. Ici et là, le motif se propulserait vers l'extérieur en de sidérants embellissements, dont l'apothéose prendrait la forme des légendes qui se chuchotent et des derviches qui tournicotent, mais bientôt il se replierait sur lui-même – avant de se déployer à nouveau en un motif inexorablement poussé vers l'infini. Il n'y aurait pas de conclusion. Uniquement des variations répétées, aussi éblouissantes que déconcertantes. Une fois de retour à l'appartement, confortablement installé dans la causeuse, je commencerais par peindre mon motif aux murs, sous l'œil médusé de mon colocataire. Il irait jusqu'à toucher la peinture du doigt, l'étalant un peu pour vérifier sa fraîcheur, captivé par cette matière étalée sous ses yeux. Après quoi, la fatigue venant – car un tel motif ne peut s'achever, il ne peut que rester en suspens, en attendant que l'identique se perpétue –, je filerais au lit, incapable de m'endormir, les yeux rivés sur ces étoiles à huit branches, qui appartiennent à un tout supérieur, invisible et cependant inéluctable.

Haris

– Je m'appelle Haris, dis-je en tendant la main.

– *Salam aleikoum.* Je suis Wanand, répondit-il, puis il me lâcha la main, se toucha le cœur et indiqua la jeune femme derrière lui. Et voici ma fille Zuhra.

L'homme traversa un dédale de valises, me tourna le dos et se mit à chercher quelque chose.

– Vous habitez dans cet immeuble ? demanda-t-il.

– C'est pour ça que je suis venu vous saluer, dis-je. Je voulais me présenter.

Wanand et moi eûmes une brève conversation ; bien entendu, il eût été déplacé d'y inclure Zuhra. De toute façon, elle semblait distraite. Wanand signala qu'il faisait partie de je ne sais quel ordre soufi, un ordre manifestement assez exigeant : son *oustad* lui avait en effet ordonné d'emménager dans notre immeuble précisément à cette heure indue, non sans invoquer, j'en suis sûr, quelque justification spirituelle ésotérique.

Lorsque j'ajoutai que j'avais un colocataire, lui aussi étudiant, je dus faire une drôle de tête, que Wanand interpréta comme une moue désapprobatrice. Je ne pus cependant trouver un moyen de corriger cette impression : qu'aurais-je pu dire à Wanand de mon colocataire qui n'eût pas été sapé par le fait qu'il était très tard et que mon colocataire venait de s'échapper en courant de notre appartement, sans y avoir été obligé par un *oustad* ?

Pendant le trajet en taxi en revenant du Hardee's, mon colocataire avait été étonnamment calme. (Habituellement, il a plutôt la langue bien pendue.) Je le soupçonnais d'être frustré, mais je n'avais pas réalisé l'ampleur de son exaspération. Moi qui suis malade une semaine sur deux depuis que je suis au Caire, je ne me plains jamais autant que lui, mais après tout, peut-être que lui aussi a ses raisons.

Nous étions rentrés depuis peu, lorsqu'il s'avança au milieu de l'appartement, enfila à la hâte ses baskets et ressortit en trombe, dévala les escaliers et sortit de l'immeuble. Jugeant sur le coup que c'était la seule chose à faire, je commençai à lui courir après, mais je m'arrêtai au deuxième étage. Il était sans doute préférable qu'il se soit volatilisé seul, pour évacuer la pression qu'il avait à évacuer. Du moment qu'il ne faisait pas de bêtise.

Je revins à l'appartement, ne sachant que faire, lorsque le téléphone sonna. C'était notre ami Rehell, qui voulait que je vienne chez lui.

– À cette heure ? (Il était minuit passé.)

– Il y a un supermatch de... – vous appelez ça comment, vous autres, les Américains ? – football européen à la télé. Mon ami Mabayn est ici, et il a une voiture. Si tu veux, l'ami, il peut aussi passer te prendre.

Il n'y avait pourtant pas de quoi avoir peur de quoi que ce soit ou de quiconque au Caire, la nuit.

– Ne sois pas idiot, Rehell, ce n'est qu'à une rue d'ici.

Rehell habitait avec d'autres étudiants européens à qui je n'avais, pour la plupart d'entre eux, pas eu l'occasion de parler. Leur appartement était tout ce que le nôtre n'était pas : sol en marbre lustré ; mobilier élégant et moderne qui occupait l'espace sans pour autant l'étouffer ; pas de cloisons entre la salle à manger, le séjour et la cuisine, ce qui créait une ouverture propice à la conversation. Les chambres à coucher confortables étaient séparées des autres pièces par une lourde porte en acajou qui protégeait du bruit.

Mabayn se présenta comme étant un ressortissant d'Asie du Sud qui avait toujours habité en Égypte, aussi loin qu'il se souvienne, avant de reporter son attention sur la télévision, la mâchoire tombante, dans une telle expectative que c'en était gênant. Rehell sourit puis m'invita à prendre place à ses côtés sur un de leurs canapés en cuir gris. Une lueur s'alluma dans ses yeux ; il disparut dans la cuisine et revint avec deux grands verres de thé glacé à la pêche.

– Où as-tu trouvé ça ?

– C'est moi qui l'ai fait, l'ami, répondit-il fièrement. (Avant d'ajouter :) Je veux dire que j'ai acheté la préparation au Metro, et j'adore ça. Goûte, tu vas me dire.

Pendant que je buvais ma première gorgée – effectivement, c'était délicieux –, Mabayn reçut un appel sur son téléphone portable. Il eut l'air atrocement inquiet, puis excité, puis indécis jusqu'à la paralysie. Sur ce, il me présenta ses excuses à la hâte :

– Il faut que je m'en aille. Si tu veux que je te redépose chez toi, Haris, dis-le-moi. (Croyait-il réellement que j'étais prêt à repartir, alors que je venais tout juste d'arriver ? Je déclinai poliment. Alors Mabayn enchaîna :) Ravi d'avoir fait ta connaissance. On pourrait peut-être se revoir un de ces jours.

Le départ de Mabayn me fournit l'occasion de prendre la parole :

– Je suis venu seul car il a quitté l'appartement en trombe, confessai-je, me déchargeant de mes soucis sur un Rehell qui n'en demandait pas tant. Ce soir, il était tellement ébranlé qu'il a refusé de m'adresser la parole, et ensuite il est sorti de chez nous à toute vitesse.

Rehell posa son thé glacé par terre et replia son pied droit sous sa jambe.

– Est-ce que tu crois que ça a quelque chose à voir avec l'islam ? demanda-t-il.

Pour Rehell ce n'était pas une question bizarre. Il fallait systématiquement qu'il relie son intérêt pour l'islam à tout et n'importe quoi.

– Ça a tout à voir avec l'islam.

Ou plutôt : avec les exigences que l'islam faisait peser sur ses esclaves. Nous autres musulmans avons toujours été obligés de nous en tenir à des critères dont nous savions que nous ne pourrions pas, et ne devrions pas, respecter ; nous nous en tenions à ces critères précisément parce que nous les savions intenables. Voici la question la plus caractéristique chez les musulmans : pourquoi chercher à atteindre quelque chose qui serait à notre portée ? Puis, lorsque l'Occident est arrivé, tout naturellement, nous avons commencé à être obsédés par la comparaison avec l'Occident. J'expliquai ceci du mieux que je pus à Rehell :

– Il n'est pas content du monde tel qu'il est, et il s'en veut furieusement parce qu'il ne peut pas changer le monde pour qu'il soit conforme à l'idée qu'il en a.

Rehell hésita. Peut-être ne savait-il trop comment formuler sa question.

– Tu ne crois pas que c'est trop demander, Haris, d'être capable de changer le monde ?

– Mais il est tellement insatisfait, répondis-je. Les musulmans savent ce que tous les autres soupçonnent : nous sommes plus grands que l'univers, et nous le savons.

– Parce que rien dans l'univers ne peut nous satisfaire ! conclut Rehell, avant de prendre le contre-pied de sa propre interprétation. Nous ne sommes peut-être pas plus grands que l'univers, l'ami, nous sommes peut-être juste au-dessus du lot, mieux que le reste de l'univers. Le fait que l'univers ne puisse nous satisfaire, cela indique peut-être qu'il est en dessous de nous. Dans ce cas, nous ne devrions pas nous inquiéter à ce point du train où vont les choses en dehors de nous, que ce soit en bien ou en mal.

Sa façon de placer toute sa confiance dans la hiérarchie me fit penser qu'il était devenu un bon musulman.

– Je suis un optimiste, Rehell. (Je vois les choses sous leur meilleur jour.) N'empêche, c'est très difficile à réaliser, et je pense que c'est encore plus dur pour lui. Car pour chaque aspect positif, il faut bien le reconnaître, les aspects négatifs sont bien plus nombreux. Être un musulman de nos jours, c'est comme pleurer dans le noir. On ne sait pas ce qui est le plus douloureux – le fait de pleurer, ou le fait de savoir que personne ne nous voit pleurer.

Rehell s'empara de la télécommande et éteignit la télévision.

– Mabayn aussi, l'ami. Il y a quelque chose qui cloche, chez lui.

Et il m'expliqua le triste sort de Mabayn, très comparable à celui de mon colocataire : une éducation religieuse stricte qui pesait sur une personnalité douloureusement divisée et inadaptée. Rehell semblait sur le point de pleurer. Cela m'étonna tant que je voulus moi aussi paraître au bord des larmes.

– Parfois, Mabayn a l'air tellement désespéré, l'ami. Il passe ses journées assis devant la télé, ou alors il regarde les murs, ou fixe le sol sans dire un mot.

– Tu dis ça pour me remonter le moral ?

– Ce que je veux dire, c'est que ton colocataire, au moins, fait un effort. Il faut qu'on lui parle. Mais ne te mine pas trop pour lui. Parce que c'est quelqu'un qui a des qualités, même s'il est constamment insatisfait.

Ce n'était plus à moi que s'adressait Rehell mais à lui-même. Cependant, qui donc est capable de vivre sans satisfaction, laquelle découle de la réalisation de ce qui mérite d'être réalisé ? Et nous qui possédons des esprits multiples, la seule chose que nous réalisons est que nous ne pouvons pas dire avec assurance ce qui mériterait d'être réalisé, mis à part les objectifs inatteignables que nous poursuivons. Un homme en guerre avec lui-même ne peut trouver le repos.

–Je me contente de prier pour qu'il revienne entier, dis-je.

– Bon, de mon côté, je prierai aussi. Entre-temps, il faut peut-être que tu te reposes, l'ami. Ce n'est pas le moment de rechuter, à force de te ronger les sangs pour lui.

– Comment puis-je me détendre alors que mon colocataire est dehors à faire Dieu sait quoi.

Rehell se pencha en avant pour prendre son thé glacé.

– Moi je crois que tu n'es pas aussi inquiet à son sujet que tu le dis. C'est quelqu'un de bien, qui comprend en profondeur sa religion et sa place dans le monde, et ça c'est un don, l'ami. Il y a quelque chose en lui qui fait que les gens ont envie d'entendre son avis sur les choses, ils ont envie d'être dans son entourage.

– Le seul problème, Rehell, c'est qu'il ne supporte pas d'être dans son propre entourage.

– Et que se passe-t-il lorsqu'il y arrive ? s'enquit Rehell en souriant.

Enharda

Aujourd'hui

Aussi loin que tu t'es engagé,
Si c'est la mauvaise route,
Reviens sur tes pas.

Proverbe turc

Peter Pan en finit avec Wendy

Je ne ralentis qu'en arrivant aux marches de l'entrée, étonné d'entendre des voix et de l'agitation. En montant les escaliers, je me trouvai au milieu d'un attroupement de gens parmi des valises bourrées d'où sortaient des bouts de tissus. Certains hommes étaient des déménageurs, mais pas le grand type à l'allure majestueuse, qui aboyait des ordres et portait une robe traditionnelle égyptienne et la longue barbe assortie. Sur le coup, je trouvai cela bizarre. Si je n'étais pas arrivé précisément à ce moment, les aurais-je loupés ? Mais comme j'étais fatigué, impatient de voir Haris et pressé de me vider une bouteille d'eau dans le gosier, je passai devant eux sans m'arrêter. Qu'est-ce que ça pouvait me faire de savoir qui emménageait ?

Notre portier, un pauvre gars à la peau noire, originaire d'un village de Haute-Égypte, était seul, assis comme à son habitude sur le banc le plus éloigné de l'ascenseur. Il me fallut une minute pour me rappeler que je ne devais pas le dévisager, en dépit de tout le plaisir que j'éprouvais à l'observer. Il avait une sorte de visage générique, c'était celui avec lequel étaient faits tous les autres visages. Comme Monsieur Patate. Deux yeux, un nez et une bouche, avec trois cheveux sur le caillou, de grandes oreilles sur le côté et, en dessous, un corps pas du tout assorti au reste. Il tenait toujours dans ses mains des papiers pliés, des reçus et des factures probablement, qu'il tripotait entre ses doigts comme un paquet de cartes. Il lui arrivait également de les distribuer : chaque semaine j'avais droit à ma facture. En de rares occasions, il m'arrivait de comprendre ce que je payais.

Comme je me dirigeais vers l'ascenseur, un des déménageurs se déplaça, faisant apparaître à ma vue une fille sublime, perchée sur une valise. Sa peau était d'un blanc aryen ; trop onctueuse pour être arabe. Ses yeux étaient enivrants comme des nuages cotonneux bordant l'infinité bleue du ciel, ne laissant filtrer que la portion la plus charmante. Elle était voilée d'un *hijab*, synonyme d'innocence et de pureté, une humilité qui ne faisait qu'attirer davantage l'attention sur son visage. J'avais beau être notoirement mauvais pour deviner les âges, je lui donnai dans les dix-sept ans. Peut-être dix-huit, en étant généreux, puisque les musulmans étaient censés l'être.

C'était un ange, un signe envoyé des cieux, indiquant tout ce que je pouvais encore avoir, en compensation peut-être de la nana superbe du Hardee's que j'avais manquée. Si j'avais pu me regarder, j'aurais à nouveau vu une statue ne sachant que faire de ses bras : les laisser pendouiller le long du corps comme un singe, ou encore mieux, sur les hanches, comme Peter Pan ? Après tout, nous avions beaucoup en commun : nous étions tous deux perdus, et il était peu probable que l'un ou l'autre grandisse. Mais en m'apercevant, la jeune fille voilée se troubla. Une confusion kaléidoscopique lui brouilla le visage jusqu'alors serein. Les lippes se tordirent, les yeux virevoltèrent et le nez se retroussa. N'osant pas me quitter du regard, elle tira sur le *thobe*[1] du grand monsieur, comme pour dire : « Mon père, capitaine Crochet. »

N'étant pas prêt à affronter le courroux d'un musulman (imposant de surcroît) – encore que c'était sa faute, il n'avait

1. Longue tenue masculine à manches longues, comme une robe.

qu'à pas emménager à cette heure, non ? –, je me précipitai vers l'ascenseur. Dans l'espoir de continuer sur ma lancée la comédie de la nonchalance, j'avais l'intention de franchir d'un bond les deux marches qui donnaient sur le couloir de l'ascenseur, sauf que mon corps s'y opposa. Un pied gauche (le mien, en l'occurrence, quoique je n'en eus pas vraiment l'impression) heurta douloureusement le tranchant de la marche supérieure. Je m'envolai tête la première, fouettant l'air d'une jambe puis de l'autre, jusqu'à ce que le pied droit s'écrase finalement au sol. Le hurlement qui en résulta retentit dans tout le hall, suivi à plusieurs reprises de l'écho, qui accentua de manière tout à fait inutile mon vagissement initial.

Mademoiselle Visage Parfait et son Fondamentaliste de Père le Grand Géant avaient certainement entendu. Le silence me rit au nez et, comme si cela ne suffisait pas, ajoutant un affront supplémentaire à ma blessure tout à fait imméritée, mes clés tombèrent par terre. Je m'empressai d'appuyer sur le bouton, avec une telle vigueur que je faillis me briser le doigt. Mais ce satané ascenseur prit tout son temps, flânant au deuxième. Une minute s'écoula, je fis un pas en arrière, récupérai mes clés et les fourrai dans ma poche. Lorsque l'ascenseur arriva, je me précipitai à l'intérieur, m'efforçant de disparaître.

Avant d'introduire la clé dans la serrure, j'agitai le trousseau de manière à avertir Haris. Puis j'attendis, dans l'espoir de l'entendre marcher vers la porte. Mais rien. Pensant qu'il était peut-être dans la salle de bains et qu'il ne pouvait donc pas entendre, j'ouvris la porte et poussai le battant en lançant un vigoureux « *Salam aleikoum* » ! Le battant revint vers moi et heurta mon pied droit – deuxième agression contre mon pied en moins de cinq minutes. Heureusement, personne ne remarqua, car Haris n'était pas en vue. J'entrai donc, refermai la porte derrière moi en la faisant claquer, et ôtai mes baskets, les envoyant valser contre le mur ; elles laissèrent de petites traces de dérapage sur la peinture jaune vomi acceptable dans un hôtel mais pas chez soi. Comme ce boucan ne provoquait toujours pas de réaction, cela ne pouvait signifier qu'une seule chose : mon colocataire dormait déjà. Je pénétrai sur la pointe des pieds dans notre chambre, tâchant d'accumuler le plus de lumière possible dans mes yeux pour pouvoir ensuite la projeter vers son lit, afin de repérer sa forme endormie. Mais il n'était pas là.

Sa fille Zuhra était avec lui

Je me réveillai en fixant l'horloge analogique bon marché que nous avions achetée à Omar Effendi quelques jours après notre arrivée : neuf heures. Vendredi. À l'autre bout de la chambre, Haris était sur son lit, enveloppé dans sa couverture miteuse, il dormait à poings fermés. Mais au moins, il était là. Je sortis du lit, prononçai son nom dans un soupir, soit par optimisme soit par désespoir. Au bout de dix minutes dans la salle de bains, je me retrouvai dans la cuisine, à picorer de faux Oreos à moitié cuits tout en sirotant du jus de pomme Enjoy, présenté dans un emballage carré qui me fit penser que Nasser n'était pas mort. Ensuite, je me rendis au salon et tombai sur le canapé. Il n'y avait pas cours le vendredi.

L'Égypte était un pays musulman, même s'il ne l'était pas.

Je passai une heure environ sur le site web de la BBC, à relire des articles déjà lus une semaine plus tôt, et j'eus rapidement marre du poids de l'ordinateur portable de mon colocataire sur mes cuisses. C'est alors que Haris traversa le couloir, un œil presque fermé, l'autre pris d'un tremblement pour résister à la lumière.

Il brandit la main, comme l'imam Khomeiny l'aurait fait.

– *Salam aleikoum*, je prends la salle de bains.

Cinq minutes plus tard, il était de retour, le visage dégoulinant, complètement transformé. Lui aussi ressemblait à

Monsieur Patate. Si ce n'est qu'il était originaire d'Inde et qu'il était intelligible. De la main droite, mon colocataire prit l'une des chaises-citronnade qu'il plaça devant moi et s'assit en remuant les lèvres l'une contre l'autre comme il le faisait toujours lorsqu'il n'était pas sûr que ce soit une bonne chose de s'être levé.

– À quelle heure es-tu rentré, hier soir ? lui demandai-je.

– À peu près vers trois heures. Tu ronflais, fit-il en reniflant. Je suis allé chez Rehell. Un de ses amis était là, un certain Mabayn...

Je ne pus m'empêcher de l'interrompre.

– Il s'appelle Mabayn ?

– C'est un *desi*[1], expliqua Haris.

– Qu'est-ce qu'ils fabriquent, les *desi* ? Ils ouvrent le Coran et choisissent le premier mot sur lequel ils tombent ?

Haris n'apprécia pas mon intervention.

– C'est un gars sympa, *yaar*. Tu devrais faire sa connaissance. On a veillé pour regarder un match de foot à la télé.

Le salaud. Il se leva pour attraper une bouteille d'eau qui se trouvait sur la table, puis se rassit.

– Comment va Rehell ? demandai-je. (Pourquoi posais-je tant de questions ?)

– Bien, *alhamdoulillah*[2]. (Il s'interrompit, inclina la tête, m'observant selon un angle inhabituel.) Bon sang, mais qu'est-ce qui t'est arrivé, hier soir ?

Ce n'est pas comme ça que j'avais imaginé raconter mon histoire, avec un ordinateur portable en surchauffe qui me brûlait les cuisses, face à un colocataire encore endormi qui avait l'air ridicule dans sa minuscule chaise.

---

1. *Desi* : terme utilisé par les ressortissants du sous-continent indien entre eux pour désigner leurs compatriotes à l'étranger.

2. *Alhamdoulillah* : « Dieu merci ».

–Je ne sais pas, dus-je admettre. (Et, de fait, je ne savais plus. Plus rien ne semble cohérent après une nuit de sommeil.) C'est qu'en rentrant hier soir je m'en voulais tellement de ne pas avoir adressé la parole à cette fille. Je n'ai pas supporté.

– Ouais, fit-il en souriant, mais gentiment. Tu avais l'air assez furax.

–Je l'étais.

– Et alors, où es-tu allé ?

– Au Hardee's, répondis-je en essayant de ne pas rougir.

– Au Hardee's ? répéta-t-il amusé. Tu lui as couru après, c'est ça ? (Comme je commençais à hocher la tête, il se montra tout excité.) Sacré *yaar*. Et tu as réussi à lui parler ?

– Non. (Je me tus, pour que l'information fasse son chemin. Plus pour moi que pour lui. Ce fut douloureux.) J'ai couru jusque là-bas, mais quand je suis arrivé, elle était déjà partie. Je suppose que je lui aurais... Que je lui aurais dit qu'elle était très belle.

Il vint se jucher à côté de moi.

– Ç'aurait été extra. Tu imagines ? Elle t'aurait vu entrer par la porte, tout transpirant, tu aurais couru jusque là-bas pour lui dire que tu la trouvais très belle.

– Oui, j'imagine, fis-je en riant, mais sans la partie « tout transpirant ».

– Tu aurais pu lui demander de te donner un bain, dit-il en me tapant dans le dos, mais ses mots me tapèrent plus fort encore. Puisqu'on en parle, je vais en prendre un. Il faut qu'on se prépare pour les prières du vendredi.

Je ne voulais pas y aller. Mais je ne voulais pas non plus le lui dire.

– Tu as vu la nouvelle famille qui a emménagé hier soir ? lui demandai-je, espérant le surprendre avec cette exclusivité, et le distraire de sa mission.

– Ah ? La famille kurde ?

Ouch.

– Ils sont kurdes ?

– Ouais, répondit-il. J'ai fait leur connaissance hier soir, en allant chez Rehell, justement. Le père s'appelle Wanand, et sa fille Zuhra était avec lui.

Par-dessus le marché, il connaissait déjà leurs noms. Pourquoi avait-il les couilles de poser les questions, alors que moi je me ridiculisais en trébuchant dans les escaliers ? Parce que j'étais moi. C'était le genre de choses que je faisais : je trébuchais dans les escaliers et je remerciais Allah de ne pas être retombé tout en bas des escaliers.

– Qu'est-ce que tu as appris d'autre ?

Haris se passa la langue sur les lèvres.

– Te voilà bien curieux.

– Je me posais la question, c'est tout.

– À propos de Wanand ou de sa fille ? (L'enfoiré était de bonne humeur ce matin, sûr de lui et tout.) Wanand appartient à un ordre soufi. Il a dit que c'était son *oustad* qui lui avait demandé de s'installer dans notre immeuble précisément à cette heure tardive. C'est bizarre, non ?

– Bizarre, oui, dis-je. Parce que si j'étais rentré seulement cinq minutes plus tard, je les aurais sans doute loupés...

– C'est un signe de Dieu ! s'exclama Haris qui bondit en projetant les mains en l'air. (Il se calma et déclara :) C'est la preuve que tu dois aller à la rencontre de Zuhra.

– Hier soir, j'ai essayé à deux reprises de rencontrer une fille. Mais il ne s'est rien passé.

– Le changement est une bonne chose, *habibi*[3], dit-il en se levant. (Il tâcha de tirer son tee-shirt vers le bas, mais il était tout de même trop court.) Elle habite même au rez-de-chaussée de notre immeuble. Tu as un mois pour qu'il se passe quelque chose.

– Mais son père habite aussi dans le bâtiment.

---

3. *Habibi :* « mon chéri », « mon cher », en arabe.

– Rien ne nous arrive tout cuit dans le bec, *yaar*, dit-il en tirant de nouveau sur son tee-shirt, mais apparemment, ce qu'il venait de dire le frustrait bien plus encore que son tee-shirt. Enfin bref, alors quand est-ce que tu veux qu'on y aille ?

Eh bien, c'est que...

– Je n'ai pas envie d'y aller.

Je m'attendais à ce qu'il argumente, à ce qu'il me dise que refuser un rituel religieux revenait à demander à Dieu de m'envoyer son perpétuel courroux. En tout cas, ma défense était sincère : je n'avais pas envie d'y aller. Comment pouvais-je être d'humeur à subir un sermon tortueux prononcé dans une langue qui n'était pas la mienne, sur un sujet qui, au mieux, me ferait ni chaud ni froid, et au pire me ferait gamberger sur ce qu'il y avait d'inacceptable en moi, du point de vue islamique ?

Haris but une gorgée d'eau.

– Qu'est-ce que tu vas faire, si tu n'y vas pas ?

Bonne question. Si je passais plus de quelques heures tout seul, je serais pris d'un tel désespoir qu'en comparaison, la douleur physique serait de la pure béatitude. Au final, même l'envie de manger se dissiperait, en dépit des cris d'angoisse de mon estomac. En toutes choses, l'esprit avant la matière.

– *Yaar*, tu vas t'en vouloir à mort, si tu restes, me prévint-il en me regardant droit dans les yeux pour souligner ce qu'il venait de dire. Tu sais qu'il n'y a rien à faire, ici.

– Je sais, mais...

– On a encore un peu le temps, dit-il en regardant sa montre. Et si on allait d'abord prendre un petit déjeuner au Trianon ? C'est moi qui paye, ajouta-t-il en souriant, pour me remonter le moral. Et ensuite on ira tous les deux au *namaz*[4].

---

4. *Namaz :* terme ourdou désignant les cinq prières quotidiennes des musulmans ; *salat* en arabe.

À la simple évocation des pâtisseries feuilletées, des nappages à la cannelle, des cafés fumants, de chocolats, de caramels, j'étais redevenu un fidèle. De toute façon, qu'est-ce que j'avais d'autre, comme choix ? Ou bien j'accompagnais mon colocataire à la mosquée d'Agouza, ou je rentrais péniblement dans la fournaise de midi, pour me retrouver assis pendant Dieu sait combien d'heures. J'étais pris au piège entre deux options, chacune m'emmenant très loin pour me conduire nulle part. Était-ce mieux d'aller nulle part tout seul ?

– D'accord, maugréai-je. Mais juste pour le Trianon.

Haris sourit en retournant dans la salle de bains, ravi que je l'accompagne, mais cependant pas au point de me laisser la priorité à la douche. N'étais-je pas celui qui avait couru des kilomètres et des kilomètres, la veille au soir ? Mais cela ne changeait rien. Il y allait toujours en premier, et à chaque fois, non seulement il empiétait sur le temps dont j'avais besoin pour me préparer, mais en plus il laissait couler le geyser pendant si longtemps que lorsque mon tour arrivait, je n'avais plus que trois températures possibles : étouffant, bouillant et brûlant.

Chaque douche était une épreuve consistant à sauter sous une pluie insupportablement bouillante pour en sortir au plus vite. Le carrelage en hauteur était maculé de rouille et par terre le blanc laiteux originel de la baignoire s'était transformé en crème ayant amplement dépassé la date d'expiration. Et puis il y avait une autre raison de ne pas faire de vieux os : la frousse de louper quelque chose. En consacrant trop de temps à la douche, je craignais de manquer le seul événement valable de ma vie.

Haris y passa pratiquement une heure. Il fallut donc qu'ensuite je me dépêche, et je finis par me brûler la peau des pieds. Pas vraiment le genre de récompense qu'ils méritaient, après leur performance de la veille au soir.

Se libérer du besoin de se libérer

Le week-end avait été une longue période de néant, interrompue par du sommeil et des incartades hors de l'appartement pour partir à nouveau à la recherche de nourriture insipide. En trois jours, on mangea au Arby's, au McDonald's, dans un restaurant mexicain qui passait de la musique à fond au sous-sol, mais où nous étions les seuls clients, et dans un restau turc qui devait son nom au « père des Turcs », et rendit malade mon colocataire.

Lorsque le lundi arriva enfin à notre rescousse, nous prîmes d'assaut un de nos professeurs, *oustad* Thabit, dans l'intention de trouver quelque chose à faire. (À part manger quelque part.)

Il était à sa voiture, en train d'ouvrir sa portière, lorsque nous l'abordâmes.

– Avez-vous besoin que je vous dépose quelque part ? demanda-t-il en utilisant la forme duelle. (Saisissant l'occasion pour nous faire réviser ce que nous avions vu en cours.)

– Non, *alhamdoulillah*, merci, dis-je tout sourire en agitant les mains, réalisant alors qu'en fait, si, nous avions besoin de nous faire déposer. (Je sentis que Haris réprimait une forte envie de me donner un grand coup sur la tête.) En fait, *oustad*, nous avons un problème.

– Trop de devoirs à la maison ?

Si une heure par semaine c'était trop, alors oui.

– Ce qui se passe, à vrai dire, c'est qu'on a vraiment... Ma foi, qu'est-ce que vous *faites*, par ici ?

– J'enseigne l'arabe.

– Non, ce que je voulais dire, c'est qu'est-ce que vous faites par ici pour vous divertir ?

– Je suis marié.

Autrement dit, Le Caire n'était pas New York. Le Caire faisait partie du monde musulman auquel nous étions censés appartenir. La culture islamique satisfait moins bien aux besoins des individus que des familles, car les musulmans trouvent la liberté dans l'asservissement.

Cela expliquait-il le désir impérieux que je ressentais d'avoir quelqu'un à aimer, quelqu'un qui m'aimerait ? Je pensais que le fait d'avoir grandi dans une famille pakistanaise, avec toute l'identité d'une nationalité postcoloniale ajoutée à la stabilité du souverain autoritaire Pahlavi, avait également quelque chose à voir. J'en avais tellement marre du mirage que la famille *desi* était si souvent. Je ne voulais pas être laissé sur le bord de la route : je voulais de l'amour et de la réalité.

Oustad Thabit remarqua notre morgue.

– Il vous faut des épouses, à vous deux.

Ce fut pour moi un terrible moment. Et pour Haris également. Le fait de nous mettre tous les deux dans le même panier et la détresse qu'il lisait manifestement en nous allait à l'encontre de nos aspirations futiles à être plus que seulement des copies carbone d'un peuple en déroute.

– Mais alors, où aller pour rencontrer des filles ? laissai-je échapper.

À ce moment-là, *oustad* Thabit était dans son auto, sa main droite musclée posée sur le volant. Il n'était pas vraiment impliqué dans cette conversation.

– Tu veux une fille bien ?

– Des filles, *oustad*, rectifia Haris en s'approchant.

– L'une après l'autre, précisa *oustad* Thabit.

– C'était notre intention.

– Je pense que vous devriez vous rendre dans Le Caire islamique, suggéra-t-il.

Et sur ces belles paroles, il disparut sur les chapeaux de roue.

Trouver femmes,
en finir avec nos vies infâmes

Nous retournâmes à l'appartement, pressés de partir pour Le Caire islamique, où notre projet était le suivant : trouver femmes, en finir avec nos vies infâmes. Nous nous changeâmes, enfilâmes des vêtements plus confortables, car le soleil serait déjà assez haut dans le ciel, et prîmes trois bouteilles d'eau : nous avions l'intention de pas mal crapahuter. Nous décidâmes de cantonner nos pérégrinations touristiques aux mosquées al-Azhar et Sayyidna Houssayn. En dernier lieu, nous demandâmes à Rehell s'il voulait venir. Il nous en était reconnaissant, mais surtout, il était occupé. Toutefois, il nous demanda de l'appeler dès notre retour, nous pourrions les retrouver, lui et Mabayn.

Le chauffeur nous laissa à proximité d'un bazar, en prenant bien soin de gonfler la note. Nous ne lui en tînmes pas grief, il eut son argent, et nous nous concentrâmes sur la démesure qui nous attendait. Nos photos recréaient une approche chronologique d'al-Azhar, avec un cliché pris à chaque étape importante. Quelqu'un, quelque part, au pays, serait content de les admirer. Cependant, une fois qu'al-Azhar fut pleinement en vue, même les cyniques que nous étions furent obligés de s'immobiliser pour goûter le spectacle qui s'offrait à nous.

Haris était ébahi.

– Tu te rends compte que quelqu'un a construit quelque chose de cette ampleur ?

Comment un édifice aussi imposant pouvait-il être aussi humain ? À moins qu'il ait été construit par une race de géants ayant été inexplicablement transformés en créatures vivantes. Une race d'Égyptiens ayant depuis longtemps été expulsée de terre. Mon cœur s'emplit d'une fierté douloureuse, tandis que mes mains se mettaient à trembler dans le vide : elles ne participeraient jamais à l'édification d'un projet d'une telle ampleur. Les salles de prière étaient coiffées de dômes bulbeux et flanquées de minarets qui s'élançaient avec humilité dans le ciel, non pas avec arrogance mais assumant plutôt un asservissement libératoire.

Al-Azhar signifie la Très Radieuse en arabe, c'est à la fois une mosquée et une faculté, la plus ancienne université au monde encore en activité. À l'origine bastion des chiites ismaïliens, et outil de propagande pour la dynastie des Fatimides, le lieu vira à l'orthodoxie islamique lorsque Saladin conquit l'Égypte, dans la deuxième moitié du XIIe siècle, faisant du pays le terreau de la renaissance militaire et spirituelle du monde sunnite tel qu'il le concevait.

Au bout d'une heure de prières et de flâneries, nous nous intéressâmes à la mosquée Sayyidna Houssayn, accessible par une série de tunnels qui s'ouvraient face à al-Azhar. Aux premiers temps de l'islam, Houssayn (le petit-fils du prophète Muhammad, que la paix soit sur lui) se prononça contre la corruption qui submergeait les peuples islamiques. Son ire n'avait d'autre cible que Yazid, le deuxième calife de la dynastie des Omeyades.

Houssayn emmena un petit groupe d'adeptes jusqu'à la ville de Karbala, au sud de l'Irak d'aujourd'hui, où ses partisans devaient le rejoindre. Mais Yazid dispersa des milliers de soldats avant l'arrivée de Houssayn, afin d'établir un climat de guerre psychologique. Houssayn ne fut rejoint que par quelques douzaines de fidèles, tandis que ses compagnons restaient terrés chez eux, refusant de s'opposer à un ennemi supérieur en nombre. Houssayn toutefois, tout comme les minarets d'al-Azhar, ne céda pas. Le dixième jour du dixième mois, le jour où Dieu sauva les enfants d'Israël du pharaon, l'armée de Houssayn fut massacrée. La tête de Houssayn, tranchée en guise de trophée, arriva peut-être jusqu'au Caire. Peut-être fut-elle enterrée à proximité de la salle de prière de la mosquée. Que cela soit vrai ou pas, des milliers d'Égyptiens visitent chaque semaine la mosquée, pour rendre hommage à ce genre d'homme qu'on ne côtoie que dans les cimetières et les tombeaux.

Nous terminâmes notre pellicule avec une photo de côté particulièrement réussie, puis nous nous assîmes sur un trottoir, à mi-chemin entre les deux mosquées. Nous sortîmes les bouteilles d'eau que nous avions apportées et bûmes allégrement, heureux de pouvoir étancher notre soif.

Et soudain :

– *Salam aleikoum !*

Avec un tel accent, il était impossible de se méprendre. Nous levâmes la tête, mais l'inconnu au sourire avenant réagit le premier :

– Vous venez du Pakistan ? Vous êtes pakistanais ?

– Oui, en effet, répondis-je, confirmant son soupçon.

Haris immédiatement décréta la partition :

– Moi, je suis indien.

L'homme ne nous dit pas comment il s'appelait. Mais après tout, nous non plus ne lui avions pas dit.

– D'où es-tu, au Pakistan ?

– La famille de ma mère était du Pendjab oriental, mais ils ont émigré en 1947, répondis-je. Du côté de mon père, on vient du plateau du Potohar.

L'inconnu exultait toujours :

– Moi, je suis de Lahore ! *Pendjab zindabad*[1].

---

1. *Pendjab zindabad :* « Vive le Pendjab ! » Il s'agit d'une sorte de cri de ralliement parmi les musulmans indiens ; on dit souvent *« Pakistan zindabad »* ou *« Islam zindabad »*.

Haris ne voulait pas être écarté de ces considérations géographiques.

– Ma famille est originaire d'Avadh, annonça-t-il.

L'inconnu finit par nous dire son nom. Zaheed. Et sans y avoir été invité, il s'assit à nos côtés et continua de parler à un rythme accéléré. Il devint bien vite évident que son sourire n'était pas le reflet de son envie de sympathiser avec nous, mais son attitude normale, une sorte de jubilation perpétuelle qui, je le savais, allait vite devenir agaçante. Sur ce, Zaheed expliqua que lui aussi était venu en Égypte pour étudier l'arabe.

– Je suis arrivé au Caire il y a seulement quelques semaines, nous informa-t-il. Mais je suis hébergé avec un autre ami pakistanais qui est ici depuis maintenant six mois !

Je n'étais pas seulement allergique à sa nervosité huileuse. Il était en outre physiquement repoussant ; il avait beau être grand – à peu près de ma taille – et charpenté, il présentait une indéniable ressemblance avec une limace. N'ayant cependant jamais vu de limace, je n'avais bien entendu aucun moyen d'en être tout à fait sûr. Mais si quelqu'un m'avait demandé de décrire Zaheed, c'est la réponse que j'aurais spontanément donnée. Il avait des yeux tombants, absurdement endormis, presque des yeux de batracien, dont de trop nombreux *desi* sont affectés : les paupières fermées aux trois quarts. Et puis il y avait sa façon de se tenir. Sous la taille, il était droit comme un piquet, mais à partir de la taille, il était penché en avant, comme occupé à lâcher un vent.

Étonnamment, Zaheed mit un terme à son propre radotage.

– Demain soir, il y a les festivités pour l'anniversaire de Houssayn. Vous savez, le *mawlid*. Ça vous dirait de venir, tous les deux ?

– Ils fêtent l'anniversaire de Houssayn ici ?

Haris m'ignora totalement et posa sa question directement à Zaheed :

– Où est-ce que ça va avoir lieu ?

– Ici, à minuit, répondit Zaheed.

Un peu trop vite. Ce qui me fit prendre conscience du manque de pertinence de ma comparaison : une limace vive, était-ce un oxymore ? Peut-être qu'en combinant origine ethnique et espèce animale, je trouverais une formule plus pertinente, à savoir : Pendjabi + limace = mollusque gastéropode terrestre vif et crétin. Peut-être était-il juste affecté de troubles de l'apprentissage, et dans ce cas, il était atrocement cruel de se moquer ainsi de lui. Cela n'avait pas d'importance. Il reporta toute son attention sur Haris, m'ignorant.

– Quoi qu'il en soit, *yaar*, tu devrais venir. Les soufis joueront de la musique et effectueront leur *zikr*[2].

Mon colocataire sortit un stylo de son sac à dos.

– Quel est votre numéro ? On vous appellera demain.

– Je ne serai pas à la maison de la journée, répondit Zaheed. Donnez-moi votre numéro, c'est moi qui vous téléphonerai.

Haris griffonna donc notre numéro sur un petit bout de papier, et je priai pour que Zaheed le perde. Le gars nous serra la main et se perdit dans la foule.

– Qu'est-ce qu'il était pénible, maugréai-je.

– Au moins il nous a indiqué quelque chose à faire.

– *Oustad* Thabit aussi, répondis-je en riant. Et est-ce pour autant que nous avons rencontré des filles ?

Mon colocataire fit mine de me repousser.

– Moi je connais quelqu'un qui a envie de rentrer à la maison.

2. *Zikr :* le souvenir du nom de Dieu, en arabe ; chez les musulmans, c'est également un rituel.

Thé à la menthe (bien chaud, avec philosophie)

Le café Trianon. Un établissement destiné aux plus fortunés d'Égypte, servant le petit nombre de gens qui pouvaient régulièrement se payer un thé glacé à la mangue. Au rez-de-chaussée, tentant effrontément le chaland, pâtisseries appétissantes, mets délicats et autres délices étaient en vitrine, à déguster autour de tables rondes propices à des rencontres intimes et bien peu islamiques. Les serveurs aux tenues noires ajustées glissaient d'une table à l'autre sur le carrelage d'une propreté toute scandinave, qui étincelait comme un miroir ; on les aurait dits sur un étang, dépourvus de pieds, se déplaçant à tire-d'aile. C'est là que mon colocataire et moi-même retrouvâmes Rehell et Mabayn.

Rehell, l'abréviation de Rehellinen, était venu de Finlande, un mois avant nous, avec les mêmes projets : étudier l'arabe et l'islam. Contrairement à nous, Rehell étudiait vraiment.

Des épaules aux chaussures, Mabayn respirait l'énergie. Il avait l'allure du gars inscrit à vie dans un club de gym. Sa présence vigoureuse était toutefois gâchée par sa mâchoire inférieure par trop proéminente. Il semblait toujours sur le point de baver. Par rapport à Zaheed, Mabayn représentait assurément une amélioration mais dès l'instant où nous nous mîmes à parler religion, comme nous finissions toujours par le faire, il se tut. Alors que Rehell, lui, s'anima. Je tâchai de répondre aux questions graves de Rehell, mais Haris prit ensuite le relais, sentant à juste titre que mon enthousiasme s'émoussait.

La théologie se mit à m'ennuyer, mon esprit commença à vadrouiller et mes yeux à papillonner. Deux Égyptiennes callipyges approchèrent, mais elles passèrent devant nous sans s'arrêter, promptement portées par leurs jambes interminables. Il n'y avait rien en elles qui pût dissuader de les suivre, aucune raison de ne pas s'allonger à terre pour ramper à leurs pieds. Soyez mes deux épouses. Puis : savez-vous faire la cuisine et le ménage ?

Remarquant ma distraction, Mabayn éclata d'un rire tonitruant qu'il avait réprimé toute la nuit. Je pense que toute l'Égypte l'entendit, ce qui n'était ni de l'exagération ni une façon de se distinguer – à chaque fois qu'un Égyptien parlait, tous les autres Égyptiens entendaient.

–Je vois qu'il y a des choses plus importantes, en ce bas monde, dit Mabayn.

– Comme elle, ajouta Rehell qui, ne se formalisant pas que sa salve de questions soit interrompue par le désir vagabond de quelqu'un, sourit également.

– N'oublie pas son amie, ajouta Mabayn, sans cesser de glousser.

Les deux filles remarquèrent nos regards et se fendirent d'un sourire.

– Voilà, mes amis, un argument qui plaide en faveur de la polygamie, fis-je en hochant la tête dans leur direction. Ou du moins de la bigamie.

– Un endroit comme ça a de quoi vous rendre fier d'être musulman, reconnut Haris, mais il regretta immédiatement ses propos, craignant que Rehell s'en offusque.

Rehell se montra plutôt perplexe :

– Qu'est-ce que tu entends par là, l'ami ?

J'essayai de le lui expliquer, pour ne pas que Haris soit trop sur la sellette ; Haris qui, du coup, se mit à tripoter sa serviette.

– Prends deux filles, d'accord ? Suppose que les deux soient physiquement exactement identiques. Comme des clones. Si l'une des deux est musulmane, elle sera plus attirante à nos yeux que celle qui ne l'est pas.

– Qu'est-ce que tu veux dire par là ? demanda Rehell.

– Eh bien, la vérité est magnifique. Et les gens qui croient en la vérité embellissent. Parce que la foi est synonyme de présence de Dieu, or la présence de Dieu brille comme la lumière : la lumière du cœur, la lumière de l'esprit, la lumière du visage. C'est une sorte de rayonnement éclatant. Tandis qu'une personne qui s'adonne au péché s'enlaidit à chaque péché : son aspect extérieur, son visage, ses actions, son expression, ses mouvements, tous trahissent – eh bien, disons – sa saleté intérieure.

Rehell se mit à opiner, saisissant l'explication.

– Tu sais, intervint mon colocataire, qui reprenait du poil de la bête, ce n'est pas si bizarre, lorsqu'on y réfléchit bien. C'est comme dans les films, le méchant a une sale tête et le gentil est beau. On apprend beaucoup sur les gens en regardant leurs visages.

– C'est encore pire lorsqu'elles portent un *hijab*, ajoutai-je en souriant. Car alors cet éclat ne se diffuse pas de toutes parts, mais jaillit directement et te transperce.

Rehell se laissa un instant aller en arrière, pour digérer l'explication qui venait de lui être donnée.

– Plus j'en apprends sur votre religion plus elle me séduit. Vous avez vraiment de quoi vous réjouir, vous, les gars, dit-il.

Mais Rehell était complètement à côté de la plaque, ce qui était étrange pour quelqu'un par ailleurs si perspicace. Nous ne pouvions que feindre la gratitude. Et les musulmans n'étaient pas très forts lorsqu'il s'agissait de faire semblant. Il n'y avait vraiment pas de quoi se réjouir, pour nous, musulmans modérés, pris entre hier et le potentiel – même pas la certitude – de demain.

La figure de Mabayn parut particulièrement aigrie. Il se leva si brutalement que la fourchette de Rehell tomba par terre. Pire, il ne se baissa pas pour la ramasser. Pire encore, il ne lui présenta pas ses excuses.

– Il faut que j'y aille, déclara-t-il.

Il tendit ensuite la main, mais Rehell refusa de la lui serrer.

– Est-ce que tout va bien, l'ami ?

Tout en faisait signe à la serveuse d'apporter la note, Mabayn grommela :

– Il est tard. Il faut que je rentre à la maison.

– Très bien. Dans ce cas, je vais y aller avec toi...

Rehell s'aperçut que quelque chose n'allait pas, sans savoir exactement quoi. Si seulement j'avais eu un stylo, je l'aurais écrit sur une serviette en papier, que j'aurais retournée pour que Rehell puisse lire : la réalité. C'est ça, le problème, Rehell. On ne peut être vraiment heureux que si l'on éprouve un sentiment d'appartenance. Deux jolies filles dans la rue, qui disparaissent au bout de deux secondes, il n'y pas de quoi se réjouir. Le monde est atroce, mais nous sommes pires, car non seulement nous nous laissons couler, mais nous buvons l'eau en nous plaignant tout le temps que cela nous répugne.

Mon colocataire et moi-même restâmes chacun d'un côté de la table, à la diagonale l'un de l'autre, un peu choqués par la vitesse avec laquelle Rehell et Mabayn étaient partis.

– Tu veux t'en aller, toi aussi ? demandai-je.

Il fit non de la tête, d'abord en hésitant, puis avec conviction.

– J'ai un peu mal au ventre. En fait, c'est depuis qu'on a mangé turc. Ça t'ennuierait que je reprenne un thé à la menthe ?

Je lui demandai de m'en commander un aussi. Quant à savoir pourquoi nous étions obsédés par une boisson chaude dans un pays chaud, cela dépassait mon entendement.

Lorsque la serveuse nous apporta nos thés, Haris s'étonna :

– Tu as remarqué que nous fréquentons toujours des endroits occidentaux ?

– Peut-être parce que nous sommes des Occidentaux ?

– Parle pour toi, dit-il en approchant son thé.

Ce qui eut pour effet de me contrarier un peu. Comme ça. Claquez des doigts et me voilà en rogne.

– Écoute, je suis navré, fis-je, mais regarde-toi.

– Eh bien quoi ? fit Haris en se regardant vraiment de haut en bas. Tout ça parce que je suis habillé à l'occidentale ?

– Ma foi, ouais. (Deux cuillers à café de sucre pour moi, et pourtant c'était du thé à la menthe. Peu de temps après, j'en avais ajouté deux autres.) Je ne sais pas, regarde les filles qui nous plaisent. Les endroits où on va. Tu as remarqué le plaisir qu'on a à aller au Trianon. Et jamais à la mosquée ?

Haris observa quelques secondes le liquide fumant. Il tripota les feuilles de menthe. Puis il eut l'air très, très triste.

– Peut-être que ça ne nous intéresse plus du tout d'être musulmans. (Nouveau temps de silence, pendant lequel il scruta l'endroit.) On dirait que depuis la naissance, le monde essaye de nous tordre, et nous finissons par en avoir marre de résister. Nous en avons peut-être tous marre. Peut-être que tout ça c'est fini, maintenant.

– Fini ?

– Pour nous, balbutia-t-il. (Il caressa la tasse mais refusa d'en boire une gorgée, laissant la chaleur s'évaporer.) D'ici cent ans, est-ce qu'il restera quelque chose de l'Égypte, à part le Trianon ?

– N'oublie pas les pyramides, fis-je.

– Ah, génial. Une civilisation étrangère et une défunte.

Nous étions devenus des hommes sans foi constamment soucieux de foi. Nous étions de plus en plus incapables de nous rassembler et de plus en plus sujets à la panique, justement parce que nous n'arrivions plus à nous rassembler. Et nous ressentions aussi une crainte toujours plus profonde et plus âpre, qui surgissait à tout moment de la journée, juste après le coucher, le soir, pendant les informations, quand nous marchions dans la rue ou lorsque nous nous arrêtions à un croisement : le sentiment que soudain tout allait mal. Et pourtant, mon colocataire et moi, nous nous tenions à l'écart car nous ne voulions pas qu'il en soit ainsi. En cette période troublée, nous considérions comme étant la lie de l'humanité le traître à la cause, ces partisans de Houssayn qui s'échappaient du camp, à Karbala, l'ultime vendredi du siège, choisissant les flammes de l'enfer plutôt que le martyre, pourtant si proche. De nombreux péchés qui auraient offensé un musulman traditionnel n'avaient pas grande importance à nos yeux. Sauf si c'était un de ces péchés dont l'acceptation vous soustrayait à la communauté pour vous propulser en apesanteur, ni vraiment ici, ni complètement là.

Haris s'extirpa de son siège sans se soucier de savoir si oui ou non je le suivais. Laissant notre part de la note sous une salière, je courus pour le rattraper. Une fois sur Jamiat al-Douwal, notre conversation dut se mesurer au chaos. Parfums, pizzas de chez Little Caesar's, gaz d'échappement nauséabonds. Les lumières vives au-dessus des magasins diffusaient leur fluorescence dans la noirceur du ciel. Les Saoudiens portaient des *thobes* couleur de la neige qu'ils n'avaient jamais vue, qui traînaient sur le marbre – on aurait dit que ces wahhabites avaient appris à léviter. Des adolescents égyptiens passaient en trombe dans un sens ou dans l'autre, c'était à qui crierait le plus fort pour se faire entendre, quoiqu'il n'y eût point de colère dans leur badinage écervelé. De beaux bébés montraient du doigt les articles bariolés dans les vitrines, tiraient sur les vêtements de leur mère, étreignaient les jambes de leur père, ou s'ébattaient sur les trottoirs en ruisselets, selon des motifs n'obéissant à aucune loi, même si, pendant ce temps, les parents essayaient d'y comprendre quelque chose.

– Peut-être que l'Égypte n'est pas occidentale, dis-je en éclatant d'un rire faux. D'abord, il y a trop d'enfants.

– Oui, répondit Haris en haussant le ton. Ça c'est vrai.

Voilà. Ça va mieux ? Pendant un instant je ressentis l'allégresse que j'avais eu l'intention de lui transmettre. Si les jeunes constituaient une promesse d'espoir, fût-ce à long terme, un espoir lointain, presque impossible à atteindre, alors l'espoir l'emportait même sur la pollution du Caire, me laissant face à cette question : était-il possible que quelque chose d'aussi nécessaire existât en trop grand nombre ?

– Tu ne peux pas être les deux, dis-je.

– Tu ne crois pas ?

– Quand la situation se durcit, fis-je remarquer, il faut choisir. Il n'y a d'ailleurs pas tant de musulmans occidentalisés.

Comme nous.

– Mais un jour, il faudra qu'ils décident ce qui est le plus important pour eux, être occidental ou bien musulman. Ce jour va venir vite.

– Tu crois ?

– Non. J'espère.

Pour comprendre la différence qui existe entre le monde islamique et l'Occident, il suffit d'examiner la version idéalisée que les hommes se donnent de la femme. On en apprend davantage à travers certains fantasmes révélateurs qu'en scrutant une réalité trompeuse. Le musulman est marqué par son penchant pour la possession, pour plusieurs femmes, pour la multiplicité et la diversité par rapport à un axe unique et fort. D'où la conception musulmane du monde : le principe stipulant que la fin justifie les moyens prédomine dans diverses régions du monde, toutes voilées – protégées ou exploitées, selon le point de vue – par le décret de la croyance.

L'Occidental essaye plusieurs femmes les unes après les autres, les laissant libres de manière à pouvoir s'en servir facilement – libération ou exploitation, selon le point de vue – mais les pauvres femmes sont trop lentes d'esprit pour saisir. Certaines d'entre elles pensent même que plus elles s'exhibent, plus elles sont émancipées. Lorsque l'Occidental s'installera enfin avec une femme, celle-ci aura été prise à quelqu'un d'autre. Comme l'Amérique, l'Australie ou Israël.

Mais ceci ne signifie pas pour autant que le musulman et l'Occidental n'ont rien en commun. Mais plutôt que ce qu'ils ont en commun est précisément ce qui les rend incompatibles : idéalisations de l'homme, assujettissements de la femme. S'il s'agissait juste d'une question de relations entre les sexes, je doute fortement que le monde en serait arrivé à une telle impasse. Si le concept de supériorité n'est pas mauvais en soi, il pose le problème de la cohabitation. Sur une seule et même planète, musulmans et Occidentaux désirent le triomphe exclusif de leur système – d'autres peuvent exister, mais seulement s'ils sont proprement domptés. Ce qui constitue pour moi un problème plus important.

J'ai passé toutes ces années à vouloir tant de choses, pour me retrouver sans une seule d'entre elles. La cause du problème n'était pas extérieure, mais intérieure. Au cours des deux ou trois dernières années, j'ai uniquement voulu entendre que j'étais mat de peau, oriental et musulman, et j'ai refusé d'admettre qu'il y avait également en moi un homme à la peau blanche, occidental et suburbain, désireux d'avoir une maison sur une route avec un nom d'arbre, un garage pour deux voitures, quelques enfants, une femme blonde aux yeux bleus et un boulot ennuyeux, assurant un revenu stable.

Accepter le musulman en moi, c'est accepter l'impérialiste qui nous seulement conquiert mais aussi efface, niant la pertinence de tout ce qui n'est pas lui-même. Aussi n'est-il pas étonnant que la première cible soit mon autre moitié. Sauf que mon autre moitié se rebiffe – elle aussi aimerait vivre – et se façonne une idéologie pour sa propre défense, tout comme un peuple crée une nationalité à laquelle se rallier quand on s'empare de ses maisons et de ses terres. Et que choisir d'autre que mon enfance occidentale, mes rêves et mes espoirs d'Occidental ? C'est alors que l'Occidental gagne du terrain, cherche des colonies à exploiter voire à surexploiter, dans lesquelles il puisera ses matières premières.

Haris pencha la tête pour me dévisager. Je fus assez impressionné qu'il arrive à faire ça tout en marchant. Une partie de moi avait peur qu'il percute un réverbère. Mais au moins, ce serait amusant.

– Nous ne sommes pas des Occidentaux, insista-t-il. Parce que leur culture n'est pas vivante.

Comme un homme qui s'est construit une fusée, s'est propulsé dans l'espace, mais a péri pendant le voyage, car son corps était incapable de supporter l'accélération que son propre esprit avait conçue. Son cadavre échapperait-il à la force de gravité et continuerait-il à se mouvoir dans l'univers, sans autres raisons que celles de la dynamique du mouvement ? En d'autres termes, une moitié de moi-même. L'adhérence, c'est quelque chose qui existe vraiment. D'un autre côté, ma moitié musulmane était préoccupée par la redescente. Nous étions allés trop haut et nous n'étions pas faits pour cela ; Dieu nous attirait à nouveau vers le bas, donnant de la bande en nous ramenant sur Terre à une vitesse mortellement dangereuse.

– Les musulmans ont tellement d'enfants. Ça signifie que nous sommes encore vivants, tu sais ? Nous ne sommes pas occidentaux.

Haris me dévisagea pour que je confirme.

– Mais nous sommes aussi en train d'agoniser, dis-je. Simplement, pas de la même manière.

– On ne crève pas en silence, dit-il en riant. Et on en emmène d'autres avec nous.

– Pas moi. Je veux juste faire sauter les fast-foods. (J'avais l'impression que je n'aurais pas dû sourire.) Si certains d'entre nous doivent mourir, de manière à ce que nous ne soyons pas trop lourds, alors agissons en conséquence. Mieux vaut procéder ainsi plutôt qu'envoyer tout le monde au tapis, et à jamais.

– Tu penses que des gens devraient mourir ?

Je haussai les épaules.

– Je ne veux pas que des gens meurent. Mais il faudra bien que des gens meurent. Regarde ces pays, Haris.

Puis je me calmai. J'étais dans l'un d'eux.

– Mais nous ne savons même pas encore nager, fit remarquer Haris. Et nous avons déjà des gens qui parlent d'îles et de plages.

– On ne peut pas demander aux gens de vivre sans rien, rétorquai-je. (Je savais néanmoins que c'était le lot de bon nombre d'entre nous.) Il faut qu'ils aient une raison de nager. Sinon, ils seront tellement obsédés par la question de savoir pourquoi ils nagent qu'ils en oublieront de nager et finiront par couler.

Et effectivement, quand on est éloigné de soi-même pendant si longtemps, on n'est plus capable de faire la différence. Les Occidentaux ont fouillé dans toutes les philosophies jusqu'à séparer leur dimension sacrée de leur dimension séculière, les âmes des corps, l'individuel du collectif, la signification du langage, la vie de la mort. Ils vivent longtemps mais disjonctent vite. Leurs villes sont propres mais leurs cœurs sont sales. Leurs gouvernements sont épatants mais leurs armées diaboliques. Ce sont d'ardents défenseurs des droits de l'homme, mais les pires bellicistes que l'histoire ait connus. Et moi là-dedans, la contradiction du Caire, l'hypocrite ? J'étais venu ici car c'était une ville musulmane, mais je passais mon temps à méticuleusement éviter tout ce qui me rappelait par trop l'islam.

J'avais passé mes années de formation dans une ville qui était blanche et totalement chrétienne. Pour moi qui étais né musulman, la chrétienté, avec sa théologie qui s'appuyait sur la simplicité sémite, était un mystère trop opaque. Si bien que pendant mes quatre années de lycée, j'avais choisi d'être blanc comme tout le monde, aveugle au fait – et *du* fait – qu'en réalité, vu de l'extérieur, je n'étais pas blanc. Je ne m'étais pas rendu compte de la profondeur du trou que j'avais creusé, car ce trou avait contribué à ce que je me sente à l'aise au milieu de tout le monde. Mais en quelques mois, avec la promesse de New York et l'odeur de la vie universitaire, mes amis avaient taillé la route de leur côté, chacun trouvant du réconfort en repensant à certains moments de cette époque, filant dans des directions différentes, me laissant dans un endroit hors du temps. Il ne resta plus que ce faux visage que j'avais planté pour faire partie de cet endroit inexistant.

N'ayant pas grand-chose d'autre à quoi m'accrocher, à New York, je crus que je pourrais peut-être m'amouracher de mon propre reflet. (Attention, alors, aux nombreux péchés des yeux.) D'une simple secousse mentale, j'effaçai des années de ma vie, regrettant les nombreuses journées passées en étant d'une couleur (blanc) au lieu d'une autre (basané). Voilà ! Ce dont je n'avais pas tenu compte, cependant, c'est que, de l'extérieur, j'étais comme mes nombreux compatriotes du sous-continent indien ; intérieurement je n'étais en fait pas complètement basané. Plutôt que d'accepter cet état de fait, je redoublai d'efforts, en essayant par tous les moyens de me faire accepter, m'efforçant de réduire ces aspects de moi qui n'étaient pas en conformité. Mes compatriotes *desi* prirent ma ferveur à m'insérer pour de l'hypocrisie malveillante, et mon esprit provincial fut incapable de démêler cet embrouillamini. La ressemblance qu'il y avait entre nous a-t-elle conduit à les confondre avec moi ? Oui, et voici les règles qui présidèrent à cela :

1. La mère patrie s'appelle le Pakistan/l'Inde.

2. La partition était nécessaire/une tragédie.

3. La mère patrie est plus que l'endroit où l'on passe les vacances d'hiver, plus que la nourriture qu'on mange et plus que les vêtements qu'on porte en des occasions festives et donc exclusives.

4. Il existe une langue qui s'appelle l'ourdou/l'hindi ; même si je ne la parle pas, c'est ma langue natale, elle est plus belle que toutes les autres langues.

5. Le pendjabi aussi.

6. Comme nous sommes *desi*, nous avons notre propre culture et nos propres valeurs.

7. Afin de souligner notre différence, nous devons utiliser avec désinvolture des expressions particulières, nous habiller différemment en certaines occasions et choisir, pour les réunions où nous sommes entre nous, un restaurant sélect n'accueillant que les gens comme nous.

Je m'étais déraciné de mon enfance dans le Connecticut, la seule que j'avais jamais eue. L'adolescence était un coucher de soleil qui s'achevait, m'abandonnant à des frontières de dunes de sable et dans les montagnes du Karakoram. Ma patrie devint un pays de désert, de jungle et de montagne, épissé par le puissant fleuve Indus. Ici et pas plus loin ! Là et pas moins ! Nous regardions fixement le rouge, blanc, bleu en frémissant. Nous regardions fixement le vert et blanc et cédions à l'éruption d'un aveuglement patriotique, comme seule peut le faire une personne qui n'avait jamais connu le pays, ne s'était jamais battu pour lui et n'y avait jamais souffert. Je me comportais en sioniste, me persuadant que j'avais trouvé une patrie et que personne n'eût pu être plus indigène.

Nous nous délections dans l'humiliation, une sensation étrange que les musulmans sont enclins à rechercher. Mais attention à l'apitoiement sur soi-même : c'est à l'intérieur de la matrice que gît le cimetière de ceux qui ont disparu auparavant. Par exemple, lorsque mes amis franchirent lentement mais sûrement une ligne qu'ils prétendaient avoir érigée, brouillant la frontière entre musulman et hindou, en faisant monter la température dans leur orgie ethnique ; j'avais beau augmenter le volume d'une rythmique pendjabi, ou tourner mon regard vers les beautés de Bollywood, je ne passai pas pour autant sous silence la triste complainte de la séparation. Ce monde ne se réduisait pas à ses contrevérités flatteuses et son obsession de la jeunesse. Et donc voilà, je me retrouvais en Afrique.

Ma moitié musulmane avait perdu la bataille

On frappa bruyamment à la porte. Il me fallut une ou deux secondes avant de savoir quoi faire. Je me précipitai à l'entrée, ouvris sans prendre la peine de demander qui c'était. Si jamais je m'impliquais un jour dans des activités antigouvernementales, notai-je, il serait sage de faire preuve d'un peu moins d'insouciance. Cette fois-ci, cependant, pas de problème. Ce n'était que Mabayn.

Il se glissa devant moi en lâchant un *salam* fuyant, et ne se retourna que lorsqu'il fut arrivé à la table, inversant ainsi les rôles : on aurait dit que je venais juste d'entrer à l'appartement et qu'il m'y attendait. Mabayn ne me plaisait décidément pas beaucoup. Il faisait preuve d'un comportement étonnamment indélicat, surtout pour quelqu'un ayant été élevé en Égypte.

– Où est Haris ? demanda-t-il.

Comme s'il était en droit de savoir. Avec ses manières, il devenait l'importun pakistanais typique. Était-il originaire du Pakistan ?

– Il est en train de se laver. (Voyant que cela n'aurait aucun sens pour lui, j'écartai les bras, comme pour indiquer quelque chose de grande taille.) Il reste longtemps sous la douche. Il ne sortira pas de sitôt.

– Ah.

Il eut l'air déconcerté, sa main gauche flâna sur le bord de la table, un doigt frottant sur le vernis.

Pourquoi oubliais-je le protocole musulman ?

– Entre donc, assieds-toi. Veux-tu quelque chose à boire ?

Il se mordit la lèvre et me regarda droit dans les yeux. Un bref instant, je pris peur. Sa carrure était imposante.

– Tu bois ?

– De l'alcool ?

– Oui. Tu bois de l'alcool ?

– Non. (Je tâchai de me montrer plus grave.) Je n'en veux pas, d'ailleurs.

– Je voulais juste m'en assurer, dit-il en hochant la tête.

Comme il se dirigeait vers le salon, j'allai lui remplir un verre de Pepsi. En revenant avec la boisson, cependant, je fus étonné de voir que Mabayn avait choisi la causeuse, me laissant la petite chaise-citronnade. Était-ce impoli de sa part ? En même temps, si la question s'était posée, je n'aurais pas manqué de lui proposer de s'installer dans la causeuse. À défaut d'autre chose, Mabayn méritait qu'on le prenne en pitié. Ses épaules s'affaissaient vers le sol. Ses bras robustes tremblaient, leurs rondeurs faisant penser à du rembourrage mouvant.

– Est-ce que tu pensais ce que tu as dit à Rehell ? demanda-t-il en me dévisageant.

– Tu veux dire à propos des filles ?

– Tu as dit que les gens étaient plus beaux s'ils avaient la foi. (Manifestement, il ne trouvait pas cela drôle.) Est-ce que tu penses que c'est vrai ?

– Je le pense, ouais. (J'y réfléchis davantage, craignant de l'égarer.) Je veux dire, bon, il y a des jolies filles à New York. Mais c'est de la rigolade, comparées aux filles d'ici, même si celles d'ici ne s'habillent pas avec autant d'impudeur. À vrai dire, ça fait partie de leur charme.

Je pense qu'il voulait exprimer son désaccord mais ne savait pas comment s'y prendre. À la place, il but une longue gorgée de Pepsi.

– Mon problème, mon frère, soupira Mabayn, c'est que je n'ai personne à qui parler.

– À qui parler ?

– Mes amis ne sont pas d'ici. L'été, ils rentrent chez eux. Maintenant, j'ai un problème, mais je n'ai personne à qui m'adresser. À moins que je puisse te parler.

Hum. Cela signifiait qu'il n'était pas près de repartir.

– Pourquoi veux-tu me parler ?

– Mes parents ne peuvent pas comprendre. Ils prient toute la journée et font comme si je n'étais pas là. Mais toi, tu n'es pas pareil. Je sais que l'islam compte pour toi, *alhamdoulillah.* Mais tu viens d'Amérique. Tu comprends combien il est difficile d'être musulman. Tu regardais les filles.

Était-ce une insulte ?

– Bon, d'accord. Quel est ton problème ?

– Je suis amoureux, chuchota-t-il, clignant de l'œil tandis qu'il révélait son ténébreux secret.

– Pardon ?

Sa tête fit un bond en avant, comme si quelqu'un lui avait donné un coup de pied par-derrière.

– J'ai dit (avec plus de force, cette fois-ci) : je suis amoureux.

Et c'était cela qui le contrariait ? À moins que Mabayn fût amoureux d'un homme, ce qui était trop pour une heure du matin, un lundi soir.

– De qui es-tu amoureux ? (On notera la prudente neutralité de ma question, évitant de suggérer un sexe plutôt que l'autre.)

– C'est ça le problème.

En l'entendant, j'eus l'impression d'avoir moi aussi reçu un coup de pied derrière la tête. Mais ensuite, heureusement, il ajouta :

– Elle n'est pas musulmane.

Je voulus tomber au sol, louer le Seigneur Tout-Puissant d'avoir fait de l'être aimé de Mabayn une femme. Mais il aurait pu mal le prendre.

– Ah bon. Et qu'est-ce qu'elle est ?

– Ses parents sont chrétiens, répondit-il d'une voix incertaine.

En voyant à quel point ses épaules s'étaient rapprochées du sol, je fis de mon mieux pour combattre la pesanteur.

– Je sais que ça doit être dur pour un musulman d'être amoureux d'une chrétienne, surtout si les parents de la fille sont vraiment religieux. Mais il y a beaucoup de gentilles chrétiennes, bonnes de cœur et d'esprit. Il y a une différence entre une personne qui ne connaît pas du tout la foi et une personne appartenant à une autre confession. Tu sais ce que l'islam enseigne. De tous, les chrétiens sont les plus proches de nous.

– C'est ça le problème...

– L'islam ?

J'étais à présent tout à fait déconcerté. Si Mabayn avait l'intention de se convertir, je ne voulais pas en entendre parler à cette heure tardive. Ni à aucune autre heure du jour ou de la nuit, d'ailleurs.

– Elle n'est pas chrétienne.

– Mais tu as dit que ses parents...

– Oui, bredouilla-t-il. Ses parents sont chrétiens. Mais elle, elle est seulement née chrétienne. Elle fête Noël, bon, mais comme tout le monde. Elle boit trop, elle s'habille sans pudeur...

C'est sans doute cette impudeur qui avait séduit Mabayn. Moi qui avais pensé que vivre dans un pays musulman aurait au moins certains avantages. Quitte à tomber cul par-dessus tête pour la plus évidente des raisons – l'aspect extérieur de la jeune fille – au moins, l'extérieur est extérieurement musulman. Malheureusement pour Mabayn, il s'était trouvé quelqu'un qui non seulement rejetait l'islam, mais aussi toutes les traditions antérieures. J'eus envie de lui faire lâcher d'un coup de pied le verre qu'il tenait et de le lui écraser sur le crâne, de lui broyer tous les os du visage, jusqu'à ce que sa bouche baigne dans une mer sanglante de dents et de Pepsi. Notre foi était sous assistance respiratoire et ce gosse gâté pseudo-égyptien avait l'audace d'arracher la prise.

Mais je n'étais pas d'humeur à argumenter avec Mabayn. Je préférai cependant lui faire croire que la question me tenait à cœur.

– Est-elle arabe ?

– Syrienne, répondit-il, un peu mal à l'aise.

Peut-être regrettait-il de me raconter ce qui lui arrivait, à moi qui étais presque un parfait inconnu.

– C'est bien, dis-je. Elle est arabe. Tu ne vois pas ?

Il prit pour argent comptant l'intérêt que je feignais de porter à son histoire.

– Qu'est-ce que tu veux dire par là ?

– Si elle est arabe, elle peut comprendre l'islam. Ce n'est pas comme si tu épousais une athée de Dieu sait où.

Je voulus dire d'Islande, mais je me dis que Mabayn connaissait peut-être quelqu'un de là-bas. Après tout, il était bien ami avec un Finlandais.

Mais mon commentaire ne l'aida guère.

– Je ne sais pas ce qui s'est passé. J'ai toujours dit que j'épouserais une bonne musulmane. Mais il y a eu une fête. Je ne voulais pas y aller, mes amis m'y ont obligé. Je l'ai rencontrée là-bas et nous avons passé du temps ensemble. J'ai vingt-trois ans. Combien de temps suis-je censé attendre ? Il est possible que j'attende encore cinq ans sans rencontrer qui que ce soit.

En d'autres termes, tu veux dire que tu pourrais te retrouver dans mon cas.

– Je ne voudrais pas dévaloriser tes sentiments, mais chemin faisant, dans vingt ans, quand elle ne sera pas embêtée par ta fille qui portera un bikini, sortira avec un gars ou ira danser, qu'est-ce que tu vas faire ?

Tu reviendras te plaindre auprès de moi ?

– Ce n'est pas une histoire d'appétit sexuel, insista-t-il. C'est plus que ça.

Peut-être avait-il raison. Peut-être pas. Mais cela n'avait plus d'importance. Il était trop tard pour Mabayn. Dieu lui avait donné sa chance et il avait loupé le coche. Quelque chose l'avait aveuglé, et ce n'était pas le corps de la fille, non, il s'agissait de quelque chose de plus profond qui était passé à travers les côtes et avait pénétré le cœur, un fléau qui s'était répandu jusqu'à le posséder entièrement. Peut-être l'avait-il attrapé à la soirée où il l'avait aperçue la première fois. Le corps de Mabayn avait dit oui. Ses hormones avaient dit oui. Son cœur avait dit non. Alors il avait fait taire son cœur. Avec ce choix unique, il avait perdu toutes les années de sa vie. C'était aussi simple, et c'était l'aspect le plus effrayant de toute cette histoire.

En arrivant à l'université, de nombreux camarades étudiants musulmans et moi-même démarrâmes à peu près au même point. Une poignée d'entre eux trouvèrent une foi qui demeure difficile à comprendre ou même à apprécier. L'islam dirige totalement leurs vies. Certains de notre groupe finirent par s'égarer : ils prétendirent que la religion n'était qu'hypocrisie, un voile pour masquer le néant qui se trouvait dessous. Mais ils ne réalisèrent jamais rien de constructif ; ils se contentèrent de rabâcher les aspects négatifs tout en refusant de mettre en application les aspects positifs. Autrement dit, comme je suis hypocrite, tu l'es toi aussi. Ce qu'ils ne pouvaient pas comprendre c'est que l'on pût pécher tout en ressentant néanmoins un attachement profond à la foi, refusant de la laisser entièrement nous filer entre les doigts. Leur mort était un lent suicide.

Mais d'autres furent promptement brisés. Le monde est lourd ; il nous faut lever les mains en l'air pour ne pas qu'il nous tombe dessus, mais il faut continuer de brandir les mains toute la vie – même lorsque le sang ne circule plus dans nos bras et qu'ils sont engourdis. Certains de ces étudiants exigèrent du sentiment, aussi rejetèrent-ils le monde, se sentant momentanément plus légers, jusqu'à ce que la divine pesanteur revienne accompagnée de sa justice, étouffant les brèves excitations du sexe, de la drogue et de l'alcool. Leurs corps furent détruits en une seconde, la férocité du moment attirant la honte sur tout ce que je pouvais faire avec une tasse en verre. Oui, si vous regardiez nonchalamment Mabayn, en faisant attention à la façon dont il buvait son Pepsi, à scruter le sol comme s'il était sur le point d'exploser, à se faire craquer les articulations de la main gauche contre la cuisse ou à chasser du regard une mouche invisible, vous l'auriez cru vivant. Mais une seconde de plus et vous auriez remarqué quelque chose qui vous avait préalablement échappé. Mabayn était mort.

Et s'il était si facile pour Mabayn de mourir, ce ne serait pas si difficile pour moi. J'étais sûr que jadis, il y a longtemps, Mabayn avait éprouvé ce que j'avais éprouvé naguère : j'avais été une forteresse de foi, imperméable à tout assaut. Jusqu'à ce que je commette l'erreur d'introduire la réalité dans la bataille. À présent Mabayn était assis face à moi, trop petit pour la couveuse que son corps faisait paraître minuscule. Non seulement il était mort, mais en fait il s'était suicidé. Je doute que c'eût été son intention initiale, mais quoi qu'il en soit, c'est ce qu'il avait accompli. C'est au terme de nombreux compromis, demi-mesures et négociations mentales qu'on arrive à l'échec, tout cela nous menant à une ligne-frontière ; et une fois que nous la franchissons, nous sommes fichus. Nous pourrions aussi bien mourir et recevoir le jugement avant que de plonger plus avant.

Mais les morts peuvent encore parler.

– Je crois que je la trouve physiquement attirante parce que je la trouve mentalement attirante.

J'émettais de sérieux doutes à ce sujet, mais me gardai bien de lui en faire part.

– Nous sommes des gars, Mabayn. Nous sommes des êtres physiques.

Je le savais, j'étais expert en la matière. Heureusement qu'il ne posa pas la question à Haris qui, aussi incroyable que cela puisse paraître, était toujours sous la douche.

– Mon frère, j'ai touché le fond. (Il s'adressait certes à moi, mais on aurait dit qu'il se parlait surtout à lui-même. Car il avait effectivement cessé d'écouter autre chose que ses propres désirs.) Je sais que je fais tout pour être avec quelqu'un. Tu sais ? Je voulais une fille comme les filles sur MTV, dit-il en soupirant avant de boire la dernière gorgée de son Pepsi. Il existe une épreuve pour chacun. Je crois que moi j'ai échoué.

– Pourquoi accepterais-tu l'échec ?

– Je n'ai pas accepté. Je l'ai rencontrée, nous avons beaucoup discuté, et puis tout s'est passé très vite et maintenant elle est avec moi. Je ne sais pas si c'est une victoire ou un échec. (Il voulut boire une autre gorgée de son Pepsi, mais le verre était vide. Alors il regarda sa montre et fut pris de panique.) Je suis navré ; je n'avais pas vu l'heure. Désolé de t'avoir tenu la jambe si tard.

– Pas grave, mentis-je.

Et Mabayn s'en alla plus poliment qu'il n'était arrivé.

Je me laissai tomber sur le lit et fixai le plafond, imaginant un instant que nous vivions sous l'Empire ottoman, à une époque où de telles conversations et situations n'existaient pas. Il n'existait plus de passeports entre nous non plus. Un calife sur un trône, régnant sur une société de fidèles, rien à voir avec le monde d'aujourd'hui. Non seulement Mabayn était mort, mais nous l'étions tous. Seuls des fous comme moi prétendaient le contraire. Partout, c'était l'effondrement, les ruines de l'islam, emportées et soufflées par le vent, pour la troisième ou quatrième (et pire) fois dans l'histoire. Cette fois-ci, c'était peut-être juste pour le plaisir de se moquer. Voilà ce que nous étions devenus : la risée des puissances d'hier et de demain, assurément.

Je pouvais regarder par notre fenêtre et voir Le Caire, mais je ne voyais pas Le Caire, en dépit sa jeunesse, monter en puissance pour changer le monde. Mais c'était une chose de voir la défaite dans les vêtements que nous portions, les chaînes que nous regardions et les produits que nous achetions ; c'en était une tout autre que de voir cette défaite m'envelopper, de telle manière que ma moitié musulmane avait perdu la bataille contre ma moitié occidentale qui l'avait colonisée. Comment laisserais-je de telles ténèbres envahir mon esprit jusqu'à ne plus rien pouvoir lui opposer – pas même la moindre résistance ? Encore que, si je devais passer les quelques années de ma vie future à m'agiter et à remuer de l'air, j'étais certain que je finirais par devenir un autre Mabayn. Je sus alors que je ferais n'importe quoi pour échapper à ce destin.

Je m'apprêtais à éteindre la lumière lorsque Haris fit son entrée ; il sortait enfin de la douche. À ce rythme, le Nil serait bientôt à sec.

– Tu vas te coucher ? me demanda-t-il.

– Je voulais juste me détendre, répondis-je. Je n'ai pas très envie de dormir.

J'éteignis les lumières et ce fut le silence, interrompu seulement par mon colocataire qui disait ses prières. Il me connaissait tellement bien qu'il sut que quelque chose me turlupinait.

– Est-ce que tout va bien ? (Un moment de pause, pour s'assurer que je l'avais entendu.) Tu as eu un comportement bizarre, ces jours-ci.

– Je suis tout seul.

Haris répondit dans la seconde :

– Ce ne sera pas toujours comme ça, *yaar.*

– Ma foi, dans ce cas, l'illusion est excellente. (C'est alors que le visage de la fille me vint à l'esprit. Pas la fille du Hardee's, pas Zuhra, mais elle, celle qui avait mangé de la glace avec moi dans ce petit restaurant près d'une grand-route, et dont je devrais connaître le nom.) Je pense à tout ce que j'ai dû endurer depuis cette époque et je me demande pourquoi ça n'aurait pas pu juste s'arrêter à cette période-là.

– Est-ce qu'au moins tu l'aimais ?

– C'était il y a longtemps, répondis-je. Et puis je ne sais même pas ce que c'est, l'amour. En revanche, je suis persuadé que lorsqu'on est avec une personne, on ne la laisse pas partir.

– Mais elle a dit non. (Haris bougea dans son lit. Je le savais, car son lit craquait.) Je veux dire, si tu n'as pas accepté cela, tu vis dans un rêve.

– Toutes nos vies sont un rêve, rétorquai-je. Et c'est en mourant que nous nous réveillons.

– Ce n'est pas ce que je voulais dire.

Je remontai la couverture – avec la climatisation, j'avais horriblement froid.

– Il y a des choses que nous ne pouvons pas et ne devrions pas accepter, car sinon, elles nous détruiraient et réduiraient nos espoirs à néant. Mieux vaut rêver à l'intérieur d'un rêve que d'y mourir.

– Mais qu'est-ce que tu en tirerais ?

– Je ne peux pas accepter que le passé ne soit plus. Je ne peux pas accepter qu'elle soit partie. Ce n'est pas que je ne sais pas. Je peux la voir avec un autre gars et comprendre cela. Mais dans le fond, je refuse de croire qu'un jour elle ne sera pas de nouveau avec moi. C'est peut-être de la stupidité bornée. C'est peut-être une pensée noble et romantique. Je suppose que dans un sens comme dans l'autre, c'est navrant.

Mon colocataire se mit à ricaner.

– Navrant, ce n'est pas toujours mauvais.

– Le monde est tellement dur, Haris. Tout file dans une direction et nous, on reste sur le quai. Ou bien j'accepte de ne pas pouvoir changer le cours des choses, ou bien je lutte contre.

– Mais pourquoi lutter contre ? (Il n'était pas impatient, il faisait seulement preuve de compassion. Il y avait chez cet homme un cœur plus gros que notre immeuble.) Pourquoi livrer cette bataille si tu sais que c'est déjà perdu ? Choisis quelqu'un d'autre.

– Je serais toujours en train de lutter.

– Tu dis sans cesse qu'on livre constamment les mêmes batailles. Mais c'est seulement parce que tu veux continuer à livrer les mêmes batailles. Au moins, si tu passais à autre chose, tu aurais une chance de l'emporter.

– Ce n'est pas pour cela que je me bats.

– Tu te bats pour perdre ? (Il rit, mais doucement, car il n'était pas sûr que son rire soit le bienvenu.)

– Je ne peux pas accepter le fait qu'à ma mort, j'aurai perdu ce qui auparavant m'appartenait. (Des larmes firent leur apparition.) Je ne veux pas croire que le monde est plus puissant que moi. Même si je sais que c'est le cas et que je ne peux pas imaginer que cela change.

– Tu sais comment le monde est vraiment, riposta-t-il. Alors pourquoi ne pas accepter cela, si tu peux déjà voir ?

– Il y en a tant parmi nous qui vivent pour mourir, dis-je tandis que les larmes dégoulinaient, mouillant mon oreiller. Je trouve qu'il y a quelque chose de si beau chez ces gens qui ne laissent pas le monde leur dicter ce qu'ils doivent faire. Quoi qu'il en soit, nous sommes tous morts. Ce qui compte, c'est de savoir si nous nous sommes battus ou pas.

– Si nous avons combattu le monde ?

– Je veux mourir en me battant contre quelque chose de plus fort que moi.

Il me semble que Haris m'entendit pleurer.

– Comme le destin, auquel tu ne peux pas échapper ?

– Peut-être. (Je fermai les yeux, faisant ruisseler davantage de larmes sur mon visage.) Mais alors toute ma vie, aussi longue soit-elle, n'est qu'un acte de suicide.

– Tu veux que ta vie soit un suicide ?

– Ou nous mourrons en livrant bataille ou nous mourrons en nous cachant.

Je ne voulais pas mourir comme Mabayn était mort.

Je fis basculer mes jambes hors du lit et cherchai mes mules.

– Où vas-tu ?

Ma main essuya les dernières larmes.

– Aux toilettes.

En sortant de la chambre, je pris à gauche et au lieu d'aller aux toilettes, j'allai sur le balcon. Je me plongeai dans l'observation de rangées de petites berlines, en bas, agglutinées en diagonale, serrées les unes contre les autres, l'arrière empiétant là où il y aurait dû y avoir des trottoirs.

– Ne me dis pas que c'est là que tu pisses, fit mon colocataire en souriant, avant de refermer derrière lui la vitre à glissière du balcon.

– Je ne voulais pas te déranger, dis-je.

– La dernière fois que tu es parti au milieu de la nuit, tu as foncé au Hardee's. Cette fois-ci, tu avais l'air un peu plus déprimé, dit-il en s'approchant. Il faut que je t'aie à l'œil.

Je m'approchai à nouveau du bord, en pensant à cette fille et au monde qui me repoussaient constamment et à la distance du balcon au sol. Un saut, la joie d'une chute libre, et ensuite fini les vitres coulissantes et les gens se sentant obligés de « m'avoir à l'œil ».

– Tu sais, dis-je en posant les coudes sur le rebord, prenant appui avec décontraction, en dépit du béton qui me grattait la peau. J'aurais vraiment été bon avec elle.

– Il ne s'agit pas que d'elle. Il s'agit de toi, aussi.

– Je n'aspire plus à cela, répondis-je en secouant la tête.

– Tu aurais changé pour une fille que tu ne connais même pas, mais tu refuses de changer pour toi. Je ne te comprends pas.

– Bienvenue au club, fis-je en opinant. Je n'ai jamais su oublier le passé, Haris. De toute ma vie. Plus tu te remémores tes défaites...

– Mais pourquoi se souvenir de ce que tu n'aimes pas ?

Bonne question.

– Parce que je n'arrête pas d'échouer. Mais je trouve que je ne devrais pas.

– Parfois l'échec est le signe annonciateur de quelque chose.

Haris s'approcha tellement de moi que j'entendis sa respiration. C'était apaisant, mais compte tenu du moment, ce n'était pas le genre de sensation que j'avais envie d'éprouver. Je fis un brusque mouvement en avant, donnant un coup du pied droit dans le ciment. La douleur me transperça la jambe de part en part.

– Ce n'est pas fini !

Haris laissa passer quelques minutes, le temps que l'écho se perde, jusqu'à ce qu'il ait l'impression que j'étais à court d'énergie.

– On ne peut pas remonter le temps, chuchota-t-il. Tu le sais, ça.

– Si le passé est mort, alors nous aussi nous sommes morts. Regardons derrière nous, et nous voyons de la jeunesse et des promesses. Regardons devant nous, et que voyons-nous d'autre que la mort ?

– Je vois ce que tu veux dire... (Mais je ne crois pas qu'il voyait.) Je ne pense tout simplement pas pouvoir considérer les choses de la même manière que toi. Je suis désolé de te le dire, mais il me semble que c'est impossible.

– Ce serait comme sauter du haut de ce balcon et revenir à la vie.

Haris fit volte-face et rentra dans l'appartement. Il s'adressa à moi, le dos tourné.

– Ne va pas me prendre pour quelqu'un de bizarre, supplia-t-il, mais il ne t'arrive jamais de venir ici et d'avoir envie de te jeter dans le vide ?

– Comme maintenant, par exemple ? lui demandai-je.

Il déglutit. Nous nous acheminions tous deux à vive allure vers une conclusion que ni l'un ni l'autre ne voulait regarder en face.

– On est venus de l'autre bout du monde pour quoi ? Le Caire n'a strictement rien changé.

– Qu'est-ce qui pourrait changer quoi que ce soit ?

– Il doit bien y avoir un endroit où je puisse aller, dit-il.

– Où ?

– Demain. (Haris tendit la main pour faire coulisser la vitre.) Je sais que tu as du mal à oublier cette fille. Mais il faut que tu passes à autre chose. Pourquoi pas Zuhra ? Pourquoi ne pas te concentrer sur les choses que tu peux encore faire ? Nom de Dieu, *yaar*, tu as vingt et un ans.

Zuhra habitait au rez-de-chaussée, me souvins-je. En sautant, je pourrais l'apercevoir endormie dans sa chambre. Un dernier coup d'œil avant de m'écraser la tête sur du ciment rugueux. Pendant cette seconde, je pourrais me convaincre qu'elle m'aimait bien. Si elle regardait à sa fenêtre juste à ce moment-là, elle se précipiterait dehors et appellerait à l'aide, pleurerait devant mon corps en mille morceaux. Mais s'il en était ainsi, alors je n'étais pas sûr de vouloir encore sauter.

McDonald's comme thérapie de choc

Lorsque je vis l'heure qu'il était, je faillis tomber du lit. Onze heures. J'étais très en retard pour mon premier cours. Mon seul cours, mais quand même. En sortant du lit, je trébuchai sur l'extrémité du tapis, me rattrapai de justesse à une colonne et c'est alors seulement que je remarquai Haris. Je ne l'avais pas vu, assis au bout de son lit, à lire paisiblement le Coran.

– Pas encore tout à fait réveillé, hein ?

J'opinai, l'esprit ailleurs.

– Tu n'es pas allé en cours ? (Question idiote, je m'en rendis compte.)

– Je ne pouvais pas partir sans toi.

– Pourquoi est-ce que tu ne m'as pas réveillé ?

Il referma le Coran et le posa doucement sur la table de chevet.

– Je me suis dit que tu t'étais peut-être endormi très tard hier soir. Alors j'ai pensé que j'allais te laisser te reposer.

– Eh bien... (Je me frottai les yeux, mais ma vue n'en fut que plus brouillée.) Merci.

Sur ce, je me laissai retomber en arrière, la tête sur l'oreiller, et fixai le plafond. Jusqu'à l'après-midi, nous ne fîmes rien de plus que regarder un flash d'informations de BBC News sur Internet, consulter nos e-mails avec une régularité inutile, engloutir des bouteilles d'eau, observer les meubles et nous dire que décidément ils étaient vraiment mal choisis. C'est seulement après que Haris eut terminé sa prière du milieu d'après-midi que nous décidâmes de sortir déjeuner. Notre choix se porta sur le McDonald's de Mohandissine, un restaurant pour touristes, bien que situé dans un quartier où les touristes mettaient rarement les pieds. Sauf à vouloir constater à quel point la réalité musulmane pouvait être laide.

Pendant la presque totalité de ses mille ans d'histoire, la ville du Caire a été confinée sur la rive est du Nil. C'est seulement à l'époque de Nasser que la cité s'est aussi développée sur la rive ouest : la population égyptienne urbaine était en plein essor, et ces gens, il fallait bien les mettre quelque part. Le socialiste que Nasser était censé être conçut alors plusieurs quartiers pour absorber l'expansion démographique, chacun représentant ses mythologies prolétariennes. L'un de ces quartiers s'appelait Mohandissine, soit « Ingénieurs ». Celui où nous suivions nos cours s'appelait Sahafiyine, ou « Journalistes ». Malheureusement pour Nasser, l'Égypte s'éveilla au moment de la terrible guerre des Six-Jours. Avec l'échec du socialisme panarabe et le décès de Nasser en 1970, Anouar al-Sadate inversa le cours de l'histoire. Aujourd'hui, Mohandissine est tout ce qu'il était censé ne pas être : la capitale du capitalisme en béton du Caire, un capharnaüm qui plaît aux riches, un secteur dynamique et farouchement inesthétique.

Prenons le McDonald's, par exemple. Les murs sont recouverts de motifs prétendument pharaoniques et de fresques murales exhibant des bustes de rois morts il y a belle lurette, des temples antiques et d'imposantes pyramides, bien sûr. Les images sont somptueusement peintes, d'un marron mat qui évoque une stabilité qui n'a rien à voir avec l'agitation d'un McDonald's. Mais le pire reste à venir. Par-dessus ces fresques ont été peints de joyeux personnages de chez McDonald's dans les postures les plus vulgaires : descente à vélo d'une pyramide ; traversée d'un temple en courant ; hurlements à côté d'une statue de Ramsès II. J'étais choqué, mais me rendis bientôt compte que tout le monde s'en fichait. C'est comme si la défaite est si évidente et le présent si décourageant que les Égyptiens avaient accepté McDonald's comme thérapie de choc. C'est là que les parents amènent leurs enfants quand ils sont encore petits, exposant l'avenir de l'Égypte à son avenir. Les enfants d'Égypte avalent l'amère pilule de notre désastre, menu *super-size*, plongé comme des *chicken nuggets* dans le condiment de la domination.

C'était un mardi, la file d'attente était donc assez courte. Lorsque notre tour arriva, ce fut un menu *fish* pour Haris et un menu *cheeseburger* pour moi. (On vous sert deux hamburgers, ce qui vous donne l'impression d'en avoir plus pour votre argent.) Cela aurait dû nous coûter en tout vingt-deux guinées, mais on nous en réclama trente-trois. Peut-être ne savions-nous plus faire une addition ; ou alors, plus probablement, l'économie – et la monnaie avec – avait connu un revers brutal. Une raison de plus pour ne jamais se retrouver sans télévision.

Haris était visiblement ennuyé.

– Pourquoi trente-trois ?

– En raison de la promotion, répondit Ahmad à la caisse.

Puis il expliqua : si le client commandait n'importe quel menu, McDonald's ajoutait des « assiettes en porcelaine fine » (pour reprendre ses termes) moyennant seulement onze guinées de plus. Autrement dit, la promotion tant vantée – à entendre Ahmad prononcer cela, on aurait dit qu'un ange avait été envoyé des cieux pour sauver les Arabes – avait pour effet d'augmenter le prix de cinquante pour cent. Et pas moyen d'y couper. Les Arabes seraient sauvés, bon sang, que ça leur plaise ou pas. Si vous commandiez un menu, vous aviez obligatoirement les assiettes. Il y avait trois variantes d'un même motif :

blanc, avec différentes bandes de couleur sur le bord (rouge vif, bleu ou vert), et un motif jaune qui zigzaguait sur ladite bande. Telle que je voyais la chose, il s'agissait d'une pâle imitation aztèque. Une allusion aux desseins de McDonald's en Amérique latine, également, et encore une référence à une civilisation disparue. Le choix de nations vaincues était troublant, c'était le moins qu'on puisse dire.

Haris essaya d'expliquer à Ahmad que la promotion était censée être optionnelle ; nous ne voulions pas – nous n'avions pas besoin – d'« assiettes en porcelaine fine ». Nous étions étudiants. Nous n'organisions pas de dîners à la maison. Fichtre, c'est tout juste si nous avions des amis. Mais l'argument passa au-dessus de la tête d'Ahmad. À une telle altitude d'ailleurs que le *manager* se retourna et vint à notre caisse. Nous lui dîmes que nous n'avions pas d'argent à dépenser en assiettes et que, par-dessus le marché, nous n'aurions jamais voulu de ce qu'ils appelaient des « assiettes en porcelaine fine » de chez McDonald's – et d'ailleurs, qui en aurait voulu ? Mais notre marchandage vigoureux se solda par une absence de résultats. Si bien que tandis que le *manager* s'adressait encore à moi, pour me convaincre du bien-fondé de posséder de la vaisselle en provenance d'un fast-food, je me tournai vers mon colocataire et annonçai :

–Je pense vraiment qu'on devrait aller manger ailleurs. Hardee's, ça te dirait ?

Et c'est ainsi que nous emportâmes le morceau. Conscient de notre désir de choisir une autre franchise avec qui il était en compétition, le *manager* céda immédiatement. Il retrancha le prix des assiettes et alla même jusqu'à nous porter nos repas à l'étage, où nous avions décidé de prendre place (dans le but unique de lui faire gravir l'escalier). Là, dans un calme relatif, nous appréciâmes nos plats, en nous fendant par instant de commentaires sur les piétons qui circulaient en contrebas. Tant de complications pour arriver à une telle félicité. La leçon à retenir : il suffit d'informer le *manager* que vous êtes prêt à vous en aller, tout en (attention, c'est la partie importante) faisant mine de quitter les lieux. Les masses n'ont qu'à se défendre, de préférence simultanément, pour dire à leurs dirigeants : « Vous gouvernez dans un souci de justice, sinon on va voir ailleurs. »

Mais aller où ?

Et pourquoi les *managers* s'en soucieraient-ils – à moins que la bonne marche des affaires en fût menacée ?

Même les dragons ont leurs démons

Haris fila aux toilettes dès que nous fûmes rentrés. Pour ses ablutions et *maghrib*, la prière du coucher du soleil, pensai-je. Il pria tout seul. Je m'affalai sur la chaise-citronnade et me laissai aller au désespoir le reste de la soirée. Jusqu'à ce que le téléphone sonne.

– Hé ! (Il me fallut une seconde pour reconnaître la voix de Zaheed.) Ce soir c'est le *mawlid* de Sayyidna Houssayn, tu te souviens ? (J'avais oublié.) Tu penses à d'autres personnes qui auraient envie de venir ?

Haris, Rehell, ses amis européens, et probablement Mabayn. Zaheed était excité, mais en dépit de sa gaieté envahissante, il nous mit en garde – nous nous apprêtions à amener des non-musulmans à un festival musulman très traditionnel. Il nous faudrait faire preuve de bon sens et de discrétion. Je raccrochai avant que nous soyons convenus d'un lieu et d'une heure de rendez-vous. J'avais pour mission de passer le mot.

Avec Rehell, ce fut facile – il sauta sur l'occasion, il voulait venir et était tout à fait prêt à sermonner ses amis sur la réserve qui s'imposait lorsqu'on assistait à des festivités comme celles-ci. Mon deuxième coup de fil fut plus délicat à passer. Je trouvai le numéro de Mabayn après avoir cherché dans le fouillis du cahier que nous appelions notre carnet de téléphone, et regrettai aussitôt de l'avoir trouvé.

Mabayn répondit d'une voix lasse. J'entendis qu'il avait du mal à placer l'appareil contre son oreille et je me fendis d'un petit sourire. Jamais je n'aurais pensé un jour appeler un mort.

– *Izzayak*[1] ? demanda-t-il. (Il avait l'air épuisé.)

– *Alhamdoulillah*, je vais bien. (Et avant qu'il ait l'occasion de déplorer la défaite de l'islam, du Maroc à l'Indonésie, je lui fis part de nos projets : nous allons ce soir à la grande fête de Sayyidna Houssayn.) Ça commence à minuit, je crois. Tu veux venir ?

Soudain Mabayn reprit vie. Ou s'il fit semblant, son numéro fut très réussi.

– Tu ne suis pas vraiment ces préceptes idiots, si ?

– Qu'est-ce qu'ils ont de si mauvais ? demandai-je, quand bien même je savais pourquoi il me posait la question. (Parfois, je me la posais également.)

– Ce n'est pas autorisé, soupira-t-il. (Mabayn le wahhabite. Mais le virus existait aussi en moi à l'état latent. Où était le grand poète soufi Roumi et sa mystique qui lui permettait de trucider le dragon des tentations que chacun avait en soi ?) On n'a pas le droit de fêter de genre de choses, tu sais...

Je voulus lui demander s'il était sage d'épouser une mécréante à l'heure où les musulmans avaient déjà bien assez de mal à maintenir la foi dans leurs propres pays, mais je m'abstins. Quel hypocrite je faisais. Car si Zuhra n'avait pas été musulmane, et si je lui avais plu, j'aurais jeté ma religion par la fenêtre et je serais parti à sa recherche (à la recherche de Zuhra, pas de ma foi). Je ne pense pas non plus que ce soit une bonne chose de célébrer cet anniversaire, reconnus-je. Mais on y va juste pour entendre les soufis jouer. Ce n'est pas le genre de musique qu'on risque d'entendre en Amérique...

Mabayn resta silencieux.

---

1. *Izzayak ?* : « Comment vas-tu ? », en dialecte égyptien.

– Écoute, dis-je. Je comprends pourquoi tu estimes que ce n'est pas bien. En fait, je suis d'accord avec toi. Mais laisse-nous respirer un peu, mec. On n'a aucun divertissement par ici. Mieux vaut encore aller à un endroit où les gens parlent de sujets pieux, plutôt qu'aller… (Où ? En club ? Retrouver une Syrienne ?)

J'imaginai Mabayn assis dans sa chambre, à se frotter un pied contre l'autre. Comme il avait trahi ses principes pour une petite copine, il ne voulait pas les enfreindre à nouveau. Lutter une fois qu'on s'est rendu – ça ne marche jamais, si ? Mais alors, qu'est-ce que nous bataillons farouchement et bêtement, une fois que nous avons largué les amarres.

– Allons, le pressai-je. On n'y va pas pour vénérer Houssayn.

La deuxième bataille de Karbala

En arrivant, dès que je vis l'ampleur du rassemblement, je compris que ç'avait été une erreur de venir avec des non-musulmans. Les nombreux fidèles qui avaient fait le déplacement, déjà pris dans une bataille à côté de laquelle celle du gouffre de Helm[1] eût paru bien chiche, allaient repérer sans tarder un Ourouk-haï[2] à l'un des derniers festivals qui se trouvait encore entre leurs mains affaiblies. Il ne fut donc pas très étonnant de constater la rage qui s'empara des Égyptiens quand ils aperçurent les Blancs au sein de notre équipée. La défaite conduit au ressentiment, et le ressentiment à la vengeance.

Voilà pourquoi, devant la mosquée de Sayyidna Houssayn, la foule jusqu'alors calme comme une mer apaisée devint houleuse, donnant lieu à une débandade collective animée d'un seul objectif : éliminer les corps étrangers. De toutes parts, leur colère s'abattit sur nous, et ils nous envoyèrent valdinguer les uns contre les autres, jusqu'à ce que nous nous retrouvions à terre. Vacillant, je tâchai désespérément de retrouver mon équilibre, mais j'eus toutes les peines du monde à me maintenir

1. Le gouffre de Helm : référence au *Seigneur des anneaux* de J. R. R. Tolkien, et plus précisément à l'impressionnante bataille du film *Les Deux Tours.*

2. *Ourouk-haï :* dans *Le Seigneur des anneaux*, Isengardiens hybrides issus du mélange entre Orques du Mordor et Gobelins.

sur un pied. Jusqu'à ce qu'une troupe de policiers fende la foule, s'ouvrant un passage jusqu'à nous à coups de matraque, qui s'abattirent sur les Égyptiens avec une efficace brutalité. J'adorai le moment où je vis que les policiers se dirigeaient vers moi. Erreur de ma part.

Tandis que nos amis blancs de peau se trouvaient entourés d'un rideau protecteur d'hommes en uniformes, Haris et moi fûmes frappés par leurs badines, dans le dos surtout et une ou deux fois aux bras. Deux agents nous attrapèrent par-derrière et tentèrent de nous repousser dans la horde des Égyptiens qui battaient en retraite pour se mettre à l'abri des murs de la mosquée.

– Non ! m'écriai-je en montrant Rehell du doigt. Nous sommes avec eux !

Ils tournèrent la tête vers Rehell – dont la brève confirmation fut pour nous la garantie que nous serions relâchés. Une minute plus tard, Haris et moi étions de retour au sein d'un groupe escorté par la police, gênés et enragés d'avoir été si promptement punis, alors que la police volait à la rescousse des Européens. Mais même la douleur cuisante des coups de matraque commença à s'estomper. Des percussions entrèrent en action, nourrissant un rythme follement contagieux. Haris sourit du plus beau sourire que je lui avais vu de tout l'été, la joie rayonnante d'un citadin réalisant qu'il était encore un Bédouin. Cela restait quelque part dans nos gènes, bien que les gènes eussent à présent muté. C'était récessif, caché, sans expression phénotypique. Nous étions homozygotes récessifs : des échecs à tous les sens du terme.

Et nous avions aussi échoué dans notre tentative de nous rapprocher de Sayyidna Houssayn. Comme il y avait au sein de notre groupe de jolies femmes blanches, qui mettaient au supplice bon nombre d'Égyptiens à la peau couleur café, nous avions droit, où que nous allions, à une attention que nous n'avions pas souhaitée et qui nous ralentit. Seulement tenter de nous approcher du tombeau de Houssayn eût été signer notre arrêt de mort. Aussi Rehell, Haris et moi – la trinité musulmane – décidâmes que, plutôt que de continuer dans notre tâche manifestement futile, mieux valait trouver un endroit où soulager nos pieds. Les policiers suggérèrent que nous allions dans un café qui se trouvait à proximité, et nous fûmes d'accord, pressés aussi de boire quelque chose.

Derrière la mosquée, sur notre droite, commençait une ruelle à laquelle on accédait par une large passerelle. Comme la mosquée était décorée pour l'occasion de loupiotes brillantes, d'étendards flottants et de lanternes suspendues, la passerelle semblait disparaître dans l'obscurité au bout de quelques mètres. Heureusement pour nous, le café émergea sur notre chemin alors qu'il y avait encore de la lumière, un établissement qui occupait les trois niveaux d'un bâtiment qui luttait pour ne pas piquer du nez. Sur le devant, le café était encombré de sièges en chrome et de parasols rouges devenus bordeaux avec la crasse. À l'intérieur, le plafond et les murs étaient d'un vert marin miteux, avec, en bas, des moulures en carrelage blanc qui montaient à mi-hauteur, quand elles n'étaient pas cachées par des Égyptiens obèses dont les chaises paraissaient minuscules, qui enveloppaient de leurs mains transpirantes de vieux narguilés. Le propriétaire, persuadé qu'il serait payé dans notre monnaie étrangère, nous invita au deuxième étage.

– C'est le meilleur café, ici, nous assura-t-il, et il était fort possible qu'il eût raison.

Le deuxième étage était un balcon à ciel ouvert, propice à la détente, mais bénéficiant néanmoins de la climatisation, combinant le confort de la modernité à de chaudes bouffées d'air estival qui déferlaient par intermittence. Par-dessus mon épaule, je vis des files de musulmans émerger du noir d'encre de la ruelle, tels des affluents se jetant dans la mer des fidèles innombrables. Les soufis, qui avaient planté des tentes autour de la mosquée, jouaient de leurs percussions et chantaient très fort – même au regard des critères en vigueur en Égypte. Je ne voulais qu'une chose, être là-bas et non pas ici, en hauteur, à observer une poignée d'Européens qui soufflaient de la fumée dans le vide et comparaient les formes ainsi obtenues. La plupart étaient incapables de parler arabe, et plus incapables encore de le comprendre, et d'apprécier l'islam – ou toute autre confession, d'ailleurs. Je me mis à détester ces étrangers qu'ils étaient, la trouée temporelle qu'ils représentaient : une race creuse et fausse ; des épaves postimpérialistes et rien d'autre. Pourquoi étais-je juché en hauteur ? Pourquoi accaparaient-ils mes pensées ? Ma place était plutôt en bas, parmi la foule tumultueuse ; grâce à elle, le chaos semblait magnifique.

Je me penchai vers Haris et chuchotai :

–Je n'ai pas fait ma prière du *maghrib.*

Il sourit car lui l'avait faite. Ce qui signifiait également qu'il ne m'accompagnerait pas. Il n'en avait d'ailleurs pas envie. La foule combinée à la chaleur, c'en était trop. J'annonçai à la tablée que j'allais m'aventurer en bas pour prier, seul, et que je serais de retour d'ici une dizaine de minutes, *inch'Allah.* Je me souviens avoir été regardé comme un malade mental. Quel imbécile oserait prendre le risque de descendre dans cette marée humaine ? Nullement découragé – très motivé, en fait –, je dévalai les escaliers, manquant de me cogner la tête au plafond bas, tout content de m'éloigner des affreux regards pitoyables de ces gens qui avaient peur de tout ce qui n'était pas eux-mêmes, terrifiés par toute réalité susceptible d'empiéter sur leurs artifices qui n'étaient que des échappatoires. J'eus envie de trouver un caillou et de le jeter à l'intérieur du balcon, histoire, peut-être, de défoncer la tête de quelqu'un, mais je décidai de m'abstenir. Il n'était pas question que je blesse Haris ou Rehell.

En me tournant pour laisser passer une vieille dame agressive, je sentis une main hésitante se poser sur mon épaule. C'était Mabayn, il essayait de sourire.

–Moi non plus je n'ai pas prié.

Nous repartîmes donc tous les deux, sans échanger un seul mot. Et voilà, j'allais prier, laissant ma fierté gâcher mes dévotions. Plutôt que de lui adresser la parole, j'enrageai qu'il se soit joint à moi. Il aurait tout aussi bien pu prier sans me le dire : ça n'aurait pas été de la vantardise, et sa prière aurait donc pu être comptabilisée.

Entrer dans la mosquée fut en soi un *jihad.* Trois cents femmes et hommes environ essayaient d'entrer par une porte juste assez large pour deux personnes. Après avoir copieusement joué des coudes, je me retrouvai non seulement à l'intérieur, mais de plusieurs pas, en train de confier mes chaussures à un type, à la porte, un grand bonhomme dont l'épaule gauche penchait trop en avant. La mosquée était bourrée à craquer de fidèles innombrables qui lisaient le Coran, priaient, pleuraient, dormaient, dans le désordre le plus complet. La puanteur d'un peuple ne pouvant se payer du déodorant m'emplit les narines. Après avoir trouvé un coin relativement dépourvu de détritus, nous commençâmes nos prières. Je priai à la hâte, en espérant ne pas me faire écraser contre un pilier.

Je pense que Mabayn eut envie de s'en aller à la minute où nous eûmes terminé, mais je l'obligeai à attendre : il y avait une bousculade à l'avant de la mosquée, aussi me parut-il judicieux d'attendre un peu. Il haussa les épaules en me disant que nous ferions mieux de déguerpir, mais je refusai. Peut-être était-ce une façon pour moi de me venger de lui, qui avait tenu à ne pas me lâcher d'une semelle. Mabayn me suivit à contrecœur jusqu'à la source des éclats de voix, causés par un groupe de jeunes hommes en colère, tous calmement assis à présent – à l'exception du plus jeune, debout, qui criait.

– Quatre Palestiniens, vos frères dans la foi, ont été tués cette semaine. Par des missiles qu'ils n'ont pas pu voir et des chars qu'ils n'ont pu arrêter. Et qu'est-ce que vous avez fait pour eux ? À tourbillonner et tournoyer pendant qu'ils pleuraient et mouraient, vous êtes ici à vous ébattre comme une bande d'illuminés avinés.

Le silence se fit dans la pièce, le nom de Palestine se chuchotant d'un secteur à l'autre. Palestine. Évocation puissante et magique, tristesse inhérente à ce nom maladroit qui s'étirait, douloureux. Avec sa dernière syllabe qui traîne, comme si Dieu prévenait les Palestiniens que leur décès serait lugubre. Et les « illuminés avinés » n'avaient rien à ajouter, rien à dire pour leur défense. En fait, notre humiliation me faisait sourire, même si quelqu'un finit par trouver le courage de s'exclamer :

– Nous sommes venus pour Houssayn !

Cela ne fut pas suffisant.

– Vous avez crié et dansé, mais Houssayn n'a pas crié et Houssayn n'a pas dansé. (Des mots qui furent comme autant de doutes qui nous poignardèrent. Houssayn et moi partagions-nous bien la même croyance ? Si j'avais vécu à son époque, aurions-nous réellement fait la queue ensemble pour dire les même prières ?) Houssayn s'est battu ! s'écria à nouveau l'homme. Alors pourquoi est-ce que vous criez et pourquoi est-ce que vous dansez ?

Le camarade du jeune gars opina et s'apprêta à passer à l'action. Pour quelqu'un qui était assis par terre, jambes croisées, il parla d'une voix qui parut artificiellement amplifiée.

– Plus personne n'aime Houssayn, c'est fini. S'ils viennent ici c'est seulement parce que c'est eux qu'ils aiment, Muhammad.

Muhammad acquiesça. Puis répéta :

– Ils viennent ici pour se convaincre qu'ils ont la foi. Ensuite ils vont à la maison et ne font plus rien.

– Mais souviens-toi, répliqua le camarade : ils ont crié alors ils sont pardonnés !

Sans aucun doute, ses mots mettaient la foule en colère, mais pas suffisamment pour que les gens ripostent : nous comprîmes que ce qu'il avait dit était vrai. Puis soudain cela me frappa : j'étais en Égypte, un pays qui s'enorgueillissait d'oppresser quiconque se montrait un peu trop autonome. Ces mots chauffés à blanc allaient vite alerter la police, les forçant à livrer ce qui ne pourrait être qu'une brève bataille sans espoir. Mais c'était peut-être cela l'objectif. Je me tournai vers Mabayn, puis vers le fond de la zone de prière, ayant la folie, l'inconscience et le romantisme de penser que je pourrais interdire à mes frères l'accès à la mosquée et peut-être ralentir l'intervention des policiers. Au moins pourrions-nous entendre jusqu'au bout ce qu'ils avaient à dire, qu'ils racontent tout ce qu'ils voulaient que notre congrégation entende.

Un autre homme du groupe se leva juste après que le Muhammad en colère se fut assis. Leur façon de se décharger de leur colère semblait systématique, à croire que l'intervention avait été planifiée de longue date. Ce nouvel orateur ne s'époumonait pas comme Muhammad ; au lieu de cela, il brandit les mains au-dessus de son visage, pour attraper la pluie qui tombait des cieux.

– Ô Seigneur ! tonna-t-il.

Sans hésiter un seul instant nous fûmes le chœur qui répondit en écho :

– Ô Seigneur !

– Nous cherchons ta pitié et ton aide, Seigneur. Unis-nous et sanctifie-nous, et sanctifie tous ceux qui s'opposent à ceux opposés à la vérité.

– *Amen !* fit la foule rageuse.

Je me demandai si mes amis pouvaient entendre tout ce qui se disait. Et dans l'affirmative, que se passait-il, selon eux, à l'intérieur ?

– Seigneur, débarrasse-nous de ces gouvernements ineptes, ignorants et inefficaces ! Seigneur, offre-nous plutôt des gouvernements sages, ayant une vision et du courage ! Seigneur, fais de nous tes lumières qui chasseront ces cauchemars ténébreux. Seigneur, aide-nous à sauver ce qui est bon dans le monde !

Mais ses paroles furent accueillies par un silence aussi calme que le tombeau de Houssayn. Nous avions tous envie de crier *« Amen »*. Bien sûr, nous ne bronchâmes pas. Nous n'avions ni sagesse, ni perspicacité, ni courage. Au lieu de quoi, balayés, humiliés, nous regagnâmes d'un pas tranquille nos positions initiales, les yeux rivés au sol sali de la mosquée, souillé par les déchets d'un peuple qui ne pouvait rien faire d'autre que d'appeler un homme mort à la rescousse. Et pile à ce moment-là, des policiers sans états d'âme débarquèrent, faisant preuve, en silence, d'une redoutable efficacité, provoquant un effet d'irréalité générale. Ils arrivèrent de trois côtés, casqués, avec gilets pare-balles, fusils d'assaut, mais pieds nus. Aucun usurpateur n'aurait voulu mettre en péril la manifestation dans sa totalité. Il s'agissait plutôt de porter à la perturbation une série de petits coups fatidiques jusqu'à ce qu'il n'en reste plus rien. Les trouble-fête furent arrêtés avec une efficience éblouissante, que le gouvernement était incapable de déployer dans presque toutes ses autres initiatives.

Mabayn me regarda.

– Il est temps de sortir d'ici.

Et il s'en alla, sans même m'attendre. N'était-ce pas moi l'étranger qui avait besoin d'être protégé ? Je le regardai partir, sa tête épaisse s'éloignait de plus en plus vite vers la porte, pressée de quitter le théâtre d'un nouvel échec. Le pauvre Mabayn était venu prier, pour entrer en contact avec Dieu, et il n'avait vu que futilité se répétant à l'infini. Je ne pouvais même pas imaginer ce que son cœur avait pensé. Je me demandai s'il retournerait au café. Je me demandai si moi-même j'y retournerais.

Un vieil homme, assis à même le sol, se mit à pousser un cri incontrôlable. Il n'avait pas de dents, remarquai-je.

– Vous tous, dehors !

Mais il ne restait plus aucun policier pour recevoir son venin – ils étaient repartis aussi vite qu'arrivés. Ce qui n'avait pas d'importance car ce n'était pas eux qu'il visait.

– Bande d'animaux ! Prenez vos âmes bestiales et partez !

Quelqu'un poussa des jurons.

– Tais-toi, vieillard !

– Partez, maintenant ! (Sa réplique fusa comme un éclair dans le ciel. Puis il se releva d'un bond, avec une vivacité inattendue pour son âge.) Abandonnez les lieux comme vous avez abandonné Houssayn ! Il n'y en a qu'un parmi vous qui mérite de rester dans cette mosquée. Un seul parmi vous qui a essayé d'empêcher l'entrée de la police. Et vous savez où il est ? demanda-t-il en indiquant l'avant de la mosquée. Il repose dans son tombeau.

Il continua de planter son doigt dans le vide, comme si ce geste pouvait ramener Houssayn à la vie. Puis il éclata en sanglots. Et c'est alors que nous fîmes tous de même, et nous abandonnâmes sur le sol de la mosquée tous nos chagrins et toute notre frustration, les combats dans nos maisons, nos rues, nos villes et nos pays. Avec nos larmes on aurait pu faire pousser une forêt de mélancolie dans la mosquée. Je me précipitai vers la sortie, fourrant une guinée dans les mains de l'homme à la porte, qui estima que c'était plus que nécessaire. Il me rendit mes chaussures en souriant, ce qui m'offensa grandement.

– Qu'est-ce qui te réjouit donc tant ?

Il recula d'un bond, car j'avais crié :

– Yazid[3] a gagné. Une fois de plus.

---

3. Le deuxième calife de la dynastie des Omeyades (voir p. 85).

J'étais trop grand et Zuhra trop petite

J'essayai de sortir de la mosquée et fus repoussé jusqu'à la marche la plus basse de l'escalier. Le café avait beau être sur ma gauche, la force de la cohue m'obligea à prendre à droite. Je ne résistai pas, me laissant porter vers les nombreuses ruelles qui se déversaient hors du quartier Khan al-Khalili. Après quelques échoppes pour touristes qui exhibaient des carpettes, des tapis de prière et de la calligraphie, je repérai Zuhra au bout de la rue, son corps minuscule semblait tout à fait déplacé au milieu de la frénésie d'Égyptiennes et d'Égyptiens massifs, de baudets et de chariots surchargés de fruits. Je me déplaçai latéralement, m'extirpai de la foule. Elle était exactement aussi belle qu'avant et, exactement comme auparavant, elle ne me remarqua pas. Ses yeux inoubliables regardaient dans toutes les directions possibles, sauf vers moi.

Je jetai un regard alentour dans l'espoir de trouver Wanand, une mère ou une sœur – quelqu'un susceptible de contacter un homme de la famille qui émergerait de nulle part pour me casser la figure. Mais il n'y avait personne en vue. Avec tous ces types étranges dotés de mains aussi baladeuses que leurs prétentions se voulaient vertueuses, pourquoi prendre le risque d'être si vulnérable ? Aussi avançai-je dans sa direction de ma démarche habituelle, avec la nonchalance du mari allant au devant de sa femme. Et que dirais-je à mon épouse, d'ailleurs ?

Si ma langue avait pu marcher, elle se serait avancée dans la rue d'une démarche chaloupée, comme un couard ivre d'amour qui se serait fait écraser par un camion, après qu'on l'eut poussé sur la chaussée. Quoi qu'il en soit, exprimer quelque chose, même imparfaitement, serait mieux que ne rien dire du tout. Or, c'est pourtant ce qui se produisit une nouvelle fois.

Une famille qui avançait avec la vigueur d'un bulldozer traversa la cohue et me fit littéralement tourner sur moi-même. Je repiquai dans la mêlée, mais j'étais trop grand et Zuhra trop petite. Elle essayait d'attraper quelque chose, puis on aurait dit qu'elle parlait à quelqu'un, mais tout cela se passait en même temps qu'elle s'éloignait de moi de plus en plus vite, quoique ce ne fût pas délibéré. Pendant dix bonnes minutes, je parcourus la ruelle en long et en large, mais je ne pus la retrouver.

Retour à notre balcon chic du deuxième étage où des bouteilles vides de Pepsi gisaient sur les tables. L'air était saturé de l'odeur des narguilés. La fumée aux relents âcres obscurcissait tout et enlaidissait la pièce. Rien de mignon ici, nulle frêle délicatesse, nulle belle Zuhra, juste la puanteur et les nombreux étrangers qui la savouraient.

Évidemment, Haris fut le premier à me repérer.

– Ça va, *bhai* ? (Autrement dit, il était manifeste que je ne me sentais pas dans mon assiette.)

– Ça va, répondis-je en m'essuyant le front. Il y a vraiment beaucoup de monde, par là-bas.

– Pourquoi est-ce que tu as mis si longtemps ? demanda Haris en regardant Mabayn.

Mais que pouvait-il répondre ? « Je me suis échappé » ?

J'épargnai à Mabayn un embarras superflu :

– Je me suis arrêté pour regarder certains soufis faire leur *zikr*.

D'abord, j'étais allé à la prière en bombardant mon frère de pensées mauvaises. Ensuite, j'avais menti sur ce que j'avais fait. Et puis j'étais resté les bras croisés à regarder les quelques rares musulmans qui disaient la vérité se faire embarquer par la police. Haris, pendant ce temps, brûlait de jalousie : il était venu ici car il voulait voir les groupes soufis se livrer à leurs rites enivrants. Mieux valait les voir à nouveau plutôt qu'assister à une deuxième bataille de Karbala, me dis-je. Mais avant que mon colocataire pose davantage de questions – qui eussent appelé d'autres duperies –, une des amies de Rehell se leva en réajustant son *hijab* provisoire.

–Je suis vannée, gémit-elle. Et si on en restait là pour ce soir ?

Bref, aller voir les soufis n'était soudain plus d'actualité.

Je ne m'étais pourtant pas absenté longtemps, mais il me sembla que le nombre de gens avait doublé, et que les murs, les bâtiments et les magasins nous cernaient plus étroitement. Au moment exact où nous avions besoin d'eux, les policiers nous repérèrent et se précipitèrent vers notre groupe, écartant violemment les bons musulmans qui eurent la malchance de se trouver sur leurs pas. Je tressaillis. Puis me mordis la lèvre. Ce ne serait pas la bonne époque pour qu'un Égyptien se transforme miraculeusement en Houssayn. Mais probablement personne n'était en mesure de réaliser ce tour de force – après tout, ils étaient venus vénérer un mort. Quel genre de vie cela pouvait-il créer ?

– Il faut qu'on appelle un taxi, suggéra une des filles.

Et là, elle se tourna vers nous, l'équipe arabo-musulmane, attendant que nous nous chargions des modalités logistiques.

Cependant, ce fut la police qui répondit. Faisant preuve d'un sens de l'anticipation inattendu – et plutôt suspect –, les forces de l'ordre mirent à notre disposition un moyen d'échapper aux masses, qui se matérialisa sous la forme de trois taxis, garés, qui attendaient sur le bord de la route. Les chauffeurs étaient appuyés sur leurs portières, à fumer des cigarettes allumées depuis longtemps. Karbala au moins ne se solderait pas par une perte financière : rien ne leur ferait baisser leur tarif ridicule de quinze livres par véhicule.

Sans surprise, Mabayn fut le premier à céder. Et à nouveau je le détestai.

– On est obligés de prendre ces taxis, nous informa-t-il.

Comme si nous l'ignorions. Mais Rehell n'était pas d'humeur à abdiquer.

– Avançons sur la route et essayons d'en trouver d'autres, l'ami. Je suis sûr qu'on peut obtenir un tarif plus intéressant.

– Non, on ne trouvera pas mieux, Rehell. (Mabayn évitait de me regarder. Y avait-il quelque chose dans ses yeux qu'il ne voulait pas que je voie ?) Où veux-tu qu'on aille ?

– On ne peut pas payer quarante-cinq guinées, insista Rehell. C'est du vol, bon sang.

Je vis Rehell se convertir, devenir wahhabite, s'échapper pour se réfugier dans une *madrassah*[1] dans quelque petit village, déçu à jamais par le pessimisme de la famille de fidèles qu'il s'était récemment découverte. Il prendrait même des initiatives pour changer le cours des choses. Quant à savoir quoi, je n'en savais rien.

– Il va te falloir une demi-heure pour trouver un autre taxi, répliqua Mabayn. Je ne pense pas que la police nous escorte longtemps.

– Bon, et alors quoi ? s'écria Rehell, s'en prenant à Mabayn. Ils ne sont pas obligés d'attendre !

– Et les filles ? intervint le bon Haris. (Effectivement, son point de vue se défendait.) On ne peut pas les faire poireauter. La foule n'a pas non plus l'air particulièrement amicale.

– Rien ne les fera changer d'avis, répéta Mabayn. Le tarif est fixé. Je veux dire, regardez-les ! Ils nous prennent pour des dollars sur pattes.

Une fois le tarif de la course accepté, Zaheed nous quitta pour rallier à pied son appartement situé non loin. Rehell,

1. *Madrassah :* école coranique.

Mabayn et Haris se répartirent entre les différents taxis. Mais pas de taxi pour moi. Était-ce l'expression sur leurs visages tandis qu'ils s'éloignaient, alors que la Palestine n'avait toujours pas été libérée et que Jérusalem était toujours sous le joug ennemi ? Pas question que je me fasse plumer si facilement. Je ne rentrerais pas la queue basse dans le vestibule de notre immeuble, après tant d'heures, tout ça pour reprendre l'ascenseur de l'enfer. Il n'était pas question que je sois comme Mabayn, qui racontait ses échecs à des inconnus, tard le soir.

Rehell me regarda depuis le taxi dans lequel il s'était installé.

– Chacun a trouvé un taxi, l'ami.

– Ouais. (Mais pas Zuhra.)

Haris se pencha par la fenêtre, interrompant son bavardage avec le chauffeur. Sans doute une ultime tentative pour faire baisser le prix de la course.

– Est-ce qu'on attend quelque chose ? demanda-t-il avec inquiétude.

Rehell passa le bras par la fenêtre.

– Lui. (En effet, je me tenais à présent tout seul. Alors Rehell prit un ton plus grave.) Les filles attendent, l'ami. On est tous assez fatigués. On devrait y aller.

– Oui, vous devriez. Moi je ne viens pas. (Et pour confirmer ce que je venais d'annoncer, je reculai de quelques pas, vers un attroupement d'Égyptiens, qui avaient cessé de faire leurs dévotions pour nous observer – ou en raison de la brève altercation que nous venions d'avoir.) Il faut que je retourne voir Sayyidna Houssayn.

Haris ouvrit la portière d'un geste vif et sortit du taxi.

– Il faut que j'y retourne, dis-je en souriant. Je ne ferai pas de bêtise, cette fois-ci, promis.

Il opina lentement.

– Tu as de quoi te payer le taxi ?

Je sortis quarante guinées de mon portefeuille, et me rendis compte que c'était une bêtise de faire ça sous le nez des chauffeurs de taxi. Leur ultime chance de pouvoir renégocier s'envolait en fumée. Mais c'était leur problème à eux. Pas le mien.

– C'est juste que tu aimes vraiment t'enfuir ? s'enquit Haris.

– Cette fois-ci, ce n'est pas pareil, répondis-je avec conviction.

L'échelle d'Aladin

J'avais à nouveau le teint mat, je n'étais qu'un des innombrables enfants du pays, assis au bord du trottoir, où quelques jours plus tôt mon colocataire et moi avions rencontré Zaheed. Cela en faisait-il un endroit béni ou maudit ? Je repris appui sur la rambarde en fer forgé, et j'observai un ciel éclaboussé des lumières de la fête. La chaussée était jonchée de papiers de bonbons et de noix écrasées, qui bruissaient au milieu de l'incessant trafic des pieds, et en étaient d'ailleurs souvent les victimes.

C'était Le Caire, pas Le Caire de jadis, ni Le Caire de demain. Des rides sur le visage des vieillards qui passaient, dont beaucoup avaient des bosses sur le front, suite aux innombrables prières, le seul moment où ils s'inclinaient de leur plein gré devant quelque chose de plus puissant. De jeunes hommes fiers, aussi, épaules larges et dos bien droit, marchant de ci, de là, avec des rêves, des buts et des espoirs. Mais dans cet endroit pauvre et décrépit, loin de la réalisation de tout fantasme, qu'adviendrait-il de leur démarche intrépide ? Des bosses sur le front. De toute la tristesse que j'éprouvais, aucun aspect n'avait le moindre rapport avec un quelconque manque d'opportunités. J'aurais pu vendre mon âme à l'Occident et empocher tout l'argent dont un homme puisse rêver. J'étais peut-être beaucoup de choses, mais je n'étais pas stupide.

Pas plus, me semblait-il, que je n'étais aveugle. Une silhouette familière attira mon œil. Son *hijab* ballotta à droite, à gauche, puis disparut. Dans mon empressement à aller à la rencontre de la jeune femme, je me heurtai à un petit Égyptien qui ressemblait beaucoup à notre coiffeur, mais cette découverte ne déclencha aucun sourire, tout comme le présent qu'on vous demande d'ouvrir quand d'autres cadeaux plus volumineux et plus alléchants vous attendent. Je le poussai donc sur le côté, me découvrant au passage une certaine force physique, et je chargeai dans sa direction à elle.

Je ne pensais qu'à la poursuivre, oubliant les risques que j'encourais en m'enfonçant davantage dans une ville dépourvue de panneaux indicateurs. Un quartier tortueux et encombré s'étendait après la mosquée : je fonçai dans cette direction. Je pris à droite, m'engageant dans une longue rue éclairée à la lanterne, aux lumières suspendues à des fenêtres dépourvues de vitres. Personne n'avait donc l'électricité, par ici ? Devant moi, des Égyptiens cupides, las de leurs femmes peu séduisantes, mouraient d'envie d'approcher le corps de Zuhra. Des bras se tendaient pour essayer de la toucher, mais elle échappait systématiquement à leur étreinte, filant de droite, de gauche, martelant la chaussée de ses petits pieds, sautant par-dessus les ornières et les nids-de-poule de la route, pratiquement invisibles, qui ralentissaient ma progression et asénaient à mes pieds des coups douloureux.

Je plissai les yeux dans l'obscurité, tâchant de poursuivre cette course frénétique. Vu la vitesse à laquelle tout cela se déroulait, une telle option paraissait compromise. Encore à droite sur la grand-place, une longue course dans une ruelle concave, devant un restaurant avec des douzaines de bancs parfaitement alignés, tout droit sortis d'une cantine d'école élémentaire. Après cela, nous prîmes à nouveau à droite, passâmes devant des maisons bondées, puis à gauche, et à nouveau à gauche, inutilement, et ensuite ? La seule personne qui pouvait m'aider à revenir sur mes pas s'éloignait. Bon sang, où allait-elle ? Comment connaissait-elle le chemin ? Il n'y avait qu'une réponse, et j'eus beau tenter de la réprimer, elle s'imposa quand même à moi comme un chuchotement.

Elle essayait de m'égarer ; elle voulait que je me perde en chemin, une punition méritée pour le désaxé qu'elle me soupçonnait d'être. C'était cruel de sa part, mais je continuai néanmoins, refusant d'entendre la petite voix qui me soufflait d'arrêter. Je crus pendant quelques minutes l'avoir perdue, mais je finis par repérer sa silhouette devant une mosquée au minaret gracieux, plus anatolien qu'égyptien, quoique sans grande ambition. Espérant ne pas me faire remarquer, je courus me poster derrière un mur, et disparus ainsi de sa vue. Lorsque je risquai un œil, quelques secondes plus tard, il n'y avait plus qu'une longue ruelle donnant sur une mosquée qui se découpait au loin. J'eus l'impression d'avoir pénétré à l'intérieur d'une carte postale.

La route se rétrécissait au fur et à mesure de ma progression, se séparant en deux voies encore plus étroites. Je crus également deviner une porte, et une lumière provenant de derrière. Je frappai à l'entrée, mais fus heurté au bras par l'énorme porte, au point que je me retrouvai par terre.

– Je suis désolé, dit l'homme qui sortait.

J'entendis quelqu'un rire à l'intérieur de la mosquée.

– Wanand... (Le reste ressemblait à du persan, mais ça n'en était pas.)

J'avais tout de même entendu le nom. Ce qui signifiait que c'était du kurde que je venais d'entendre.

– Vous n'habitez pas à... commençai-je.

Wanand parla d'une voix plus grande que lui.

– Pourquoi es-tu ici ?

Il me poussa de nouveau, m'écartant littéralement de son passage. Je manquai de tomber. J'entendais mon cœur battre la chamade. J'avais pourchassé la fille de cet homme et je l'avais presque admis. Heureusement, il ne me laissa pas parler. Wanand regarda sur les côtés, mais ne trouva pas ce qu'il cherchait. La porte étant restée ouverte, il retourna à l'intérieur. En risquant un œil à l'intérieur de la mosquée, je fus étonné de ce que je vis : cela ressemblait plus à un lieu de culte qu'à la maison d'un particulier, avec les tapis disparates qui cachaient le sol et des draps lâches qui masquaient les coins de mur les plus éloignés, un aménagement peu soigné mais procurant une impression de confort. À voir le carrelage au sol, il était évident que la mosquée avait survécu à un tremblement de terre. Jadis chef-d'œuvre de mathématiques, les carreaux étaient complètement éclatés, commençant à un endroit, interrompus brusquement, réapparaissant à la mauvaise hauteur. Le tout rendu visible par l'effort laborieux d'une unique ampoule suspendue au plafond, à mi-hauteur du sol. Une ampoule qui faisait office de centre ; à son aplomb, des hommes regroupés en rond semblaient à l'instant avoir été réveillés.

Au milieu de ce silence, avec des inconnus devant moi et la nuit noire derrière, une voix éclata juste à côté de mon oreille. Je sursautai, puis remarquai l'homme qui me tendait la main pour que je la serre, ce que lentement et bêtement je fis.

– *Salam aleikoum.*

Il avait une allure formidable dans l'obscurité qui l'encadrait. De la même taille que moi, mais plus large, il avait des épaules plus épaisses et une barrique en guise de torse. Sa peau était fissurée par endroits, en raison de l'âge, du soleil ou des soucis, mais en dessous, la peau était d'une couleur plus sobre. Il semblait être moins originaire d'Asie du Sud que d'Asie centrale. Une barbe austère cernait ses traits durs, mettant en valeur des yeux doux qui paraissaient déplacés sur ce visage manifestement intransigeant ; une ride plus marquée lui barrait le front, le divisant en deux. Elle s'agrandit lorsqu'il ouvrit la bouche.

–Je m'appelle Rojet Dahati.

Quoi ?

–Rojet...

Il m'interrompit. En se penchant sur moi, il fit face au cercle et ses yeux se posèrent sur un homme en particulier.

– *Salam aleikoum*, Wanand. Comment vas-tu ?

– *Wa aleikoum salam, oustad. Bashoum*, répondit Wanand, tel un enfant obéissant.

À l'évidence, Rojet était le maître soufi auquel mon colocataire avait fait allusion, l'homme qui avait exigé de Wanand qu'il s'installe à Agouza. Puis qu'il déménage à nouveau. Wanand se leva, ouvrit un espace dans le cercle pour que son *oustad* s'y assoie. Ils m'abandonnèrent seul à mon sort, près de la porte, bien que j'eusse un pied dans la mosquée.

– Tu attends quelqu'un ? demanda Rojet, l'air offensé. Sinon, tu dois t'asseoir.

– Non, je suis venu seul.

Alors il sourit. Apparemment, à part Rojet, personne d'autre dans le cercle ne tenait à ce que je m'assoie, tant que je n'aurais pas dit *salam* au cercle et décliné mon nom.

– *Ta Kurdi* ? demanda vivement un jeune homme.

– Non. (Tout ce que je savais dire en kurde.) Je suis pakistanais.

Rojet l'interrompit.

– Azad ! (Ou bien il lui ordonnait de se libérer de quelque fardeau ou il s'agissait d'une sorte de réprimande. Ou alors c'était son nom. Mais évidemment, sur le coup, ce ne furent pas ces réflexions qui me vinrent à l'esprit. Rojet inclina la tête.) Il faut que tu pardonnes ces questions. Nous n'avons pas eu d'invités depuis longtemps.

L'homme – Azad ? – prit un air contrit.

– *Bouboura, oustad.*

– Il est navré, précisa Rojet.

Nous devançons Son appel

Les autres commencèrent à chuchoter entre eux. Je me rendis compte que c'était à mon sujet.

Heureusement, Rojet changea de langue pour s'exprimer dans un arabe agréable à entendre. De l'index, il désigna le premier homme sur sa droite.

– Lui, c'est Wanand. Ensuite, c'est Azad. Puis Kibr. Voici Keyf Khoshi. Nous ne sommes que cinq, mais nous tâchons néanmoins d'accomplir un travail considérable.

Il s'arrêta là, de manière à ce que je mémorise ce qui venait d'être dit. Kibr, qui s'était moqué de Wanand quelques minutes auparavant, me fixait d'un regard pénétrant, dérangeant. Keyf Khoshi voulait seulement m'examiner. Azad était celui qui avait demandé si j'étais kurde. Il était également le seul à être coiffé d'une impeccable calotte en tricot blanc.

– Nous sommes les Immortels de l'Ordre de Lumière. Nous sommes venus en cette mosquée pour apprendre et ainsi purifier nos cœurs. Peut-être souhaiterais-tu t'asseoir et étudier avec nous.

– Je ne crois pas avoir le temps, dis-je.

Ces mots étaient sortis trop brusquement de ma bouche et je regrettai immédiatement de ne pouvoir les retirer. Azad eut l'air véritablement déçu.

–Je demandais, c'est tout, dit Rojet avec une impressionnante décontraction. Tu as l'air troublé.

–Je ne le suis pas.

–Le ton que tu emploies laisse entendre le contraire.

–Je suis peut-être juste fatigué, soupirai-je.

–Pourquoi es-tu fatigué ?

Nombre d'hommes pieux étaient aveugles, après tout.

–Pour commencer, il est minuit passé depuis longtemps.

–C'est toi qui as choisi l'heure de ta venue, non ?

Dans le cercle, il y eut comme un frémissement, et tous d'attendre ma réaction à cette excellente repartie. Mais je ne repondis pas. Au lieu de cela, je fis comme si je n'avais pas entendu, et fixai mon regard derrière lui, observant les fissures dans le mur, espérant me consumer dans l'architecture. Ce qui ne se produisit pas. La diversion que j'avais choisie devint douloureusement pénible. Moi, qui avais toujours su tirer partie du silence, en souffrais à présent.

Finalement, Rojet ouvrit à nouveau la bouche :

–Nous nous souvenons de Dieu, expliqua-t-il. (J'avais beau ne pas avoir envie de savoir, et l'avoir même dit, je n'avais pas le choix, maintenant, j'étais un bandit entouré d'une armée bien supérieure en nombre.) Nous nous souvenons de Dieu pour devenir Ses esclaves.

J'opinai, espérant avoir l'air intéressé.

–Comment faites-vous ?

–En cherchant la mort avant la mort. (Rojet hocha la tête exactement comme je l'avais fait. C'est comme si j'avais longtemps pris appui sur une jambe défectueuse et tremblante pour qu'il donne un coup de pied dedans, me privant de cet unique soutien. Il insista, alors que j'étais en train de m'effondrer à terre, surpris, l'impact de la chair emportée par la pesanteur n'ayant pas encore commencé.) Nous sommes les Immortels, en attente de la Perfection. En faisant ce choix, nous devançons Son appel : c'est notre objectif, mourir avant la mort.

– Vous voulez dire... (Pourquoi étais-je si nerveux ?) Supprimer vos instincts les plus bas ?

– Non, non ! s'exclama Rojet en agitant ses mains d'avant en arrière. (Soit il se moquait de moi soit il guidait un avion sur la piste d'atterrissage. Mais il posa ensuite la main sur mon genou. Un frisson me traversa les jambes, tandis qu'il poursuivait.) Si tu enlèves à l'être humain la possibilité qu'il a de pécher, il cesse d'être humain. Par conséquent, si tu supprimes les instincts les plus bas, tu détruis l'homme dans sa totalité.

– Vous ne pouvez pas faire ça... dis-je, tâchant de toutes mes forces de concevoir une pensée cohérente. (Nous avons beau tous vouloir nous exprimer correctement – autant de faux espoirs semés par de trop nombreux professeurs d'anglais –, rares sont les affirmations qui s'expriment dans leur totalité.) Je veux dire, vous ne pouvez pas vous infliger ça.

– Bien sûr que si, fit-il en opinant. Nous pouvons nous donner la mort.

– Vous... pouvez... vous... donner la mort ?

Rojet éclata de rire, si fort que je craignis que sa mosquée en ruine s'écroule sur nos têtes.

– Je peux me tuer ? répéta-t-il. En voilà une mission !

Kibr se mêla à notre discussion – n'était-il pas censé demander l'autorisation ?

– J'ai pour mission de guérir les gens. J'ai pour mission de me donner la mort, annonça-t-il, étincelant de jubilation. Est-ce que cela a un sens ?

– Cela n'a pas grand sens, maintenant que j'y réfléchis, fis-je.

Je me laissai aller à sourire, en me disant que ce n'était qu'une plaisanterie, ils se moquaient de l'inconnu qui venait de débarquer. Pour l'État policier qu'était l'Égypte, n'était-ce pas un peu trop intime ? Un groupe de musulmans kurdes dans une mosquée hors des sentiers battus conversant calmement à propos de suicide si tard le soir ?

Rojet comprit mon hésitation et m'appuya sur le genou.

–Je ne peux me tuer qu'une seule fois, dit-il.

J'eus un mouvement de recul.

–... Si vous le vouliez...

–Ce ne peut pas être une mission, alors. Ce ne peut être qu'un objectif.

Rojet se leva pour commencer un cycle de prières, mais ajouta une dernière réflexion juste avant de lever les mains, ses yeux sombres rivés aux miens :

–Il n'y a pas de contrainte, en religion. Chacun ici est venu de son propre chef. Même toi.

J'ai envie d'une tarte aux pommes

Haris et moi attendions dans la file du tristement célèbre McDonald's de Mohandissine. Le soleil se déversait à travers les larges fenêtres qui donnaient sur la rue, renvoyant le marbre blanc de l'extérieur dans le fast-food, créant un aveuglant halo de lumière. Baisser les yeux, c'était, littéralement, risquer de perdre la vue.

Le restaurant était plein de jeunes Égyptiens, dont les têtes ondulaient au rythme de la pop du top 10 américain. Leur simple présence était dérangeante. J'étais allé au McDonald's dans de nombreux pays, mais il n'y avait guère qu'en Amérique et en Israël que ces fast-foods ne semblaient pas déplacés. Comme ces deux pays fonctionnaient ensemble, ils étaient pour ainsi dire assortis, comme le feu et la lave – on ne sait jamais s'ils constituent la même entité, ou si l'un est né de l'autre. Les États-Unis et l'État sioniste : des sociétés lustrées construites sur les ruines de populations autochtones loqueteuses, ravagées. L'Égypte aurait beau essayer de toutes ses forces, elle ne pourrait tout simplement jamais être si effrontée, si colorée, si artificielle.

Haris indiqua la carte des menus.

–J'ai envie d'une tarte aux pommes bien américaine.

J'éclatai d'un rire victorieux :

– Et c'est toi qui prétends constamment ne pas être occidental.

– Elles sont bonnes, *yaar*.

Notre tour arriva, et il passa commande pour nous deux :

– *Ayz combo wahid wa itneen.*

Menus un et deux. Mystérieusement, Haris choisit de ne pas commander de tarte aux pommes.

– La prochaine fois, peut-être.

Avec une agilité robotique, Ahmad tapa notre menu sur sa caisse enregistreuse et annonça :

– Trente-trois guinées (en arrivant à glisser subrepticement un *s* entre certaines lettres – un don typiquement égyptien).

– Trente-trois ? s'étonna mon colocataire.

– C'est encore leur histoire d'assiettes.

– Vous voulez plus grandes quantités ? s'enquit Ahmad perplexe.

– Non, mais nous ne voulons pas d'assiettes, expliquai-je.

– Mais cette promotion, commença Ahmad, dont l'anglais était un scud irakien qui se dispersait au décollage. (Mais Ahmad insista :) Vous commandez menus, oui ? Alors vous avez assiettes.

Sauf que cette fois-ci, la monotonie programmée du ton qu'il adopta mit le feu aux poudres. Ce fut un de ces rares moments où ma colère l'emporta sur ma timidité, jaillissant de l'intérieur vers l'extérieur, un torrent seulement contenu par le goulet d'étranglement de ma gorge, trop étroite, vu la situation.

– Que Dieu te maudisse ! étais-je en train de hurler. Va en enfer, aller et retour !

Haris fut tellement surpris qu'il eut un brusque mouvement de recul. Autour de nous, les employés et les clients s'immobilisèrent, puis firent volte-face pour regarder le pauvre Ahmad en train de rougir. Jamais il n'aurait imaginé être l'objet de tant d'attention – ce cas de figure étant omis par le manuel de formation du personnel.

– C'est une promotion, tonnai-je. Bon sang, mais est-ce qu'au moins tu sais ce que c'est ?

Ahmad secoua la tête, mais ses mains furent prises d'une agitation plus sismique encore.

– Évidemment que tu ne sais pas, espèce d'imbécile, bouillonnai-je. Tu ne parles même pas l'anglais, alors que dans ce restaurant tout est en anglais.

À ce stade, les lèvres de Ahmad s'animèrent d'un mouvement convulsif.

– Vous voulez pas promotion ? bredouilla-t-il, espérant que son intervention permettrait un retour réconfortant au règlement du McDonald's.

Mais ses paroles ne firent que mettre de l'huile sur le feu.

– Non, nous n'en voulons pas. Tu es sourd ? (Je dus crier assez fort pour qu'on m'entende au café Trianon. La suite jaillit hors de ma bouche en un grondement.) *Indana ikhtiyar*[1] !

Silence. À l'exception du climatiseur, qui ne comprit pas le degré de provocation de mes paroles. Au lieu de quoi la machine continua de ronronner, offrant un bruit de fond approprié à cet instant qui ne pouvait être correctement rendu que par une torpeur effaçant toute spécificité, le blizzard d'une accalmie qui simultanément assourdit et réveille. À la caisse numéro 3, la résistance s'opposait à la grande conspiration visant à vendre au rabais l'âme de l'Égypte. Cette résistance, c'était moi, originaire du Pendjab, qui vivais un rêve de Karbala[2] dans mon rêve.

Pendant ce temps, Ahmad était à deux doigts de la crise cardiaque. Le misérable fit un pas à droite, chercha quelque chose sur la gauche et manqua de tomber en arrière, espérant désespérément que le *manager Big Brother* apparaisse pour régler le

1. *Indana ikhtiyar :* « Nous avons le choix », en arabe.

2. Karbala : la ville d'Irak où eut lieu le martyre de l'imam Houssayn en l'an 680. Lui et ses fidèles – quelques hommes seulement – luttèrent contre l'ennemi sunnite, mais sans l'aide de la population locale. Dans la rhétorique islamique moderne, Karbala symbolise la révolte des musulmans contre la tyrannie et l'oppression, animée du seul désir de justice, et en dépit des faibles chances de réussite.

problème. Ahmad disparut et réapparut quelques minutes plus tard, nous demandant de monter nous installer à l'étage, où nous allions être servis. Puis il nous tendit nos boissons et nous présenta ses excuses pour le léger contretemps. Lentement, tout revint au niveau zéro du manuel du personnel.

Haris me donna une claque dans le dos.

– Bien joué, *yaar.*

Nous nous assîmes à une petite table coincée contre la grande vitre qui donnait sur la rue. (Une bonne poussée, et mon colocataire et moi-même nous retrouvions sur le trottoir en fusion.) Le *manager* se présenta au bout de quelques minutes, un petit homme courtaud et grassouillet qui me fit penser à un pouce, mais en pantalon bleu marine, chemise pervenche et cravate rouge électrique.

Il nous tendit la main, serra d'abord celle de Haris, puis la mienne.

– *Salam aleikoum.* Je m'appelle Muhammad. (Bah voyons. Il s'assit à côté de nous. C'était son restaurant, d'une certaine manière.) Je dois vous parler à propos de ce que vous avez dit à Ahmad, en bas.

Il avait le visage terriblement pâle pour quelqu'un de basané, une sorte de coloris vanille brouillée. Ce qui me fit penser à notre nourriture.

– Je suis désolé d'avoir haussé le ton, dis-je. Mais ça me met tellement en rogne d'être confronté à toute cette incompétence. À vrai dire, je suis encore furieux. On devrait pouvoir choisir.

Muhammad avança prudemment, sentant ma contrariété. Il jeta un coup d'œil à droite, un coup d'œil à gauche, pour s'assurer que personne ne nous écoutait. Qui donc irait espionner une conversation dans un McDonald's ? me demandai-je.

– Le problème n'est pas que vous ayez crié, annonça-t-il.

– Alors quel est le problème ? demandai-je.

– On ne peut pas parler de choix comme ça, à la légère, répliqua Muhammad. Imaginez ce qui pourrait se passer si les gens y pensaient un peu trop. Notre pays se transformerait en pays occidental, où les gens ont des droits mais pas de responsabilités, et chacun se croit l'égal de Dieu. Ils gagnent de l'argent et peuvent donc s'acheter des choses. Puis ils meurent. La même chose pourrait arriver à notre Égypte adorée.

–Je crois que vous allez un peu loin, dis-je.

–Je regarde l'avenir. (Il voyait une Égypte envahie par des troupes d'assaut, alors que moi, je pensais à mon *cheeseburger.*) Attention, pour ce qui est des bénéfices, notre comptabilité est trimestrielle, mon frère.

–Je ne vois pas le rapport avec un menu au McDo...

– Cela a tout à voir avec un repas chez McDonald's ! Vous ne voyez pas à quel point votre réaction pourrait tout gâcher ? (J'admirai sa retenue, car il était aussi en rogne que je l'avais été quelques minutes auparavant, quand je m'étais lâché.) Bientôt, ce sera comme en Occident, ici. Je choisis ceci, je choisis cela. Je ne veux pas faire ceci et je ne veux pas faire cela. Je n'écoute que moi. Je ne m'intéresse qu'à moi. Et Dieu, alors ?

Ahmad vint déposer nos plats sur la table et disparut immédiatement. L'odeur des frites devant nous était exquise, mais les inquiétudes de Muhammad nous empêchaient d'apprécier pleinement notre repas. Avant de commencer à manger, il allait d'abord falloir se débarrasser de lui. Quelques virevoltes et j'allais faire de lui de la chair à canon, hachée, prête pour le prochain *hamburger* vendu. C'est vraiment comme ça, les invasions, vous savez. Par l'intérieur des sandwichs. Pendant que nos chefs d'État se battent pour fabriquer de plus gros missiles.

– Mais s'il existait un choix musulman différent du choix occidental ? demandai-je, et immédiatement j'eus droit à toute l'attention de Muhammad. (La plupart des musulmans veulent le progrès et le développement de l'Occident sans pour autant avoir l'impression d'avoir été sécularisés.) Vous voyez, dans les sociétés séculières – qui sont occidentales pour la plupart –, le choix, c'est une bonne chose. C'est pour cela que les musulmans ont si peur du choix, c'est parce que nous pensons que cela fera de nous des gens qui se détournent de Dieu. Mais que diriez-vous si le choix était considéré non pas comme un choix mais comme une responsabilité ? (Je me penchai vers lui.) Voilà comment moi je vois les choses, mon frère : j'ai un choix, mais il est de mon devoir de l'exercer.

Les yeux fermés de Muhammad commençaient à se dissoudre en une brèche par laquelle mes pensées allaient pouvoir s'écouler.

– Je t'en prie, mon frère, continue, me demanda-t-il.

– Dans le Coran, Dieu nous dit qu'Il a créé l'humanité qui doit Le vénérer. Mais Il nous dit aussi qu'il n'y a pas de contrainte en religion. Ces deux affirmations sont-elles antagonistes ou compatibles ? Car si elles sont incompatibles, comme les opposants au choix le prétendent, alors nous sommes en train de dire qu'il y a une contradiction dans le Coran.

– Que Dieu nous pardonne ! chuchota Muhammad.

– Considère, mon frère, que Dieu nous a demandé de suivre l'islam. À nous tous, pas seulement à certains d'entre nous. Par conséquent, nous avons tous la responsabilité d'exercer ce choix. Si quelque chose relève de la responsabilité, c'est un devoir mais aussi un droit. Contester au peuple la responsabilité accordée par Dieu, c'est défier Dieu.

– Dieu détruira ceux qui le défient, fit remarquer Muhammad.

– Et n'avons-nous pas été détruits, mon frère, pour avoir refusé d'accorder ces responsabilités que Dieu exige de toute l'humanité ?

– Mais que va-t-il se passer si cela conduit à la laïcité ?

– Cela peut arriver, mais pas nécessairement, dis-je, puis je lui pris la main. Je demande seulement : acceptes-tu ce que j'ai à dire ?

– Uniquement si c'est bon pour l'islam. (Et c'est alors que Muhammad se mit à étinceler, brillant de la promesse de faire tomber des douzaines de shahs.) Car je dois me demander si cette idée est bonne pour mon obéissance en Dieu. Je demanderais aux érudits dont je respecte l'enseignement. Mais je lirais aussi bien le Coran et le Hadith, parce que je ne peux pas faire un choix, à moins de pouvoir beaucoup y réfléchir.

Victoire sans faille.

– Et pourquoi donc ?

– Parce que le jour du Jugement dernier, Dieu me demandera... si j'ai fait le bon choix... or, je n'aurai pu faire le bon choix que si j'envisage la question de tous les points de vue.

Il dodelinait de la tête en rythme avec une chanson pop qui sortait des enceintes, réalisai-je. Ce qui signifiait que mon travail était terminé. Il n'y avait plus de retour possible pour Muhammad. Il était à deux doigts de ressembler à une frite noyée dans le ketchup, sortie de son cornet, et baignant dans quelque chose d'encore meilleur. Nous nous serrâmes la main, Muhammad partit en vitesse, tirant d'un geste preste le téléphone portable qui se trouvait dans sa poche, manquant de le faire tomber, tant il était agité. Je me demandai qui il allait appeler.

Dix bonnes minutes plus tard, nous avions terminé et descendions les escaliers en passant devant Ahmad qui agita la main dans notre direction, hésitant. Du doigt, il montra prudemment la sortie.

– Qu'est-ce que c'est ?

Haris m'étreignit le bras assez fort pour me couper la circulation.

– Regarde...

Sa voix s'estompa quand il vit mes yeux se tourner vers la porte.

Nous nous précipitâmes, tout excités, pour nous retrouver coincés dans une cohue qui s'arrêtait à quelques pas de la porte. Il devait y avoir plusieurs milliers d'Égyptiens, les poings brandis vers le ciel comme autant de minarets. Une affiche géante recouvrait les deux côtés de l'Hôtel al-Nabila, proclamant la puissance populiste : *« Maak Ikhtiyar ? »*

« As-tu le choix ? »

La foule défilait pour Moustafa Mahmoud. Un contingent plus modeste se dirigeait vers le nord, tandis que des rumeurs circulaient, faisant état de rassemblements sur les ponts, à Zamalek, Doqqi et même Khan al-Khalili. Mais la vue dans toutes directions était gênée par des centaines de drapeaux de l'Égypte et de la Palestine. Nos voix se mêlèrent à un chœur qui enflait. Ceci allait changer toute l'Égypte, compris-je, pour se répandre à l'extérieur des frontières, jusqu'à ce qu'un improbable incident dans un fast-food consume la *oumma*.

Nous aperçûmes des Égyptiens attroupés autour de plusieurs téléviseurs à écran plat, qui diffusaient des flashes d'information constamment réactualisés. Le simple soldat rendait justice, arrêtait les membres de l'élite corrompue – les criminels qui s'étaient bien trop longtemps cachés derrière le cérémonial du pouvoir. Certains aristocrates allaient jusqu'à s'arrêter eux-mêmes, événement dont tous se réjouissaient. Moubarak reconnaissait sa défaite, se retirait et on appelait aux élections pour le mois de *mouharram*[3]. Une nouvelle année. Une nouvelle Égypte.

– Parce qu'Allah nous a donné *ikhtiyar*[4], annonça le recteur d'al-Azhar dans son discours adressé à la nation.

Il ordonna ensuite la formation d'un conseil pour rédiger une première mouture de constitution pour la République islamique.

Ceci déclencha des acclamations, qui cependant furent vite englouties par la clameur générale.

– Retournons commander cette tarte aux pommes, suggéra Haris en souriant. Je pourrai peut-être en avoir une gratuitement.

---

3. *Mouharram :* le premier mois du calendrier musulman. Période de trêve pendant laquelle, traditionnellement, toute action belliqueuse est proscrite.

4. *Ikhtiyar :* le choix.

Qui a connu Abd al-Bari ?

Je sortis de ma rêverie juste au moment où se formaient les rangs pour les prières de *fajr*[1]. Je me joignis à eux, mais uniquement pour ne pas laisser une mauvaise impression en restant affalé dans mon coin pendant qu'ils priaient. Malheureusement, agir signifiait se purifier – dans leurs toilettes, qui puaient l'étable, et je dus marcher sur la pointe des pieds jusqu'au lavabo, car j'avais peur de toucher quoi que ce soit, y compris l'eau, dont la température avoisinait celle de la glace. Je me livrai à l'ablution la plus brève de l'histoire de l'Égypte, pour revenir à la zone de prière juste au moment où Rojet célébrait la grandeur de Dieu. Je remerciai Dieu d'avoir fait en sorte que le matin ne soit que dans quelques heures. Je resterais éveillé avec eux après les prières, ferais opportunément semblant de m'intéresser, puis m'en irais. Une fois rentré à l'appartement, je pourrais passer la journée à dormir.

Retirant la matière gluante qui s'était concentrée au coin de mes yeux, tout en étant fasciné par la vitesse à laquelle elle s'était accumulée, je me joignis au cercle. Pendant qu'ils louaient Dieu, je me demandai si l'on devinait à ma figure que j'avais somnolé. Bien plus encore que par cette question, je fus bouleversé par l'énergie du discours de Rojet. Comment pouvait-on

1. *Fajr* : prière de l'aube, en arabe.

être si motivé à une heure si matinale ? Il parla comme un personnage de dessin animé, ses grands yeux rebondissaient de toutes parts, ses mains s'agitaient de-ci de-là, comme s'il volait dans le ciel et appelait chez lui pour raconter. Ce qui, bien entendu, n'était pas le cas. Il était dans une mosquée, avec plusieurs autres fidèles, juste avant l'aube, et parlait du sujet dont, j'imaginais, ils discutaient tous les jours. Le suicide.

Rojet se pencha vers moi, glissant du kurde à l'arabe :

– Tu n'es pas fatigué ?

Son discours se révéla une bombe à retardement, à explosion lente – l'onde de choc déferla en effet bien après que l'écho eut retenti. Ce qui provoqua chez moi, et probablement chez tous les autres, le sentiment d'être perpétuellement à la traîne derrière lui. Frappé par la balle avant d'en avoir entendu la détonation.

– Mon corps est fatigué, dis-je. (Et c'était le cas. J'avais la tête lourde, les yeux douloureux et la jambe droite me faisait souffrir.) Mais pas mon esprit.

Lequel était clair et limpide, comme le jour. Grâce à Rojet.

– Et ? demanda-t-il.

– Et quoi ?

– Et pourquoi es-tu ici ? (Ses disciples goûtaient l'instant à mes dépens. Une attitude pas très islamique.) Tu es assis parmi nous, alors que personne ne te l'a demandé. Une tente a besoin de quatre piquets, pas de cinq.

– Je pensais que comme j'avais prié avec vous, je pourrais peut-être aussi écouter.

– Tu n'avais d'autre choix que de prier avec nous. Si une congrégation se réunit, l'homme qui a la possibilité de se joindre y est obligé, dit-il en secouant la tête. Mais tu n'es pas forcé de m'écouter. Tu as le droit de te lever et de t'en aller.

Me mettait-il au défi ? Il m'avait certainement pris pour un être faible, émasculé, une canaille malhonnête.

– Non, je veux écouter.

– Et si tu ne le pouvais pas ?

Je me forçai à ne pas répondre sur un ton trop hargneux.

– Pourquoi ne le pourrais-je pas ?

– Parce que, dit-il. C'est moi qui pose les questions, à présent.

– Je peux répondre à tes questions, fis-je en opinant.

– Tu en es sûr ?

– Tu ne crois pas que je puisse y répondre ?

– Je pense que si, dit-il, avant de redresser le dos et de me poser la première : alors, mon frère, dis-moi. Dis-nous. Pourquoi es-tu venu ici nous voir ?

J'aurais préféré continuer à me laver avec leur eau glacée plutôt que d'avoir à répondre. Surtout sachant que Wanand était si prés, si curieux de savoir ce que j'avais à dire. Je m'avançai donc par une voie détournée :

– Si tu désires savoir pourquoi je suis venu au Caire, c'est pour apprendre l'arabe pendant l'été. Mais si tu me demandes pourquoi je suis là dans votre mosquée, je suis venu pour le *mawlid*. Mais je me suis perdu, et...

– Tu étais perdu ?

Je poussai un soupir factice.

– Ouais, en quelque sorte. (La tromperie peut revêtir moult formes.) J'en avais vraiment ras le bol de l'Amérique. C'est un endroit usant, tu sais. (Peut-être ne savait-il pas.) Je pensais que ce serait différent de me retrouver dans un pays musulman, qu'en venant en Égypte, j'aurais peut-être davantage de facilités pour m'améliorer.

Il y eut des murmures approbateurs parmi l'assemblée, de brefs sourires et des regards incandescents qui parurent détendus, soulagés, comme si l'on daignait me donner raison. Rojet cependant resta silencieux, le pouce et l'index posés sur la bouche, comme pour la mesurer, à la manière des penseurs.

Il finit par prendre la parole.

– Alors, si je comprends bien, afin de t'améliorer, tu es venu assister à des festivités où les soufis dansent autour du tombeau d'un mort ?

Chaque mensonge a ses inconvénients. Je tentai un changement de tactique.

– Ma foi, je me suis perdu et...

– Tu mens ! dit-il en se penchant sur moi comme s'il allait m'asséner un coup de poing en pleine tête, mais il se retira aussi vite qu'il s'était avancé, en proie à une colère plus froide. Tu étais perdu depuis bien avant le *mawlid.* Tu es venu ici car tu étais déjà allé partout ailleurs. Sinon, pourquoi avoir parcouru la moitié du globe, quitté une civilisation florissante pour une civilisation fanée ? Tu as regardé des gens qui s'attendent à ce que le deuil d'un mort représente l'islam, sachant que leur culpabilité collective viole notre credo en la responsabilité individuelle. (Le rythme de son élocution ne me permit pas une seconde de me reprendre, voire de préparer une riposte.) N'importe qui doté d'oreilles peut te dire ce qu'il a entendu : un homme qui court, fait de plus en plus de bruit, ralentit et finalement s'arrête. La première fois que je t'ai vu, ton expression révélait tout. Ces paroles que tu nous jettes en pâture, elles n'ont ni queue ni tête.

– Je ne...

– Ne sollicite pas ta langue inutile. (Ses épaules se voûtèrent, de manière à me ressembler encore un peu plus.) Voilà comment tu nous es apparu. Un homme au bout du rouleau, qui a découvert que la route se terminait à la porte de notre mosquée, sans comprendre pourquoi.

Bien que craignant qu'il me prenne à nouveau à partie sur cette question, je tâchai d'esquiver son argument :

– Je ne sais pas pourquoi tu m'en veux. Je t'ai dit que je cherchais quelque chose.

– Qu'est-ce que tu cherchais ?

– Peut-être que c'est après moi que je courais.

Et c'est ainsi que tout bascula. Il fut pris d'un rire joyeux.

– Tu courais après toi ?

– Façon de parler...

–Je comprends.

–Alors pourquoi est-ce amusant ? demandai-je.

–En fait, c'est très beau, dit Rojet en reprenant sa position assise initiale. Si Dieu aime quelqu'un, Il fait ressortir son intérieur de manière à ce que l'intéressé puisse voir plus clairement – c'est le mieux pour régler ses problèmes. Il les fait souffrir. Il fait en sorte qu'ils s'effondrent, Il effiloche toutes choses jusqu'à ce que manifestement il n'y ait plus d'espoir de réparation. Donc tu étais perdu, tu courais en tous sens. Mais tu ne trouvais pas ce que tu cherchais, alors tu as fini ici, dit Rojet en levant les bras en direction du dôme, que je n'avais jusqu'alors pas remarqué. (La fragile coupole était tombée de son axe.) On ne peut rêver bénédiction plus évidente. Que tu aies couru si vite, en faisant tant d'efforts, et qu'ensuite, au moment où finalement tu as baissé les bras, tu sois justement arrivé là... N'y vois-tu pas un signe ?

Je suppose qu'effectivement, j'y voyais un signe. Mais je n'osai le dire à haute voix. À la place, je regardai fixement un point imaginaire, comme à la recherche du signe auquel il avait fait allusion. Les autres membres de l'Ordre, les Immortels, comme Rojet les appelait, quittèrent leur place dans le cercle tandis que je continuais d'observer mon silence. J'entendis les bruits d'un village qui s'éveillait à un jour nouveau. La lumière se répandit dans la mosquée par les hautes fenêtres étroites, révélant des tapis d'un vieux rouge boueux. Mamelouks certainement, à croire qu'on ne les avait pas changés depuis cinq cents ans. La couleur des murs alternait entre gris poussière et vert vomi. La niche de prière était décalée par rapport au centre, plus près de l'extrémité gauche du mur, et légèrement penchée.

Rojet attendait-il de moi que je réponde toute la journée à ses questions ? Je m'étais arrêté ici car la tâche que je m'étais assignée avait échoué. Je n'avais pas l'intention d'habiter avec lui, et sûrement pas non plus de rester ici pour le distraire.

–Je devrais y aller. (Après m'être interrompu, j'ajoutai :) mon colocataire va s'inquiéter.

Cette fois-ci, je n'étais pas rentré de la nuit.

– Qu'est-ce que tu feras, une fois à la maison ?

– Qu'est-ce que je ferai ici ?

Rojet commença à sourire en inclinant la figure en avant. Pour la première fois, j'eus envie de lui donner une tape sur le crâne. Détournant la tête, comme si quelque chose en moi exigeait une telle distance, il déclara :

– Nous pouvons t'enseigner l'islam.

–Je ne sais pas quel islam tu suis, Rojet.

– Nous offrons nos vies à Dieu. (Il tapota du doigt sur le tapis. Le tapis croyait-il en lui ?) Nous serons des martyrs sur Son chemin.

Je n'aurais pas dû, mais j'éclatai de rire.

– Un martyr donne sa vie pour une cause.

– Si tu t'engages dans une bataille en sachant que tu ne reviendras pas, et qu'en fait tu ne veux pas revenir, n'est-ce pas du suicide ?

Non.

– Parce que tu donnes ta vie pour une cause supérieure. Je veux dire, tu es un martyr uniquement si l'acte que tu entreprends, les raisons et les intentions qu'il y a derrière, sont purs et appropriés.

Rojet sourit.

– Si j'offre ma vie à Dieu sans faire injustement du mal aux autres, ne suis-je pas un martyr ?

– Mais en cas de suicide, c'est à toi que tu fais du mal, répliquai-je.

– Et à la bataille, est-ce que je ne me fais pas de mal à moi-même ?

– Ce n'est pas délibéré.

– Ah bon ?

À cela, je ne sus comment réagir. Rojet, lui, savait. Et il s'empressa d'enchaîner :

– Tu n'as jamais vécu la réponse, mais tu peux la donner, le moment venu. Tu me dis ce qu'est l'islam, mais tu ne crois pas toi-même à l'explication que tu donnes.

Il s'avança de quelques pouces et plaça sa main droite sur le côté de ma tête avec juste assez de force pour que je ressente comme une brûlure. J'eus peur qu'il me gifle fort, mais il ne le fit pas. Au lieu de cela, il examina mon crâne, comme si j'étais le spécimen mort d'une espèce manifestement en voie d'extinction.

– Cette tête, dit-il, t'a détourné du droit chemin.

Lorsqu'on a peur de la vérité, on ne peut y répondre. Quand on voit quelqu'un qui croit tant à ses paroles, on est pris au dépourvu. Cela, Rojet le savait.

– Avant que cette Ignorance revienne sur terre, avant ces Humiliations qui nous empoisonnent, les peuples du monde puisaient leurs forces dans le sacré. Mais aujourd'hui, en cette époque, à chaque fois que cela se produit, le sacré est absent. Le corps a vaincu, la chair a triomphé. (Il relâcha ma tête, et je pus à nouveau le regarder en face. Ce que je fis avec embarras, sans trop savoir pourquoi.) Pourquoi Dieu a-t-Il envoyé Jésus, que la paix soit sur lui, avec un message si spirituel, alors que Muhammad, que la paix soit sur lui, a reçu un message plus pondéré ?

– Les enfants d'Israël sont devenus trop matérialistes, dis-je, tandis que le regard de Rojet m'intimait de continuer. Jésus est venu insister sur le spirituel car ce message était en passe d'être abandonné. Comme Muhammad a apporté le cycle final d'un islam achevé, son message a été plus pondéré.

– Mais aujourd'hui le monde est en train de devenir trop matérialiste, il n'y a plus de place pour notre foi.

– Plus de place ?

– L'islam est la vérité ultime. (Il était heureux de prononcer ces paroles, ou ces paroles le rendaient heureux.) Dirais-tu : faisons de la place à la vérité ? Adoptons-la ?

– Donc, à la place, tu dis seulement : laissons tomber, donnons-nous la mort ?

Je vis Kibr s'approcher, curieux d'entendre. Il se régalait presque de l'agressivité que je projetais sur son maître.

– Dis-moi, reprit Rojet. Si ton ennemi est un serpent, en quoi t'est-ce utile de devenir serpent ? Le seul moyen que nous ayons de nous sauver est de renoncer au monde...

– Mais, l'interrompis-je, ce que tu suggères, c'est que nous nous donnions la mort.

– Ta vie t'appartient-elle vraiment ? (Et comme j'hésitais, il ajouta :) Sur quoi le monde d'aujourd'hui s'appuie-t-il ?

Frustré d'être resté à la traîne, je répondis :

– La laïcité.

– En faisant de chaque homme un dieu. Parfois, il devient son propre dieu, même si la plupart des hommes sont faibles et vénèrent d'autres hommes. Est-ce la base de l'islam ? (Bien sûr que non. Mais l'islam n'était pas le monde.) Muhammad a prêché le retour du peuple à sa religion originelle, la religion d'Abraham. Ne devrions-nous pas être comme Abraham, s'il est notre père ?

– Abraham ne s'est pas donné la mort.

Rojet sourit avec condescendance.

– Ce corps, au jour d'aujourd'hui, et l'esprit qu'il contient, est le critère à l'aune duquel toutes les choses sont jugées. C'est l'idolâtrie de notre époque, et par conséquent il ne s'agit pas seulement d'y résister. La résistance est pour les faibles. C'est contre nous qu'ils doivent résister ! Nous devons être forts comme Abraham. Nous devons empoigner nos haches et abattre les idoles. Après tout, nous ne vénérons pas ce qu'ils vénèrent.

Je ne sus que dire. Mais tout en moi exigeait que je contredise ce qui venait d'être exprimé, que j'introduise une opposition, que je l'empêche d'avoir le dernier mot.

– Pourquoi faut-il que cela soit un combat ? (Je ne lui laissai pas la parole avant de m'expliquer préalablement. Autrement dit, je parlai comme lui – ce qui le charma.) Pourquoi est-il question d'eux et non pas de nous ?

– Ce sont eux qui ont voulu que les choses soient ainsi. Ils pratiquent le principe de la division pour mieux régner, avec nous en tant que sociétés et ensuite avec nous en tant qu'individus. D'abord, ils séparent Dieu de la sphère politique, en parlant de laïcité politique. Puis ils séparent Dieu de la sphère économique, en parlant de laïcité économique. Ils ont procédé par petits bouts, jusqu'à ce que nous soyons totalement déconstruits, ils nous ont dit que nous pouvions toujours chérir notre Dieu, mais nous ont privés des moyens de le faire. (Rojet n'était pas en colère, ni frustré. Sa tirade était dite sur un ton mesuré, elle avait été répétée.) Nous sommes les pitoyables victimes d'une comédie sanglante. Une lumière sombre, hors de portée, envahit nos foyers – missiles radieux, grenades nues, télévisions par balles, bombes qui caracolent et chars aux sourires narquois. Ils ont empoisonné notre oxygène et ensuite ils nous demandent pourquoi nous suffoquons. Ils ont caché le soleil et nous accusent ensuite d'être aveugles. Ils ont condamné les issues et nous disent ensuite que nous sommes libres de sortir. Allons-nous nous cogner la tête contre le monde, en sachant que nous ne pourrons jamais en sortir ? (Il m'adressa un sévère regard réfutateur.) Tu n'as jamais rien fait d'autre que cela.

– Ce n'est pas juste, protestai-je. Tu ne me connais pas. Tu ne sais rien de moi. J'ai accompli bien plus que cela.

– Pour commencer, tu es arrivé ici en courant, proposa-t-il. Et ensuite tu m'as dit que tu en avais ras le bol de tout ça. C'est toi qui l'as dit. Qu'est-ce que tu as fait ? (Comme il pouvait s'y attendre, il n'eut droit à aucune réponse.) Pendant des siècles, nous avons combattu le feu avec le feu – et nous ne brûlons que plus vite. Plus nous apprenons, plus nous devenons bêtes. Plus nous haussons le ton, plus fort nous sommes frappés. C'est pire aujourd'hui que ça ne l'était il y a vingt ans, et crois-moi, dans vingt ans, ce sera pire qu'aujourd'hui. Nous voilà enfin, réalisant une promesse faite il y a bien longtemps. Nous ne sommes certes que cinq, mais nous sommes vivants. Honorons le Seigneur, car une réponse vaut mieux qu'un millier de questions.

C'est alors qu'apparut l'éclaircie après l'orage virulent, une paix honnête, soudaine, faisant taire toute pensée susceptible de détourner votre attention. J'avais toujours été un pleutre. Je préférais toujours prendre mes jambes à mon cou plutôt que rester, argumenter plutôt qu'écouter, poser des questions plutôt que répondre. Mais il y avait quelque chose chez Rojet qui me suppliait de ne pas tirer de conclusion immédiate de la répugnance que j'éprouvais spontanément. Autrement dit, je voulais savoir s'il avait la réponse dont je soupçonnais l'existence, quelque part. Un islam qui ait un sens. Pour moi.

Aussi lui posai-je la question :

– Comment sais-tu quand il faudra y aller ?

– Nous ne sommes pas égaux, répondit-il. En tant qu'hommes, nous le sommes, mais en tant que fidèles, nous ne le sommes pas. (Il montra Kibr du doigt.) Il sera le troisième. Avant Azad et moi.

– À quoi cela sert-il de donner vos vies ?

– Il est notre but, loué soit-Il.

Ma foi, me dis-je, cela au moins paraissait orthodoxe.

– Et qui t'a appris cela ?

– Abd al-Bari, que Dieu ait pitié de lui, il était le Pôle des Pôles. Je n'ai été qu'un piquet qu'il a enfoncé dans la terre. (Il s'interrompit, en l'honneur de cet homme.) Ce qu'il a enseigné est ce que j'enseigne. Nous devons mourir avant la mort. Le monde nous dit qu'il faut lutter contre la mort, dont on se cache, ou qu'on s'autorise à évoquer seulement en chuchotant, alors qu'on nous apprend à célébrer la mort. Pose-toi la question, n'es-tu pas d'accord avec ce que je viens de dire ? Ou bien est-ce juste que tu en as peur ? Car si tu n'es pas d'accord, tu peux prendre la porte et personne n'en aura pour autant une mauvaise opinion de toi. Mais si ce chemin te fait peur, alors demande-toi à quoi sert la couardise.

– Tu penses que je suis un couard ?

Il secoua la tête.

– Tu es prompt à juger, et plutôt arrogant, mais pas plus que beaucoup de ta génération. Je sais qu'en ton cœur tu aimes cette religion plus que toute réalité contrefaite.

– Qu'est-ce que tu en sais ?

– Pendant des années, tu as été perdu. (C'était à peine plus une affirmation qu'une question.) Et maintenant tu es ici. Si, par peur, tu te caches pour éviter ce chemin, alors je t'offre non seulement ma pitié mais mes avertissements. Fais demi-tour et tu passeras le reste de ta vie comme tu as passé la première moitié de cette nuit – à courir.

Je voulais savoir si au bout de quelques jours j'oublierais tout ce que Rojet m'avait dit, si les brillantes paroles qu'il avait prononcées perdraient de leur éclat, comme c'était inévitablement le cas de tous les autres souvenirs. Ou bien m'avait-il ouvert à un point de vue qui allait déclencher un changement ? Peut-être qu'en passant ma vie à apprendre à ses côtés, je deviendrais quelqu'un d'autre, mais j'estimais que donner ma vie était un sacrifice trop important. Pourrai-je faire demi-tour ? voulus-je lui demander.

Au lieu de cela, c'est Rojet qui m'interrogea :

– Tu n'as donc nulle part où aller ?

Étonné, et à vrai dire offensé, je secouai la tête :

– Je croyais que tu voulais que je m'assoie pour apprendre...

– Penses-tu qu'il soit l'heure d'apprendre ?

Non, effectivement. Azad et Kibr s'apprêtaient à quitter la mosquée, des sacs sur les épaules.

– Nous n'avons qu'un court laps de temps ici-bas, et ensuite il nous faut partir. Nous devons trouver des endroits et des gens ; nous devons nous assurer que nos actions sont possibles et ensuite réalisées.

–Je peux aider.

Mais je me sentis dans la peau du type horrible qui n'est pas vraiment horrible, si ce n'est que personne ne veut l'avoir dans les pattes.

–Es-tu Immortel ? demanda Rojet en se levant pour commencer à rassembler ses affaires. Ou bien es-tu physiquement aussi seul que tu l'es au plan des émotions ?

–Eh bien, mon colocataire...

–Alors, va auprès de lui. (Rojet aboya des ordres. À l'intention des autres, également, mais en kurde.) Quel musulman serais-tu si tu n'étais préoccupé que de toi-même ?

Je serais moi.

Il était juste de penser que les Kurdes, comme les Égyptiens, étaient un peuple conciliant – donc l'attitude de Rojet ne relevait-elle pas simplement du code de l'hospitalité ? Ce n'était après tout pas si extraordinaire, pour un bon musulman, d'inviter un touriste égaré tard le soir, qui n'a nul autre endroit où aller. Et puis il m'avait parlé à une heure de la journée où les hommes comme lui étaient de toute façon éveillés. Il ne m'avait même pas offert à manger, sauf à considérer ses paroles comme une sorte de nourriture. Fallait-il que je sois fou pour croire qu'un homme de la stature de Rojet puisse être attiré par moi ! Moi, qui avais le moral à zéro, j'avais vu en lui l'étincelle de quelque chose d'autre, quelque chose de plus élevé, de supérieur ou quelque chose qui fût autre, même si évidemment je n'incarnais pas à ses yeux ce qu'il incarnait pour moi. Je n'avais rien d'autre à faire que de retourner à l'appartement.

Un homme avait allumé un feu en moi, puis m'avait abandonné aux flammes.

Le film s'est fini, et puis il a recommencé

À l'extérieur, le bleu et le gris des *galabiya* miteuses que portaient les enfants piquetaient le brun uniforme des bâtiments et des sols. Malheureusement, les deux directions étaient identiques à mes yeux – j'ignorais comment retrouver mon chemin. Grâce à Dieu, Keyf Khoshi sortit par la porte juste après moi, un épais tissu enroulé autour de la tête, qui tombait sur les côtés et lui effleurait la barbe. Il portait un sac à l'épaule. Son accoutrement était un peu bizarre pour l'été.

– *Salam aleikoum.* (Keyf tendit la main, et au passage fit tomber son sac. J'essayai de ne pas rire, mais je ne pus m'en empêcher. Pour se défendre, Keyf parlait un anglais parfait.) Je savais que ça devait arriver.

Plutôt surpris, je lui demandai :

– Comment se fait-il que tu saches l'anglais ?

Il était tellement content de lui qu'il évita la question. Apparemment, ils avaient le chic pour ça : la satisfaction personnelle justifiait qu'ils vous imposent des règles de conversations unilatérales. Tu poses des questions, alors moi aussi.

– Où vas-tu maintenant ? demanda Keyf.

– Je rentre à mon appartement. Je n'étais manifestement pas le bienvenu, là-bas.

Keyf secoua la tête. Par la suite, j'allais me rendre compte que tout chez lui provoquait cette réaction.

– Sottises. Sottises. Tu es toujours le bienvenu, ici. Nous sommes tous très contents que tu sois venu nous parler, et nous serons plus contents encore quand je dirai à tout le monde que tu veux revenir.

– Tu es content que je sois venu ?

Ils n'avaient peut-être jamais de visites. De nombreux Kurdes se sentaient seuls. Le siècle précédent avait été assez sordide. Ce qui m'amena à me poser la question suivante : mais d'abord, qu'est-ce que des Kurdes fabriquaient au Caire ? Et pourquoi ne m'étais-je pas interrogé plus tôt à ce sujet ? Unique parmi les pays musulmans, y compris le Pakistan, qui aurait pu être ma patrie, l'Égypte était un pays relativement homogène.

– Pourquoi parles-tu kurde, Keyf ?

Il sourit.

– Parce que je suis kurde. (Puis il regarda sa montre, souffla et hocha la tête : c'est bien ce qu'il pensait.) Le temps presse pour nous, et donc le temps presse pour toi. Mais pourtant, nous ne voudrions pas te submerger. Tu ne peux pas tout apprendre en un jour.

Je répétai ma question :

– Pourquoi y a-t-il des Kurdes au Caire, Keyf ?

– Nous avons jadis sauvé cette cité, répondit-il en souriant. Tu te souviens ?

– Tu veux dire, il y a mille ans ? (Et c'est alors que je compris.) Vous y êtes restés, c'est ça ?

– Ma foi, pas moi personnellement, fit Keyf en se grattant l'arrière de la tête. Tu vois, nous sommes leurs descendants. Saladin a choisi que nous venions ici pour attendre un événement qui est arrivé. Donc maintenant l'Ordre de Lumière entame sa mission. Nous allons infliger à l'Égypte ce qui aurait été infligé à ses ennemis.

J'avais honte de poser des questions, car son histoire me mettait dans l'embarras. Aussi me justifiai-je ainsi : lorsque je fréquenterais à nouveau des cercles plus aisés, lors de quelque dîner chic, nous nous raconterions des histoires, et ririons en nous rappelant la chance que nous avions d'être dans l'Occident raisonnable et rationnel.

– Alors vous allez sauver le monde musulman ? demandai-je. Ou juste l'Égypte ?

– Nous avons déjà perdu le monde musulman. C'est pour ça que nous sommes ici.

Il évitait quelque chose, mais je ne savais quoi. Ou bien il ne savait pas comment faire durer la conversation.

– Où vas-tu maintenant ? lui demandai-je.

– J'ai quelques adresses à vérifier.

– Tu vas quelque part dans les environs ? (Autrement dit : aide-moi à sortir d'ici.)

– Je ne vais pas très loin, répondit-il. Dans quelle direction vas-tu, toi ?

– Agouza.

– Très bien, dit-il en hochant la tête. Tu peux venir avec moi.

La tête de Keyf semblait fixée de manière un peu lâche à son cou. Elle se mettait à vaciller, jusqu'à ce qu'il la remette en place d'un mouvement sec. Je ne l'aurais pas remarqué, si ce n'est que pendant tout le trajet, il le fit à maintes reprises, ce qui imposa des ruptures à une conversation au demeurant décontractée.

Comme nous tournions au coin d'une rue pour déboucher sur un axe plus important et plus propre, il indiqua son sac.

– Tu me fais penser à moi. (J'aimais autant que ce soit à lui qu'au sac, mais cela n'en était pas moins surprenant pour quelqu'un qui venait juste de faire ma connaissance. Heureusement, il s'expliqua à ce sujet.) Il est possible que nous ayons des histoires familiales très similaires.

– Comment ça ?

– C'est une drôle d'histoire, dit-il.

– J'ai tout mon temps, Keyf.

– Eh bien… commença-t-il en regardant au loin. Est-ce que tu as déjà vu le film *Will Hunting* ?

Je ne pus m'empêcher de l'interrompre :

– Ouais, je l'ai vu.

Dieu merci, cette discussion avait lieu en anglais.

– Je sais que ça paraît bizarre. (Pas vraiment. Seulement déplacé.) J'ai grandi dans une famille aisée. Nous avions tout le confort moderne, dont une antenne parabolique. Mon frère et moi, qu'Allah ait pitié de lui, avons vu le film pour la première fois il y a quelques années. Mais nous l'avons pris à peu près aux deux tiers, jusqu'à la fin, et nous avons été littéralement subjugués. Et puis le film a été rediffusé. (Il voulait que je réagisse à cela, mais je ne savais comment.) Ce que je veux dire, c'est que nous avons d'abord regardé la conclusion, et après l'introduction. C'était comme connaître la réponse avant d'entendre la question. Tu peux imaginer ce que ça fait.

– Ça gâche certainement l'intrigue, dis-je d'un ton songeur.

– Nous savions ce que William faisait, mais nous ne savions pas pourquoi.

– Et c'est pour cela que tu as rejoint l'Ordre ?

– Ça s'est produit bien avant l'Ordre. C'était la façon dont le film n'a cessé de repasser sur cette chaîne. (Un coup de tête et il poursuivit.) Je me suis dit, pourquoi est-ce que j'hésite à accepter quelque chose que je crois vrai ?

– Il m'arrive de me le dire.

– Exactement ! s'exclama-t-il en me tapotant la poitrine. J'écoutais Rojet en me disant qu'il avait quelque chose de très important à dire, et pas seulement pour nous autres Kurdes. Mais ensuite, je revenais à ma vie confortable et j'avais envie d'oublier – jusqu'à ce que ma capacité à oublier me fasse défaut.

– Elle t'a fait défaut ?

Nouveau mouvement sec de la tête.

– En regardant ce film, je me suis rendu compte que toute ma vie il me faudrait davantage de choses. Le film s'est fini, et puis il a recommencé. Mais la mort nous choisit, et après, qu'est-ce qui se passe ?

Je crus avoir compris.

– On n'a pas droit à une deuxième chance.

– Ou bien tu comprends au moment où la fin arrive. (Nouveau mouvement saccadé de la tête. Ça avait l'air rudement douloureux.) Ou bien tu meurs, et il n'y a aucune chance que tu comprennes.

Keyf tira à nouveau sur le sac et le ramena sur le dessus de son épaule. D'un geste de la main, il m'indiqua le chemin que je devais suivre. Tandis que nos routes se séparaient, je me mis à réfléchir à ce qu'il venait de dire. Car Keyf me faisait penser à moi. Pourquoi les musulmans rejetaient-ils les aspects extérieurs de ce qui avait trait à l'islam alors qu'ils embrassaient ce qui se réclamait extérieurement de l'Occident ? Keyf était quelqu'un en qui j'avais envie d'avoir confiance, même s'il revendiquait une mythologie franchement tirée par les cheveux. Je pouvais arriver à croire une partie de son histoire. Mais sa dernière révélation dépassait les bornes. Pensait-il que tout cela n'était qu'un jeu ? Et d'ailleurs, si c'était le cas, pourquoi jouer avec moi ?

L'éternel pouvoir de l'Occident

Si on m'avait demandé l'heure, j'aurais répondu qu'il était dans les huit heures du matin, précisément l'heure à laquelle je me rendais en titubant dans la salle de bains. Mais pas ce mercredi-ci où je me débattais dans un entrelacs de rues exiguës, incapable de dire avec précision où s'arrêtait la boue et où commençaient les bâtiments. Mes chevilles se craquelaient à chaque pas. Je craignais qu'elles se détachent et restent sur le carreau, refusant de revenir avec moi à la modernité. Et puis il y avait cette sensation de brûlure à l'estomac, à force de ne pas avoir mangé et bu depuis si longtemps. La plupart des Égyptiens que je croisais ou bien m'ignoraient ou bien me regardaient curieusement, intrigués par le contraste entre mes vêtements et ma situation. Et je voulais que tout cela disparaisse.

Je pouvais peut-être faire disparaître tout ça. Peut-être avec une longue sieste, un repas et une douche chaude. À côté de l'odeur âpre d'excréments d'animaux, adoucie seulement par les vapeurs occasionnelles de diesel, je me rappelai notre salle de bains comme étant le plus bel endroit sur terre. Quel sublime paradis au carrelage gris et aux glaces brillantes, une derrière le lavabo, l'autre juste au-dessus. Arrachant mes vêtements souillés, je les jetterais dans la machine à laver, j'y ajouterais une boîte de détergent – oui, la boîte entière (nous irons au Metro en racheter une autre plus tard) – et sauterais sous la douche, me détendant sous son doux crachin. Mais si Keyf n'avait pas menti – et je considérai un instant que c'était le cas –, alors il n'y aurait pas de Metro. Et les gens qui allaient y faire leurs courses seraient probablement exécutés sommairement par pendaison.

J'avais loupé Sayyidna Houssayn en avançant sur une rue principale qui longeait al-Azhar. Je ne l'avais pas repérée parce que ma main courait sur son mur depuis plusieurs mètres. Si mes pieds avaient été doués de parole, ils m'auraient remercié avec effusion. J'avais traversé un nombre considérable de rues pour atteindre l'avenue principale où des douzaines de taxis étaient rassemblés à côté de banlieusards égyptiens qui se battaient pour savoir qui était arrivé en premier. Mes habits étaient dégoûtants mais néanmoins occidentaux. Cela allait être très facile. Je m'avançai sur le bord de la route, nettement à l'écart par rapport à l'attroupement, et observai amusé tous les chauffeurs, sans exception, écraser l'accélérateur et se précipiter vers moi, tout à leur hâte d'empocher mon argent étranger. Les banlieusards derrière moi en restèrent interdits. Ce qui semblait une certitude s'était volatilisé à une telle vitesse.

Je choisis le taxi le plus récent et me laissai choir sur la banquette arrière.

– Masrah al-Balloun, gémis-je. Agouza.

Un demi-tour peu rassurant et nous filions sur l'autoroute surélevée, doublant à grande vitesse la circulation fluide en direction du Nil, puis au-delà. Je passai la tête par la fenêtre, fis des contorsions pour observer en contrebas la cohue des Égyptiens emplissant les rues, s'agglutinant sur les trottoirs dans la condensation du matin, par grappes de part et d'autre, attendant quelque chose, ou rien. Mais aucun d'entre eux ne m'apparaissait comme il me serait apparu la veille. Je ressentis une énorme tristesse pour eux. En découvrant Le Caire décati, brisé, je compris la revendication de Keyf. Comment cette ville pourrait-elle survivre au moindre choc ? Comment son peuple fonctionnerait-il en cas de tragédie ?

Leurs chefs – nos chefs – étaient soit trop stupides soit trop cruels – cela dépendait, selon que je voulais être optimiste ou pessimiste – pour leur venir en aide. Ce n'était pas non plus uniquement au plan matériel. C'était terrible sous le colonialisme, mais pas insupportable. À l'époque, les gens se mobilisaient pour une cause, ils avaient un leadership auquel se rallier et un ennemi visible auquel s'opposer. Mais après s'être battus sous la bannière d'idéologies importées et avoir subi le joug de despotes ne servant que leurs intérêts propres, les Cairotes en étaient là. C'est-à-dire nulle part. Les unes après les autres, les théories étaient d'abord portées aux nues, puis mises en œuvre, et finalement discréditées ; envolés les espoirs futiles de faire plus que survivre et de prospérer.

Le nationalisme, le sécularisme, le socialisme et la promesse d'un panarabisme. Et puis en 1967. Boum ! Quatre chiffres comme autant de balles de fusil. Après quoi, un répit, les heureuses conséquences du grand boum du pétrole, les Arabes ayant temporairement le vent en poupe. Dans les montagnes et les vallées d'Afghanistan, malgré la chair à canon communiste et le feu roulant de l'artillerie, une armée en guenilles l'emporte sur la redoutable Union soviétique. Nous avions opéré un glissement à droite, mais il n'était pas réel : c'était une comédie. Le peuple n'était pas davantage musulman, mais cherchait seulement ce qui le différenciait – les mouvements islamiques, comme si se mouvoir était tout ce qui comptait. Ils réduisaient l'islam à l'ici et maintenant, et maintenant c'est plus tard. *Allah Hafiz*[1]. Nous avons commencé à gauche mais avons fini à l'Occident. La paralysie de la défaite. La confusion après la retraite. Alors où allions-nous ensuite ?

1. Expression persane : « Que Dieu soit avec toi. »

Juste avant que nos chemins se séparent, Keyf fit un commentaire désinvolte qui allait me rester à l'esprit. Il grommela cela dans sa barbe, en arabe, pas moins, mais ce fut assez simple pour que je comprenne :

– Il y a tellement d'enfants.

J'aurais dit la même chose si ç'avait été mon premier jour au Caire. Mais j'habitais ici depuis plusieurs semaines, et le nombre d'enfants – une population effectivement énorme – me paraissait maintenant ordinaire. Mais *quid* de Keyf, qui avait probablement vécu toute sa vie ici ?

– Qu'est-ce que tu entends par là, Keyf ? demandai-je. Des enfants, il y en a toujours autant.

Je me tournai vers lui, perplexe, pour voir qu'il avait l'air coupable. Pourquoi ?

– Ce n'est pas ce que je voulais dire. Je ne sais pas ce qui m'est passé par la tête. (Il posa la main sur mon épaule, ce qui ne fit que m'effrayer. Sa main tremblait.) Si tu veux sortir d'ici, continue tout droit jusqu'à repérer une maison égyptienne restaurée avec une pancarte jaune de chantier. Tu prendras à gauche dans cette ruelle et tu apercevras Sayyidna Houssayn. De là, tu connais le chemin.

Pour l'amour de Dieu !

– Keyf !

– Oui ?

– Pourquoi est-ce que tu as dit ça ?

Il me fixa sans vraiment me voir pendant quelques minutes, mais il ne put tenir : il n'était pas le professeur, juste un des piquets enfoncés dans le sol.

– Rojet nous dit certaines choses, mais pas tout. (Keyf scrutait la lanière de son sac. Elle était bleu foncé. Son visage devint de plus en plus rouge.) Il y a juste quelques semaines, tout a changé. C'était Le Caire dont je ne pouvais pas me souvenir parce que j'étais trop jeune. Enfin, je veux dire, c'est Le Caire dont je ne pouvais pas me souvenir parce que j'étais trop jeune.

– Bon sang, mais qu'est-ce que tu me racontes, là ?

Il regarda derrière lui, puis jeta un coup d'œil dans la direction des deux ruelles, et s'adressa à moi en détournant le visage.

– J'ai trente-cinq ans, annonça-t-il en retirant sa main tremblante de mon épaule. Je suis né il y a trois ans.

– Ça ne veut rien dire.

– Je sais, fit-il en se raclant la gorge. Il y a six semaines environ, il n'y avait presque personne au Caire. À présent la ville déborde de vie. Comme c'était quand j'étais petit.

Il se reprit en secouant la tête :

– Non, pas comme c'était. C'est comme c'était.

Je toussai pour réprimer une envie de rigoler, mais je finis néanmoins par éclater de rire, tant son explication était bizarre.

– Keyf, c'est le truc le plus bête que j'aie jamais entendu. Tu veux me faire croire que vous êtes tous des Kurdes du futur, mais que vous êtes les descendants de je ne sais quel héros du passé, et qu'à présent vous allez vous donner la mort pour sauver l'Égypte ?

– Je ne peux pas t'obliger à y croire. Mais comme on disait tout à l'heure, de toute façon, il n'y a rien que je puisse t'obliger à croire.

Il regarda sa montre, manqua de refaire tomber son sac. Sauf que cette fois-ci, le sac ne tomba pas.

– Si Dieu souhaite faire quelque chose, reprit-il, qui sommes-nous pour prétendre que ce n'est pas possible ?

– Il y a quand même une chose que tu peux me dire.

– Ah oui ? Quoi ?

– Où est ton frère, maintenant ?

– Il n'est pas encore né. Il avait quatre ans de moins que moi.

Après une pause, Keyf ajouta :

– Mais je suis encore vivant. Enfin, je veux dire, je ne suis qu'un bébé. Qui n'a pas encore regardé *Will Hunting.*

Ce qui était sans doute sa manière à lui de me demander de ne pas insister.

– Alors, qu'est-ce qui est arrivé à ton frère ?

– Je t'ai dit, il n'est pas encore né. C'était mon petit...

Je l'interrompis :

– Non. Je voulais dire, dans cet autre – de quoi s'agit-il ? –, je veux dire, *Will Hunting*, vous l'avez vu. Tu te souviens l'avoir vu avec ton frère. Donc c'était vrai, ce qui signifie que ton frère était vrai aussi. Est-ce que tu l'as laissé dans cet autre monde ?

– Il a été un martyr pendant les guerres. (Keyf remarqua mon trouble, mais ce qu'il dit ensuite ne fit qu'ajouter à ma confusion.) Il est mort en défendant Le Caire.

Feuilles de papier d'un blanc immaculé

Le chauffeur de taxi quitta Jamiat al-Douwal avant une station-service, et tourna dans la rue avant la nôtre. Au moment où nous nous apprêtions à faire le dernier virage à droite, j'aperçus Rehell, misérablement avachi sur le bord du trottoir, les fesses à peine au-dessus des pieds, tenant dans ses mains une bouteille d'eau presque vide. Il ne me vit pas, mais j'ordonnai néanmoins au taxi de s'arrêter. Je le regrettai presque immédiatement : que pouvais-je raconter à Rehell de ce qui m'était arrivé ?

Le claquement de la portière le fit sursauter. Il s'efforça de se redresser en s'appuyant sur la voiture de quelqu'un d'autre et se précipita à ma rencontre pour me saluer.

– Bon sang, qu'est-ce qu'il t'est arrivé, l'ami ? Ça fait des heures que j'attends.

Des heures ?

– J'étais au *mawlid.*

Enfin, si on veut. J'avais repéré Zuhra devant la mosquée, et je l'avais suivie. Mais au lieu de la rattraper, j'avais découvert un petit ordre soufi qui prêchait le suicide. Si je prenais l'initiative de me détruire, avait expliqué leur chef, rien ne pourrait plus me détruire. Et tu sais quoi, Rehell ? Quelque part, j'ai envie d'y croire.

Nous étions assis entre deux vieilles Toyota.

– Mais enfin, il est neuf heures du matin, gronda-t-il. Haris est resté éveillé toute la nuit, il se faisait un sang d'encre. Le pauvre vieux en a été malade.

Comme si je l'avais fait exprès.

– Tu vois, commençai-je. Je me suis retrouvé derrière Sayyidna Houssayn, et je me suis perdu. Il y avait une mosquée allumée, alors qu'est-ce que j'étais censé faire ? Ça n'aurait pas été très malin d'essayer de retrouver mon chemin si tard, en pleine nuit.

Rehell n'y croyait pas du tout. Aussi ajoutai-je :

– Je me suis endormi sur place, et j'en suis reparti au réveil.

– Haris m'a appelé à cinq heures du matin, dit Rehell en sortant une bouteille d'eau de nulle part. Il pensait que tu avais peut-être oublié tes clés, ou alors qu'il t'était arrivé quelque chose d'horrible.

Les clés étaient toujours dans ma poche, avec mon passeport.

– Je regrette de ne pas avoir pu appeler...

– Tu as une mine épouvantable, l'ami.

– Merci, Rehell, fis-je en essayant de sourire.

– Tu sais pourquoi je me suis levé si tôt ? Manifestement, non, répondit-il lui-même, pour mettre en valeur le bien-fondé de sa colère. Haris a appelé à six heures pour me dire qu'il allait se coucher. Il m'a demandé de rester éveillé pour toi, au cas où. Et c'est ce que j'ai fait. Je suis resté debout à t'attendre.

Magnifique, Rehell. J'arrive à peine à tenir debout, et toi, tu fais tout pour que je culpabilise.

– Il y a deux ou trois choses que je voudrais te dire, m'annonça-t-il. J'espère que tu ne le prendras pas mal.

– Comment est-ce que je le prendrais mal si tu ne me dis pas de quoi il s'agit ?

Je bus une gorgée d'eau, en regrettant que ce ne soit pas de la Listerine.

– Il y a quelque chose qui cloche, dit-il. Chez toi.

– Qu'est-ce qui cloche chez moi ?

Vas-y. Dis-moi. Les autres ne s'en sont pas privés.

Rehell regarda la bouteille d'eau, comme pour bien me faire comprendre qu'elle lui appartenait.

– Tu reviens des festivités avec une journée entière de retard. Ne me dis pas que tu t'es perdu, l'ami, parce que ce n'est pas possible. Et il y a autre chose.

– Je suis un abruti, fis-je essayant de désamorcer son offensive, mais je ne réussis qu'à me discréditer davantage. J'ai l'art de me mettre systématiquement dans les situations les plus ridicules, de tourner au mauvais endroit, d'oublier mes papiers, de tout faire tomber. C'est un miracle que je ne me sois pas tué.

Cette tirade ne sembla pas davantage le convaincre.

– Écoute, l'ami, tu n'étais pas comme ça, avant, si ? Enfin bon, je te connais à peine, je ne peux rien dire avec certitude, mais j'affirme qu'il y a en toi deux personnes différentes – deux personnes tellement différentes qu'elles ne se supportent pas, dit Rehell en s'approchant de moi. Tu ne sais donc pas qui tu es ? Tu dis des choses particulièrement profondes sur le monde, sur la religion, sur les gens qui essayent de vivre selon les préceptes de cette religion, à tel point que plusieurs jours plus tard, on en est encore à réfléchir à ce que tu as dit. Il n'y a pas que moi. Mabayn, aussi. On en discute le soir et parfois j'en parle à mes autres amis.

– Même Mabayn ?

Il ignora mon intervention.

– Comment quelqu'un ayant un tel impact sur son entourage se débrouille-t-il pour disparaître à un *mawlid* ? Comment se fait-il qu'il soit toujours en train de se noyer, d'essayer de sortir la tête de l'eau, mais qu'il se trouve trop faible ?

Il attendait de moi une réponse à cette question, mais moi, j'avais envie de tomber par terre. Ou peut-être ficher le camp.

– Tu es carrément à la dérive, l'ami, conclut Rehell.

Qu'est-ce que j'étais, une bûche ? Un tronc d'arbre emporté au fil de l'eau ? Effectivement, l'analogie n'était pas mauvaise. Nous faisions partie d'un immense arbre marron, grand et bon.

Mais à force de nous inquiéter de la hauteur que nous pourrions atteindre, plutôt que des relations que nous entretenions avec la forêt à laquelle nous appartenions, nous étions devenus arrogants. Dans notre aveuglement nous n'avions pas vu le bûcheron et l'outil qu'il avait à la main. Appelez ça une hache. Il nous avait abattus et nous avait coupés en morceaux. Nous étions éparpillés aux quatre vents, par sections, puis débités en rondelles, réduits en sciure, transformés en feuilles de papier d'un blanc immaculé, avec des petites lignes bleues sur chaque page.

–Je me sens effectivement vide, Rehell, reconnus-je. Si j'arrive au bout de la plupart de mes journées, c'est que je ne sais pas ce que je pourrais faire d'autre de mon temps. (Ne pouvais-je pas tout simplement le faire disparaître de ma vue ? Cependant, je savais que ce que je venais de dire pouvait aussi me libérer.) Parfois je pense le plus sérieusement du monde à des choses, mais il y a d'autres fois où je me fiche complètement de ces mêmes choses. Et si c'était la profondeur qui m'effrayait ?

– Pourquoi t'infliges-tu ça ?

J'avais envie de lui tendre un cahier et de lui dire de m'interviewer plus tard.

–Je ne sais pas comment faire autrement. (Je lui volai la dernière gorgée d'eau avant de poursuivre.) C'est comme ça que je suis. Il est possible que ça ne te plaise pas. Moi, il m'arrive de me détester. À vrai dire, la plupart du temps. (Je tentai un rire forcé, sauf que lui et moi savions que je me forçais.) Mais je ne peux pas changer, je suis comme ça.

– Tu peux changer, l'ami, affirma-t-il, soudain tout excité. (L'heure de son *fajr*[1] avait-elle sonné ?) Toutes ces choses mauvaises qui t'arrivent, ces sentiments négatifs, je pense que c'est

1. Voir note p. 155.

de cette façon que Dieu s'adresse à toi. Pour te dire qu'il faut que tu changes. Il veut que tu changes, l'ami.

Peut-être.

– Alors Dieu nous fabrique, et ensuite Il nous envoie des signaux pour que nous changions ?

La bulle qui avait gonflé, gonflé, éclata sans tarder.

– Je suppose. Je veux dire, ouais.

– Alors pourquoi ne nous fait-Il pas changer, dans ce cas ? (Après un silence, j'ajoutai :) Il nous envoie des signaux. Il nous donne des indices. Si cela ne t'était pas arrivé, tu serais mort – c'est un miracle ! C'est ce que les gens disent. Mais en fait, non. Les miracles, ça n'existe pas. Tout est conforme au plan conçu par Dieu.

Il réfléchit à ce qu'il venait d'entendre.

– C'est vraiment ce que tu penses ? demanda Rehell.

Pendant ce temps, je me demandai : comment et pourquoi m'étais-je fait avoir par un type aussi naïf que Rehell ? Croyait-il vraiment qu'il suffisait de prendre la décision de croire, et qu'ensuite on trouvait automatiquement l'illumination, et tout s'expliquait ?

– Écoute, Rehell, soupirai-je. Rien ne s'explique. Tu peux affirmer que « l'islam est rationnel », mais il ne l'est pas. C'est uniquement un acte de foi. Les gens disent : regardez, nous nous le sommes prouvé à nous-mêmes, mais on ne peut rien se prouver à soi-même, et on ne peut certainement rien prouver à quelqu'un d'autre. On peut uniquement faire un choix – et ce choix dépend de beaucoup de choses.

– Mais l'islam est si simple.

– L'islam est simple, par rapport à quoi ? L'islam est cohérent selon qui ? (J'essuyai la poussière qu'il y avait sur mon blue-jean.) Avant, je les croyais lorsqu'ils disaient que les croyants sont heureux, bénis, satisfaits. Je ne le crois plus, Rehell. Les croyants sont en colère, maudits, troublés. Ils meurent souvent en prison, ou bien sont persécutés, opprimés et tournés en ridicule. Et l'islam là-dedans ? Si l'islam est la vérité, pourquoi la vérité connaît-elle un échec si retentissant ?

Il était vaincu. Cependant, il fit de son mieux pour livrer bataille.

– Je croyais que votre culture et votre religion étaient formidables, l'ami. Qu'ici, les choses s'organisaient selon une harmonie qui n'existe nulle part ailleurs.

– À ta place, j'apprendrais juste l'arabe et je m'en irais, Rehell, dis-je en lui rendant sa bouteille d'eau, mais il se contenta de la placer entre ses jambes. L'islam dit que le plus important est de croire en un dieu unique. Et que le plus impardonnable des péchés est d'en associer d'autres à Dieu. Si bien que nous autres musulmans sommes toujours meilleurs que les non-musulmans. Alors pourquoi sommes-nous punis, alors qu'eux vivent dans l'aisance et la prospérité ?

– Ce monde est pour ceux qui aiment ce monde.

– Comme tu veux, Rehell. (L'excuse était médiocre. C'était une excuse de trouillard.) C'est peut-être le cas pour eux, mais pourquoi fait-il tout pour nous anéantir ?

Il essaya encore une fois. Il essaya vraiment.

– Personne n'est meilleur que quiconque, l'ami. Ni les musulmans ni les non-musulmans. Alors ne juge pas les choses de cette manière, sinon tu vas devenir fou.

– Nous sommes peut-être bien tous égaux, ripostai-je, mais est-ce le cas de nos croyances ? (Je consultai ma montre, pour indiquer qu'il n'avait pas besoin d'ajouter quoi que ce soit.) Ce ne sont que des choix, Rehell. Les gens font des choix et le monde décide si ces choix sont bons ou mauvais. Et ensuite nous mourons.

La main de Rehell fut tentée de trouver place sur mon genou, en signe d'hospitalité, à la manière des Arabes. Mais il ne posa pas sa main (toujours finlandaise jusqu'à nouvel ordre) sur moi. La plupart des gens ne le voient pas, mais c'est extrêmement difficile d'être un Arabe.

– Est-ce que tu voudrais manger quelque chose ?

Rehell savait ce que je savais. Et il ne pouvait que sourire légèrement. En vain. Et offrir le petit déjeuner à un homme brisé. Il ajouta :

– On a des œufs et...

– Je suis fatigué, dis-je. J'ai besoin de dormir.

Je ne peux pas rester et tout faire conformément à ce que tu aimerais. Le pauvre Rehell s'était entiché de l'islam, si bien qu'il s'était entiché de nous autres musulmans. Mais tous les musulmans qu'il rencontrait – moi-même, Haris, Mabayn – étaient décevants. Il devait être en train de se demander comment une foi aussi immense pouvait produire des fidèles aussi médiocres. Après quoi, bien entendu, il se poserait les mêmes questions que moi : si les fidèles sont médiocres, comment la foi peut-elle être aussi immense ?

Finalement, nous rendîmes tous les deux les armes :

– Tu as les clés, hein ?

– Ouais, répondis-je en opinant. Elles sont dans ma poche.

Je rêve de Khosni

Était-ce cet appartement qui m'avait tant manqué quelques heures auparavant ? Notre chambre était emplie d'une lumière qui aurait dû suggérer la pureté mais ne faisait qu'attirer l'attention sur la vacuité. L'ordinateur portable de Haris était posé sur la table de la salle à manger, encerclé de bouteilles d'eau et de boîtes entamées de petits gâteaux simili-Oreo. J'ôtai mes chaussures et entrai dans la salle de bains. Fixant la douche, je me rendis compte que ma volonté de m'en servir s'était évaporée. Dans la chambre, mon colocataire poussait de puissants ronflements rythmés. Je retirai mes vêtements sales, me mis en pyjama et m'écroulai sur le lit.

Dans le seul rêve que je me rappelle avoir fait ensuite, Hosni Moubarak prononçait son discours annuel sur l'État de Ma Nation, profitant de l'occasion pour faire part de son espoir d'une paix avec Ariel Sharon. Le plus probable était surtout qu'Hosni se trouvait obligé de rouler au volant du modèle Mercedes S-Class de l'année précédente et qu'il était prêt à tout pour obtenir le dernier modèle. Mais, annonçant sur toutes les chaînes de la télévision égyptienne sa volonté de dialogue, Hosni commit une erreur qui, rétrospectivement, serait considérée comme fatale. Plutôt que de dire : « Hosni Moubarak a le courage et la sagesse de voir que des négociations s'appuyant sur des bases injustes dictées par l'occupant et sa puissance tutélaire », Hosni commença son discours de capitulation avec un mot malheureux : « Khosni Moubarak, déclara-t-il, a le courage... » « Khosni », et non pas « Hosni ». Parce qu'en hébreu, contrairement à l'arabe, il n'y a pas de *h*.

Trois secondes suffirent à l'Égypte pour réaliser que son président, qui n'avait jamais été élu malgré toutes les élections qu'il y avait eu, était un Israélien infiltré, probablement un agent du Mossad. Quelle manière épouvantable de se faire débusquer, pour Khosni. Le Premier ministre israélien Ariel Sharon expliqua au *Jerusalem Post* que si le Mossad avait effectivement des agents dans toute l'Égypte, l'État d'Israël en revanche ne fraierait jamais directement avec le gouvernement illégitime de l'Égypte. D'ailleurs, quand bien même ce serait le cas, faisait remarquer Sharon, ferait-il preuve d'une telle incompétence ? Les reporters d'Al-Jazira trouvèrent cela intrigant, mais plus rien ne ferait changer d'avis l'Égypte.

Les enfants des Mères du monde – héritiers soi-disant authentiques, mais surtout fantasmés, des califats du passé, de cet empire qui jadis vainquit la Perse lors de deux batailles inimaginables – décidèrent qu'en comparaison Khosni était une épave. Des émeutes de très grande ampleur eurent lieu au Caire, à Luxor, à Tanta, à Alexandrie et ailleurs. Khosni eut beau déployer des troupes dans tout le pays, il dut réaliser que c'en était fini pour lui. Il avait trop longtemps réprimé le bon peuple. Maintenant il allait payer : il était pris au piège de l'Intifada censée être la dernière de toutes, sans même avoir une seule pierre à la main. Shaban Abd al-Rahim, la grande vedette de la classe populaire égyptienne si horriblement vêtue, entra en studio et lança un appel au châtiment qui fut diffusé en direct.

Chantant « *Nahnu nakrah Khosni* », les masses annoncèrent clairement qu'un État à la double souveraineté venait d'émerger. Shaban lui-même joua son rôle à la perfection. Tel un imam Khomeiny arabe, quoique n'en ayant pas tout à fait l'envergure aux plans intellectuel, physique ou spirituel, il marcha sur le palais présidentiel. Les yeux du monde entier étaient rivés sur son corps énorme et sa chemise d'un rouge criard. Même au milieu des milliers de personnes, il était impossible de ne pas le repérer. Il se trouva nez à nez avec l'armée mais ces jeunes hommes prirent la majestueuse initiative de tirer en l'air, déclarant qu'eux aussi étaient égyptiens. Le peuple se rangea du côté du peuple – je fus déçu par cet aspect de mon rêve. Une fois à l'intérieur, alors que les caméras tournaient toujours, Shaban arracha sa chemise (je fermai les yeux et trouvai refuge en Dieu) et s'en servit pour étrangler Khosni à mort. De Rabat à Jakarta, d'Abidjan à Kazan, des cris de joie s'élevèrent.

Un État unique entama son ascension pour prendre la tête de la Compensation sacrée dans le Grand Renversement des Humiliations. L'Usurpation sioniste allait être vaincue. Après des décennies d'un conflit impensable, un Califat de Lumière diffuserait dans Jérusalem libérée les rayons de justice et de splendeur émanant de son cœur. Mais je m'éveillai troublé, inquiet. Le cœur était malade. La lumière n'était pas assez claire. La jubilation était artificielle, les victoires peu satisfaisantes, et les conquêtes finales vaines. L'obscurité subsista, comme auparavant, bien que cachée. Je me redressai sur mon séant, tremblant. Haris était encore en train de ronfler et je n'avais aucune idée de l'heure qu'il pouvait être – les rideaux étaient tirés de telle manière que la lumière ne s'insinuait pas – sachant seulement que je m'étais reposé pendant de longues heures. Je me sentais encore plus mal en point. De la sueur dégoulinait de mes tempes, des coups de boutoir retentissaient dans ma poitrine, le cœur semblait prêt à tout pour s'échapper. Aucun des avertissements de Keyf n'avait été oublié, et pourtant, j'étais triste ; je n'arrivais pas à dormir. Je n'avais envie que d'une chose, pleurer sans arrêt pendant des heures.

Des mouches aux mains d'enfants espiègles

Je m'éveillai, allongé sur le ventre, la tête tournée sur la droite, les yeux braqués sur Haris, qui lui aussi me dévisageait, quand bien même un seul œil était visible. L'autre était enfoui sous un oreiller.

– Où étais-tu, hier soir ?

Il essaya de ne pas paraître trop en colère.

– Je suis désolé. (Je ne l'étais pas vraiment, mais ça facilitait les choses.) J'ai aperçu Zuhra après votre départ. J'ai essayé de la suivre mais je me suis perdu...

Il toussa.

– Zuhra ?

– Tu te souviens...

– Ouais.

– Je cherchais un endroit où me reposer, et j'ai trouvé une mosquée. (Je m'interrompis. Jusqu'où avais-je envie de lui raconter ce qui s'était passé ?) J'ai dû m'endormir assez vite, parce que je me suis réveillé tôt le matin. Et je suis immédiatement reparti.

Haris essaya de sourire, mais il semblait sur le point de fondre en larmes.

– Tu es en train de me dire que tu as dormi dans une mosquée et que tu ne t'es pas réveillé pour les prières ?

– Non, enfin si. (Je contemplai la tête de lit qui, dans son infinie banalité, ne me fut d'aucune aide.) Je veux dire que j'y ai passé la nuit.

– C'est bizarre.

– Pourquoi ?

– Ici, toutes les mosquées sont fermées, la nuit. Elles n'ouvrent que pour les prières.

– C'était une toute petite mosquée, répondis-je, mal à l'aise. (C'est vraiment facile de se laisser aller à en dire trop.) Il n'y avait pas grand monde. Je ne l'ai remarquée que parce qu'une lumière filtrait par la fenêtre.

– Mais les gens là-bas ne t'ont pas demandé qui tu étais ?

– Si. (J'aurais mieux fait de réfléchir avant de me lancer dans cette conversation.) Je ne savais pas trop quoi leur dire, mais ils ont compris que je m'étais perdu. Bon, tu connais mon niveau en arabe.

– Ça leur était égal qu'un inconnu dorme dans leur mosquée ?

– Ce sont des musulmans, dis-je.

L'argument sembla le convaincre.

– C'est vrai, acquiesça-t-il.

Haris se remit à tousser. Une violente quinte souleva la partie supérieure de son corps, tandis que son poing droit dansait par spasmes devant sa bouche. Lorsque ce fut terminé, il retomba sur son oreiller et resta d'une immobilité de mort. De crainte, je priai Dieu. Plusieurs semaines auparavant, Haris était tombé malade, et nous étions partis en quête de médecins, d'examens, de piqûres et de médicaments, mais la maladie avait fini par disparaître. Peut-être avait-il rechuté en m'attendant.

Je me levai et me dirigeai vers le climatiseur. Je le montrai du doigt, pour indiquer que je m'apprêtais à l'éteindre afin que Haris ne soit plus incommodé – ce que je faillis faire – mais plus dans l'idée de vérifier que Haris était encore vivant. Ses yeux, aux trois quarts clos, firent le point sur moi. Pendant un moment, j'attendis au pied de son lit, à côté de la fenêtre et d'un vieux téléviseur qui ne marchait jamais. Il ne me quitta pas des yeux.

– Est-ce que tu as besoin de quelque chose ? demandai-je.

De la main gauche, il me fit au revoir de la main, puis renonça, laissant tomber son bras levé sur le flanc du lit, ses doigts inertes posés sur le matelas. De la main droite, il remonta la couverture roulée en boule et se cacha la tête dessous, découvrant du même coup ses pieds. Je lui subtilisai son tapis de prière, qui était suspendu au pied de son lit, et l'étalai dans le séjour, où je fis ma prière *asr*. Après quoi je m'assis et regardai dans le vide, laissant infuser en moi la connaissance de Celui à qui je venais de parler. Mais le bourdonnement désagréable d'une mouche m'interrompit. Elle se trouvait sur ma droite. Puis elle n'y était plus. Elle était à côté de la table. Puis elle n'y était plus. M'emparant d'une bouteille d'eau qui n'avait pas été ouverte, placée à côté d'une des chaises-citronnade, j'exécutai un brusque mouvement en avant vers la mouche, mais la manquai de quelques centimètres – soit un kilomètre à l'échelle de la mouche.

Bouteille à la main, je m'approchai du balcon. Appuyant le visage contre la vitre, je ne vis pas grand-chose. Dehors, la nuit commençait à tomber et la lumière à l'intérieur de l'appartement m'empêchait de voir à l'extérieur. Sur ma droite, à une trentaine de centimètres seulement, la mouche longeait le verre, ne se rendant pas compte que ce solide transparent lui barrait la voie tant désirée vers la liberté. Dans un déchaînement de férocité qui m'étonna moi-même, je propulsai la main droite en avant et écrasai la bouteille, lourde de tout le liquide qu'elle contenait, sur la satanée petite mouche. Grièvement atteint, l'insecte perdit désespérément de l'altitude. Je lui avais quasiment écrasé tout un côté.

Cependant, elle continua de rebondir sur la vitre pendant sa descente, à la recherche d'un ultime moyen de s'échapper. Pourquoi était-il si difficile de tuer une bête aussi petite ? Chacune de ses tentatives pour fuir produisait un cliquetis dégoûtant, la mouche mutilée se blessant davantage à chaque tentative. J'en frissonnai et m'arrêtai : ses tentatives d'évasion ne faisaient que hâter sa fin. Bien vite cependant, mon sentiment de pitié s'évanouit et l'irritation réapparut. Je frappai à nouveau. Pendant un terrible instant, la mouche fut prise au piège entre ma bouteille et la vitre. Et l'affaire fut entendue. À Dieu nous appartenons et c'est vers Lui que nous revenons. Tout fier, j'abandonnai la bouteille, tandis que l'insecte chutait vers le sol. Mais il était dit que je n'en resterais pas là. Une demi-seconde plus tard, ayant repris la bouteille, je frappais derechef contre la vitre, à plusieurs reprises, étalant tripes et chitine. La mouche n'était pas seulement morte, elle avait pratiquement disparu. Je ne vis plus le moindre signe subsistant de son anatomie, à l'exception d'un morceau d'aile collé sur le flanc de ma bouteille. Basculant la tête en arrière à la manière de Keyf, j'avalai de gigantesques gorgées d'eau, sans quitter des yeux le petit membre broyé de la mouche, à quelques centimètres seulement de ma bouche.

Entre la porte de notre appartement et l'ascenseur s'étendait un couloir presque aussi large que long, avec à une extrémité l'escalier qui permettait d'accéder aux étages supérieurs et inférieurs. Le sol était recouvert d'un béton gris tacheté qui montait le long des murs jusqu'à mi-hauteur, relayé jusqu'au plafond par un blanc fade. Au coin de ce vestibule carré entièrement à nous – personne d'autre n'habitait à cet étage, on pouvait donc bel et bien considérer qu'il s'agissait de notre étage – nous déposions nos poubelles, emportées une fois la semaine par quelqu'un que je n'avais jamais vu. C'est sur ce tas que je déposai la bouteille vide, m'arrêtant un instant pour la voir rouler en direction de l'ascenseur. En me retournant pour rentrer à l'appartement, j'entendis quelqu'un monter les escaliers. Depuis que nous étions ici, nous n'avions jamais rencontré qui que ce soit dans les escaliers, bien que des gens habitassent au-dessus et en dessous de nous.

C'était Azad. Il se précipita vers moi.

– *Salam aleikoum !*

Instinctivement, je reculai et écrasai la bouteille sous mon pied gauche, témoignant bien peu de respect à ce qu'il restait de la dépouille de l'insecte. Étonné lui-même, Azad glissa à reculons dans les escaliers, happé par la pénombre du palier. Lorsqu'il reprit ses esprits, il me dévisagea comme si c'était moi qui l'avais fait tomber.

– Tu m'as fichu la trouille ! fis-je d'une voix rauque.

– Je n'ai pas pensé que tu étais sorti de ton appartement, dit-il dans un arabe parfait, que je trouvais assez facile à comprendre, bien qu'il possédât quelque chose d'étrange. Je suis monté par les escaliers, mais j'ignorais que tu étais dehors, alors nous nous sommes mutuellement effrayés.

L'arabe qu'il parlait n'était pas gouverné par le souci de communiquer, ni même régi par le rythme normal de la ponctuation. On pouvait dire d'Azad qu'il avait moins appris l'arabe qu'il ne l'avait mémorisé. Il me tendit alors vivement la main droite, et la plaça en bonne position dans un craquement sonore du poignet.

– Qu'est-ce que tu fais ici ?

– Tout le monde devait aller quelque part parce que (il fit une pause à cet instant précis) ils étaient occupés, il n'y a pas beaucoup de temps pour nous et moi je n'avais rien à faire, alors je me suis dit que ce serait bien de te rendre visite, savoir qui tu es, et il faut que tu saches que nous voulons te voir. (Une longue respiration, pour une phrase plus courte.) Wanand m'a dit où il habitait et c'est là que tu habites.

Les particularités de sa langue mises à part, j'étais touché qu'Azad ait fait tout ce chemin pour me voir.

– Comment as-tu su dans quel appartement j'habitais ?

– Muhammad me l'a dit, répondit-il en souriant.

– Qui ?

– Le coiffeur. (Si le coiffeur s'appelait Muhammad, alors comment s'appelaient ses apprentis ?) Quand je suis arrivé, j'ai repéré le salon de coiffure aux couleurs vives qui avait l'air occidental, je me suis dit que tu y avais sans doute été. Tu t'es fait couper les cheveux récemment parce que je me souvenais que tu avais les cheveux courts. J'ai demandé au coiffeur s'il connaissait des étrangers et il a dit qu'il y en avait deux, un petit et un grand qui aimait courir et toi tu aimes courir.

Mon visage prit la couleur de la devanture du barbier. Rouge, j'entends. Pas vert.

Mais je pensais à l'Ordre. Et je n'étais pas d'humeur à ce que mon colocataire sorte et se demande ce que je fabriquais avec cet homme entre deux âges, coiffé d'une calotte. Aussi refermai-je en silence la porte de notre appartement.

– Tu aimes le café ? demandai-je. Je connais un endroit épatant sur Jamiat al-Douwal. Pas très loin d'ici.

– Si tu veux, on peut y aller en courant, dit Azad en souriant.

Pendant le trajet, je regardai Azad à la dérobée, essayant de découvrir ce qu'il y avait de kurde dans son physique. Bien entendu, j'ignorais à quoi les Kurdes étaient censés ressembler. Les yeux d'Azad étaient un peu trop turcs, mais à part cela il aurait pu être égyptien. Perdu dans mon analyse, je remarquai à peine qu'il s'était arrêté et se contentait d'observer.

– C'est bon de voir que cette partie du Caire est déjà si moderne.

La notion de modernisme étant manifestement dans l'œil de celui qui regardait.

– C'est très développé, confirmai-je.

Il se retourna pour regarder les bâtiments, mais je lui barrais la vue.

– Il y a une chose qu'il faut que tu me dises, Azad. (Et donc je lui annonçai ce qu'il fallait qu'il me dise.) Ce n'est pas que j'aie envie d'aborder le sujet ici, mais je ne peux pas non plus me promener en faisant comme si nous avions une discussion normale.

– Tu veux dire, en raison de ce que tu as appris à notre sujet ?

– Vous allez vraiment vous donner la mort ?

– Je ferai ce qui est de mon devoir (à nouveau, il marqua un étrange temps d'arrêt) parce que nous devons partir, car il n'y a pas de place pour nous ici. (Il regarda dans la rue, peut-être à la recherche du café dont j'avais parlé.) Le gouvernement va commencer à se fâcher et se mettre à opprimer le peuple encore plus, mais mieux vaut qu'il commence maintenant, parce qu'il va chercher des boucs émissaires, il trouvera les personnes qui ont commencé les guerres, il les trouvera et les ralentira. Alors peut-être aurons-nous une chance.

Azad me prit par le coude et me fit signe de continuer à marcher, ce que je fis, en calquant mon pas sur son allure tranquille. Nous dépassâmes le restaurant Big Boy, habituellement désert, bêtement situé à la mauvaise extrémité de Jamiat al-Douwal, et cherchâmes un endroit où il nous serait possible de traverser. La circulation au Caire est un flot ininterrompu. À chaque fois, je me demandais où tous ces Égyptiens se rendaient.

– Le Caire dont tu te souviens, c'était comme ça ?

– Non, répondit Azad en déglutissant, parce qu'il a disparu.

Faire signe à la serveuse

Au Trianon, je commandai un thé à la pomme – depuis que j'avais visité Istanbul, quelques années auparavant, j'étais obsédé par le thé à la pomme – et Azad choisit la même chose. Une fois que la serveuse eut pris nos commandes et eut disparu, il avoua qu'il ne connaissait pratiquement rien de ce qu'il y avait au menu. Aussi fus-je content, quand nos thés arrivèrent, qu'il apprécie ce qu'il avait demandé. Ensuite, il poussa la tasse en verre au milieu de la minuscule table, l'air perplexe.

Il tapa sur le bois en même temps qu'il parla.

–Je croyais que tu avais dit qu'on allait prendre un café.

–Ah. (Je n'aime pas le café. En fait, je ne supporte pas.) C'est juste une expression, à vrai dire. « Tu veux venir boire un café ? » c'est comme dire « Tu veux venir boire un verre, passer la soirée à discuter avec des amis, se détendre quelque part, sortir de la maison ».

–Eh bien, alors pourquoi tu ne dis pas ça ?

–C'est plus long, tu ne trouves pas ? répondis-je en haussant les épaules. Et puis ce n'est qu'une expression.

–Ça me semble américain, dit-il en éclatant soudain de rire, tu dis une chose et tu en fais une autre.

–Mais il y a des fois... (Étais-je vraiment sur le point de défendre l'Amérique ? Pas trop fort, me dis-je. Je n'avais pas envie de mourir au Trianon.) Tu dis que tu vas boire un café parce que tu ne sais peut-être pas encore ce que tu vas prendre. En Amérique, il y a tellement de choix, et puis c'est facile de changer d'avis parce qu'il y a toujours quelque chose de nouveau, alors tu dis juste « allons boire un café ».

C'en était trop pour Azad.

– Pourquoi aller quelque part si tu ne sais pas pourquoi tu y vas ?

Ma foi, je me suis précipité dans ta mosquée, Azad. Et c'est ainsi que je me suis fait un ami, quand bien même un jour ou l'autre cet ami va se tirer une balle dans la tête.

– Ce n'est pas le café qui compte, essayai-je d'expliquer. (Cela commençait vraiment à devenir frustrant.) Ce qui compte c'est le fait qu'on sorte et qu'on passe du temps avec des amis.

– Alors pourquoi ne pas dire que tu vas passer du temps avec un ami ?

– Je ne sais pas, Azad. (Toutes ces complications pour des mots.) C'est tout simplement plus efficace comme ça, voilà tout.

– Ça semble encore plus américain ! dit-il en frappant la main sur la table, attirant l'attention de la serveuse, à qui je fis signe que nous n'avions besoin de rien – ce n'était pas le moment que sa silhouette vienne me distraire. C'est comme ça que sont les Américains, hein ? Ils parlent de café, parce qu'ils ne veulent pas reconnaître qu'ils ne sont pas indépendants, parce que s'ils veulent passer du temps avec des amis, ils pensent qu'on va croire qu'ils sont faibles. Alors que tout le monde se dira juste que ce sont des gens et qu'ils ont besoin d'amis.

Je poussai à mon tour mon thé à la pomme sur le côté. Ce pays avait beau être tout ce qu'on voulait, jusqu'à nouvel ordre c'était encore le mien. En outre, j'en avais marre d'entendre des musulmans reprocher à l'Amérique ses défauts, ses gouvernements débiles et ses processus de pensée arriérés. Le plus probable était qu'Azad n'avait pas la moindre idée de ce dont il parlait. Tel un prêcheur furibard, il s'adonnait à une sorte de diarrhée verbale. Je décidai que j'allais être l'Imodium.

– Es-tu déjà allé en Amérique, Azad ?

– Non, jamais, répondit-il en souriant. Je n'ai même jamais quitté Le Caire.

– Alors pourquoi t'en prends-tu à l'Amérique ?

– Tu ne viens pas d'Amérique ?

Sa réponse n'était pas des plus pertinentes, mais elle allait peut-être permettre une réponse plus satisfaisante.

– Ouais. Je suis étudiant à l'université de New York, dis-je, comme si cela pouvait l'intéresser.

Cette information ne le laissa pas indifférent. Il eut l'air horrifié et retira ses mains de la table.

– Tu ne te souviens pas de ce qui s'est passé, là-bas ?

– Où ?

– À New York ! (De nouveau, je dus faire signe à la serveuse que nous n'avions besoin de rien, tandis qu'Azad, n'ayant rien remarqué, s'emparait de son thé, il avait besoin de son réconfort fumant.) C'est très triste, ce qui s'est passé à New York, mais ensuite ils ont été tellement furieux qu'ils se sont mis à balancer des bombes partout, à envoyer leurs armées après tout le monde, à chasser des fantômes, à multiplier les invasions, à instaurer des colonies.

– Qu'est-ce qui va se passer à New York ? demandai-je. Est-ce que c'est ce qui détruit Le Caire ?

Il manqua de s'étouffer.

– Après l'invasion de l'Irak, les choses ont empiré, parce que tout le monde a été terriblement déprimé. Beaucoup de gens vont perdre leur foi dans les choses, même la foi dans leur religion, puis la foi en eux-mêmes. L'Amérique va être tellement en colère et violente que le monde entier va prendre peur, et le monde entier va lui tourner le dos. Un jour, ils seront assis dans un café avec énormément de café mais pas un seul ami.

Alphabet atomique

Voulant jouer les bons musulmans, je payai la note et accompagnai Azad jusqu'à la rue où il y avait des taxis. J'attendis patiemment qu'il en attrape un. Généreusement, il me salua d'un *salam* protocolaire et d'une émouvante accolade. Puis je me retrouvai seul, debout sur le trottoir, giflé par la brise artificielle du Trianon, en proie à des pensées exaspérantes. Azad allait se donner la mort, comme ses camarades, pour obéir à son maître, qui s'en irait avec eux. Échaudé à maintes reprises dans le passé par des institutions et de faux amis, je réservai mon jugement. Mais eux étaient des gens bien, emplis d'une lumière frustrée, cuirassés de courage pour atteindre leur but, sans une once de tromperie. Et s'ils disparaissaient, que deviendrais-je ? Je retournerais au monde que je connaissais quelques jours auparavant, pour mener une existence où les solutions des uns constituaient les problèmes des autres, où dominaient des mentalités qui identifiaient spiritualité à vacuité, religion à étroitesse d'esprit.

La mosquée de Rojet pouvait constituer un intermède au milieu d'une monotonie sinon interminable : aller se coucher, manquer la prière, se réveiller, aller en cours, retourner à la maison à pied dans la chaleur, me disputer avec mon colocataire, discuter de la signification des promos du McDo, avaler deux *cheeseburgers*, manquer une autre prière. De temps en temps, je rêvais de ces prières loupées et me voyais en enfer. Il restait encore deux mois de ce régime avant que je rentre. Et ensuite ? Qu'est-ce que je ferais à New York ? Dieu mérite toutes louanges pour Ses méthodes. S'Il souhaitait tracer un chemin jusqu'à nous, Il rendait impossible d'envisager tout autre chemin, jonchant les autres itinéraires de peines de cœur et de maux de tête. Déjà j'en avais marre d'attendre, pour comprendre qu'il ne s'agissait que d'une illusion. Bientôt je serais dégoûté également de l'existence.

Et après ? Que le monde fût vide, c'était une évidence. Que je puisse trouver des lacunes en chacun, et donc toutes les réponses, c'était entendu. Mais pouvais-je trouver des lacunes dans leur attitude à eux ? J'avais trop peur de poser le canon d'un pistolet sur ma tempe, d'être la cause directe de mon départ – pourtant, un saut du balcon me paraissait moins perturbant : une descente précipitée pour sortir d'ici. Si je ne me présentais pas au Trianon les jours suivants, personne ne déplorerait mon absence – pas même la sympathique serveuse. Peut-être se demanderait-on ce qui était arrivé à l'étranger solitaire, on s'interrogerait sous forme de plaisanteries détournées, mais quelqu'un finirait par dire : « Il est rentré chez lui. » Puis on passerait commande. Les gens étaient comme moi : des cercles tournant autour d'axes fabriqués par leurs soins. On choisissait un pivot, on le fichait dans le sol, et on s'y enchaînait. Allais-je moi aussi continuer à rester en orbite ?

Mais l'Ordre ne m'avait pas traité comme un visiteur lambda. Ils m'avaient accueilli comme quelqu'un d'attendu, comme quelqu'un de bon, puisqu'il était venu, quelqu'un de meilleur encore, même, puisqu'il avait répondu aux questions comme ils le voulaient. Ils m'associaient à leur vision de l'avenir, ce qui aurait peut-être pu faire office d'avertissement. Mais moi tout seul, qu'est-ce que mes réactions pourraient faire pour cet avenir ? À moins qu'ils aient voulu que je retourne dans les rets d'une Amérique qui n'allait pas tarder à écumer de rage. Une dernière guerre pour en finir une bonne fois pour toutes – car ce serait la fin de toutes les nations ?

Des signaux nous sont envoyés, des indices, des suggestions, et des avertissements dévastateurs, mais nous ne leur accordons notre attention qu'un bref instant, avant de passer à des choses plus douces, plus sûres, comme le sable dans lequel nous enfouissons nos têtes. La plupart des habitants de Karbala ne sont pas intervenus et ont laissé Houssayn mourir, car il n'était pas suffisamment important à leurs yeux pour qu'ils prennent le risque d'interrompre leur monotonie quotidienne. En 1945, l'humanité vit le pire dont notre espèce était capable. Combattant un ennemi qui avait déjà été, en tout état de cause, rendu inoffensif, l'Amérique ajouta un bonus : un *Fat Boy* et un *Little Man* pour deux villes qui disparurent deux secondes plus tard. Et pourtant, si d'aventure j'interrogeais un Américain à ce sujet, il trouverait bien une justification à cet acte si diabolique que le monde entier vit encore dans cette peur. Et si quelque chose de similaire arrivait aux États-Unis ? À l'époque, bien sûr, ils étaient l'innocence éternelle incarnée. L'auteur du crime : une race bestiale dégénérée qui, de loin, ressemblait à des humains occidentaux.

A a

À NOUVEAU : 1. De nouveau, une fois de plus. 2. Fait référence à un événement s'étant déjà produit, à une période ou un lieu antérieurs.

ALEPH : 1. Première lettre de l'alphabet arabe, probablement dérivée de la représentation d'une vache ou d'un bœuf, comme c'est le cas pour l'hébreu. 2. La lettre qui représente le début.

ALENTOUR (de *à l'entour*) : Aux environs, tout autour. *Hiroshima, Nagasaki et leurs alentours furent détruits.*

Amérique : 1. Se réfère généralement à la principale masse terrestre de l'hémisphère occidental, qui se décompose en deux continents, l'Amérique du Nord et l'Amérique du Sud, reliés par l'isthme de Panama. 2. Plus spécifiquement, la république populaire des États-Unis d'Amérique, une démocratie instaurée en Amérique du Nord sur des terres volées ou achetées à diverses peuplades indigènes qui, pour la plupart, furent réduites en esclavage puis vouées à l'extinction. 3. La première démocratie constitutionnelle moderne. 4. Nation qui vit le jour après la rébellion victorieuse contre l'impérialisme britannique, précipitée par le refus des Britanniques de garantir une représentation populaire au peuple américain. 5. Pays qui, jusqu'aux années 1960, a pratiqué en toute légalité une discrimination fondée sur la couleur de peau des individus. 6. Premier partisan des sanctions contre l'Irak à la fin du XXe siècle, qui causèrent la mort de presque un demi-million de personnes (voir aussi « Terrorisme »/Forme étatique de). 7. Première nation à avoir développé les bombes nucléaires et à hydrogène ; cette dernière également connue sous le terme de bombe H.

H h

Hydrogène : Le deuxième élément.
Hydrogène (bombe à) : La deuxième bombe.
Hypocrisie : Réalité américaine.

E e

E pour « Est-ce que ». Est-ce que les musulmans sont différents ?

Mais ce n'est pas tout. Il y a E, comme dans $E = mc^2$.

Égalitarisme : 1. Doctrine prônant l'égalité sociale, politique et économique entre tous les individus. 2. Au même titre que la liberté et la fraternité, l'une des trois thématiques de la Révolution française. 3. Tendance majeure de la pensée sociale et politique américaine (voir aussi H).

Exception : Ce qui est hors de la règle commune. Faire exception : échapper à la règle. *La bombe A a tué tout le monde sans exception : les riches comme les pauvres, les hommes comme les femmes, les innocents comme les coupables.*

Mais contrairement aux autres, je possède une connaissance qui m'empêche d'ignorer ces éclairs lumineux qui subsistent. Parce que j'ai compris la mort avant de comprendre la vie. Alors que la plupart des individus vivent leur jeunesse comme une période riche de promesses, ou du moins de potentialités, j'avais pendant mon enfance connu la maladie, et n'avais rien eu d'autre pour m'amuser que des veines éclatées, des cicatrices sur la peau, des trous dans les bras, séquelles des piqûres intraveineuses, des choses comme ça. Le premier médecin déclara : « Je suis désolé, mais... » Le deuxième dit : « Vous savez, quand un enfant naît malade à ce point... » Et l'imam avait annoncé : « Les enfants vont au paradis... »

J'avais quatorze ans et les radiations des innombrables rayons X m'avaient irrémédiablement endommagé les os quand le médecin m'annonça qu'il était probable que je ne puisse jamais avoir d'enfants. I comme impuissant. Il est impuissant. Il est inutile. I pour l'islam, aussi. Et E pour Évolution dans l'impasse. E pour Et cetera aussi. J'avais seize ans quand on m'annonça que j'avais un cancer à l'estomac et que mes jours étaient comptés. Mes parents fondirent en larmes : « Il est en train de mourir. À nouveau. » Mais ce n'était pas « à nouveau ». Dès ma naissance j'étais déjà en train de mourir, et toute ma vie j'avais été en train de mourir, chaque jour me rapprochant d'une issue inévitable. La mort faisait partie de moi, je le sentais, comme mes bras, mes jambes, mes yeux et mon esprit. À ce titre, j'étais différent de presque tout le monde.

Il y avait une chose que je savais et qu'ils ignoraient. Une chose qu'Azad et ses collègues en quête de vérité savaient également, quoique sans doute de manière différente. Vivre éternellement, échapper à notre mortalité, c'est le rêve fou qui inspire les tyrans du monde, pas les quelques superbes qui arrivent à trouver la paix – à moins que I soit aussi pour imaginaire et impossibilité. Nous sommes des couards, qui avons non seulement peur de la mort, mais aussi de la vie qui nous y conduira. Nous provoquons la souffrance chez les autres uniquement pour que nos illusions puissent perdurer, ne serait-ce que quelques années de plus. E pour Emerson aussi. Quand on frappe un esclave – qu'il soit l'esclave d'un autre homme ou seulement de lui-même – il faut également le tuer.

Soufi au rayon jus de fruits

Il était presque dix heures du soir. Azad était reparti, j'avais l'estomac gavé d'un mélange de liquides froids et chauds. Il était temps que je rentre à la maison pour ne rien faire jusqu'au coucher. J'aurais pu prendre à gauche, emprunter la route la plus longue mais la plus éclairée, ou à droite, par l'itinéraire le plus obscur, à travers un dédale de rues, ce qui m'aurait fait gagner quelques minutes, mais trop de fantômes étaient tapis derrière les formes sombres des voitures. L'enseigne bleue brillante du Metro attira mon œil – ce qui était certainement sa vocation – et soudain il me revint à l'esprit que je n'avais rien mangé de substantiel depuis maintenant un certain temps. Et Haris non plus. Un mercredi soir, il n'y aurait sans doute pas grand monde, aussi décidai-je de faire rapidement quelques courses.

Je marchai vers le fond du magasin en direction du rayon des boissons non alcoolisées, j'avais envie de boire autre chose que juste de l'eau ou du Pepsi. Mais en pénétrant dans l'allée, je tombai nez à nez avec Rojet, debout devant les jus de fruits, comme s'il s'agissait du plus grand trésor au monde.

Je poussai un juron à haute voix.

– *Wa aleikoum salam.*

Nous nous esclaffâmes tous deux, mais lui en premier, et d'un rire authentique. Je choisis du jus de pommes Enjoy, vendu dans des boîtes en carton rectangulaires assez chouettes. Je pris en plus deux cocktails tropicaux.

– Tu es plutôt assez loin de chez toi, non ? fis-je remarquer.

– Je suis passé voir Wanand, expliqua-t-il. Les choses ne sont pas faciles pour lui.

– Wanand n'habite pas au rayon épicerie d'un supermarché, répliquai-je. (Je regardai au loin, comme si j'avais le don de voir à travers le mur du fond.) À propos, merci de m'avoir sorti de ta mosquée à coups de pied aux fesses.

– Parfois, il est nécessaire de s'éloigner des choses pour ensuite y revenir.

Je me rendis d'un pas tranquille au rayon boulangerie, mais sur les trois boulangers qui nous saluaient habituellement d'un *salam* chaleureux, un seulement était présent. Et celui-ci, le malheureux qui travaillait tout seul un mercredi soir, me gratifia d'un coup d'œil insistant. Cela faisait plusieurs jours que je ne m'étais pas douché, me souvins-je, mais qu'est-ce que cela pouvait lui faire ? Je payais toujours, que je sache. Petits gâteaux, pâtisseries et petites pizzas délicieuses, chacune grosse comme ma main, piquetées de tomates, de légumes verts et d'oignons : mes préférées.

– Est-ce que Azad va savoir rentrer sans difficulté ? demanda Rojet.

– Tu le suivais aussi ?

– Je me faisais du souci pour lui.

– Pourquoi ?

– Je ne sais pas comment ils ont survécu, mais ils y sont parvenus. Non, ce n'est même pas cela. Ils sont demeurés loyaux, et pas une seule fois je ne les ai suffisamment remerciés pour leurs sacrifices, soupira Rojet. N'est-ce pas la moindre des choses que de se soucier de leur sort ? Tu as emmené notre frère dans un café occidental fantastique où, pour lui, les gens sont à moitié dénudés. (Il ne s'attarda pas sur le malaise momentanément occasionné.) Imagine comme cela a dû être bizarre, pour lui.

Plus important, j'aurais dû me rendre compte que cela signifiait que Rojet nous avait observés quand nous nous étions rendus au Trianon. Mais il avait une façon frustrante de transformer les torts des autres en bonnes actions dont il s'attribuait le mérite. Cela était suffisant pour que je lui présente des excuses.

–Je suis navré, dis-je.

–J'expliquais seulement mon inquiétude, répondit-il. Je ne t'en veux pas.

– C'est l'impression que j'ai eue.

– Tu entends ce que tu crois entendre. Ensuite tu te demandes pourquoi je veux que tu te reposes.

C'était peut-être vrai. Alors pourquoi étais-je en train de lui parler ?

–Je suis navré. (À nouveau.)

–Je t'ai déjà dit...

Mais je ne le laissai pas terminer et me rendis au rayon surgelés, commodément situé près de la sortie. Je fus retardé par le rayon laitages, et restai interdit devant les différentes marques de lait. La meilleure était Labanita, presentée en petites bouteilles de forme arrondie, presque entièrement blanches, à l'exception de taches bleues. Quand Rojet m'eut rattrapé, je lui tendis la bouteille, peut-être pour voir si nous étions capables de discuter de sujets moins abstraits.

– C'est bon, ça ?

Mais je me sentis soudain tout bête. Comment quelqu'un de Khan al-Khalili pouvait-il connaître le goût du lait Labanita ?

– Ce n'est pas mauvais, m'offrit-il en guise de réponse. Ça te donnera certainement la diarrhée la première fois, mais tu t'y habitueras, et ensuite tu iras même jusqu'à le conseiller à ton entourage. Avec parcimonie, bien entendu. (À mon grand étonnement, Rojet éclata d'un rire qui couvrit le ronron des réfrigérateurs.) Tu veux savoir comment je connais le goût du Labanita ?

– Tu veux que je t'écoute, mais tu ne veux pas que je sache qui j'écoute.

– Tu as déjà écouté.

– J'écouterai mieux cette fois-ci.

Il croisa les bras sur sa poitrine et tourna le dos aux produits laitiers.

– Après avoir terminé mes études, j'ai travaillé au Caire pendant quelques années. (Il me regarda comme si je risquais de m'assoupir. Ne savait-il donc pas qu'il avait une voix superbe ? Et puis il se mit à parler anglais. Peut-être pour prouver quelque chose.) Finalement j'ai repris les études, pour apprendre ce que j'avais toujours voulu apprendre, mais je n'en avais jusqu'alors jamais eu l'occasion. Je me suis lancé dans l'arabe, et aussi dans le kurde...

– Pourquoi as-tu eu besoin d'apprendre le kurde ? l'interrompis-je.

– Mes parents ont négligé de m'apprendre ma culture et mon héritage. Ils m'ont même envoyé dans une université américaine. On pourrait d'ailleurs dire que j'ai repris les études pour devenir kurde. (Tandis que Rojet avait les yeux tournés vers le passé, occupé peut-être à se demander pourquoi ses parents avaient manqué à leur solennel devoir, je glissai deux jus de raisin presque alcoolisés dans mon panier en plastique.) C'est seulement plus tard que j'ai fait la connaissance d'Abd al-Bari, et que j'ai pu profiter de son érudition. Que Dieu ait pitié de lui.

Ce à quoi je ne pus strictement rien ajouter. Nous étions en train de parler de salut dans l'allée d'un supermarché. Sur ma gauche s'élevaient des tas de boissons non alcoolisées, entassées de manière à attirer l'attention du client de dernière minute. Autrement dit, moi. Comment envisager des mini-pizzas sans Pepsi ? Je pris deux bouteilles d'un litre, et demandai à Rojet si ça ne l'embêtait pas d'en prendre deux autres. Il n'y avait plus assez de place dans mon petit panier en plastique.

Au lieu de quoi, Rojet s'empara de l'un des Pepsi comme s'il s'agissait d'un poisson tout juste pêché.

– Tu viens ici et tu te demandes si on est bien au Caire, pas vrai ?

– Ça paraît toujours bizarre, dis-je en m'approchant de la caisse.

C'est Gihad qui se trouvait à la caisse. Un jeune Égyptien qui aurait dû être pakistanais : avec ses cheveux bouffants, il ne faisait pas un Égyptien très convaincant. À chaque fois qu'il disait *salam*, il fallait que je me force pour ne pas lui répondre en ourdou. Je me penchai pour poser mon panier, pris en même temps mon portefeuille, mais quand je relevai la tête, je vis que Rojet était en train de payer ce que j'avais acheté. Il ne me laissa même pas l'occasion de le remercier.

– Tu devrais mettre tout ça dans un sac, me dit-il.

Nous nous dirigeâmes vers la sortie, moi tenant la moitié des sacs, lui tenant l'autre moitié

– D'accord, Rojet. (Comment devais-je l'appeler ? *Sheik ? Oustad ?* Je haussai les épaules, mais ce fut douloureux. La plupart des boissons, réalisai-je, se trouvaient dans mes sacs. Malheureusement, c'est moi qui les avais choisies.) Je ne veux pas te retenir. Je vais juste rentrer chez moi...

– Je t'accompagne, dit-il, et comme j'étais sur le point de protester, il ajouta : Tu vas tout porter tout seul ?

Euh hum.

– Je pourrais prendre un taxi.

– Tu pourrais tout simplement dire que tu ne veux pas que je t'accompagne.

Oups.

– C'est juste que je ne voudrais pas te faire perdre ton temps.

Mais il secoua la tête en un ample geste de dénégation, et s'engagea sur le chemin le plus court, et le moins éclairé.

Rojet s'invitait chez moi.

Combattre aux côtés des Immortels

– Est-ce que ton colocataire sera là ? demanda Rojet.

La rue se terminait et Shari al-Ghayth commençait, aussi s'arrêta-t-il pour se repérer. J'aurais fait de même si je n'avais pas tenu à bout de bras trois sacs plastique surchargés qui pesaient sur mes mains rougies. Rojet scruta la rue dans un sens puis dans l'autre, mais observa surtout le coiffeur pour hommes, aux couleurs pimpantes malgré la nuit. Dieu merci, il était fermé.

– Haris était endormi quand je suis parti, dis-je en esquissant un pas en avant. Il était souffrant aujourd'hui.

– Je ne veux pas le déranger, dit Rojet.

Cependant, quelque chose me disait qu'il ne voulait tout simplement pas rencontrer Haris. Nous montâmes les marches et arrivâmes dans le hall de l'immeuble qui n'était pas éclairé. Le portier était accaparé par une personne que je n'avais encore jamais vue. Un ami, peut-être. Je me demandai si ses amis arrivaient à le comprendre.

– Veux-tu que je laisse les courses ici ? demanda Rojet.

– Comment vais-je faire pour tout monter à l'appartement ? fis-je en posant mes sacs.

Rojet répondit par une question qui était également une suggestion :

– En demandant à ton portier de t'aider ?

– Ma foi, on pourrait les monter tous les deux.

– Haris sera peut-être réveillé, même si nous n'entrons pas dans l'appartement. Tu devrais demander à ton portier de te donner un coup de main, m'ordonna-t-il pratiquement.

Mais pourquoi le portier ne réveillerait-il pas Haris, lui ? Toutefois, j'avais une petite idée de son raisonnement. Il n'avait pas envie de monter me rendre visite. Il avait été bien sympathique de porter mes sacs jusqu'ici, alors ce n'était pas le moment que je me plaigne.

– Je ne peux pas vraiment demander au portier, reconnus-je. Je ne comprends rien de ce qu'il raconte.

– Je croyais que tu étais venu ici pour apprendre l'arabe.

– J'en suis encore au stade de l'apprentissage.

Je sortis une cigarette pendant que Rojet fit ce que moi je ne pouvais pas faire. En jetant un coup d'œil derrière moi, je vis le portier porter fièrement la main à sa poitrine. Considérait-il Rojet comme un éminent érudit ? Ma foi, ce n'était que justice. Il en avait assurément l'allure. Et sans doute le niveau universitaire, quand bien même je n'avais pas pris la peine de lui poser la question. La cigarette entrait en contact avec mes lèvres quand Rojet revint me voir :

– Il sera ravi de t'aider, m'annonça-t-il.

Mais déjà je me laissais tomber sur les marches, trop content de soulager mes jambes épuisées. Rojet s'assit également, juste à côté de moi, mais il eut du mal à trouver une position confortable. Pendant un moment, il regarda de part et d'autre de la rue, puis fixa ensuite un point devant lui, tâchant de distinguer ce qu'il pouvait discerner.

– Accepterais-tu de rester ici un moment pour m'écouter ? finit-il par demander.

Était-il possible que nous ayons un véritable échange qui ne soit ni un commandement, ni une formule grandiloquente, ni une dispute ? Je me gardai bien de faire ce commentaire à voix haute.

– Sais-tu ce qui est le pire ? demanda Rojet. (Évidemment, il n'attendait pas de réponse à cette question.) Hésiter est la pire chose au monde. Si j'avais pu connaître les effets de ma léthargie, j'aurais vécu ma vie autrement. À moins que ce ne soit que du regret, du genre qui vous empêche de trouver le sommeil, la nuit. (Ou bien nous donne l'impression qu'il n'existe rien d'autre que la nuit.) Le temps que l'Ordre se soit formé, son heure était passée.

Je sentis qu'il se démoralisait soudain. Aussi tentai-je d'apporter un peu de gaieté :

– La route de l'enfer est pavée de bonnes intentions.

– Qu'est-ce que tu essayes de dire ?

Pas grand-chose.

– La route du paradis est pavée de mauvaises intentions (Je m'efforçai moi aussi de sourire, comme lui me souriait.) Je crois que tu n'as pas de souci à te faire.

Sauf que manifestement il était soucieux.

Des larmes apparurent au fond de ses yeux, un mur d'eau qui monta, jusqu'à ce qu'il me regarde à travers une mer larmoyante. Je n'avais jamais excellé dans l'art de traiter les problèmes des autres ; les siens ne faisaient pas exception à la règle. J'envisageai de lui passer un bras autour des épaules, de faire un geste pour exprimer ma compassion, mais ce n'aurait pas été le geste convenable. J'étais jeune et il était vieux. J'étais là pour apprendre, lui pour enseigner. Je parvins à formuler quelques questions maladroites, auxquelles il répondit du mieux qu'il put. Il me parla de l'avenir qu'il avait sacrifié et de la douleur que cela lui avait coûté. Après cela, pouvais-je encore décemment croire qu'il mentait ?

D'ici quelques décennies, l'Ordre de Lumière se composerait de bien plus que de quelques hommes dans une mosquée décrépite. L'Étendue aryenne se trouvait sous le vieux Caire, son seul promontoire étant la flèche qui s'élevait au-dessus de la citadelle : la Tour de Lumière. Pendant pratiquement tout le temps qu'elle avait été là, les nombreux Cairotes qui dominaient le secteur ignoraient jusqu'à son existence, tandis que ceux qui habitaient dans l'ombre de la Tour pensaient qu'il ne s'agissait que d'un imposant minaret. Jusqu'à ce que sonne l'heure de la Compensation sacrée, avec la Promesse du Grand Renversement, quand l'Ordre déploya ses armées.

Des armes encore inédites dans le monde musulman furent envoyées, les bataillons des défenseurs les plus robustes de la *oumma*, les Lumières du Soleil, de la Lune et des Étoiles. Mais l'ennemi demeurait encore trop fort, et l'audacieuse attaque de Jérusalem occupée s'embourba. Ensuite les forces des États musulmans – ou du moins ce qu'il en restait – se rassemblèrent sous un même commandement pour combattre aux côtés des Immortels naguère méprisés. Les robustes commandants de l'Ordre résistèrent en dépit de leur infériorité numérique, usant de stratégies et de tactiques qui leur permirent de procéder à des représailles désespérées. Mais à quelle fin ?

Le plus jeune fils de Rojet, Arayn, fut envoyé à Karachi juste au moment où la ville était bombardée. Les défenses furent décimées et la métropole rapidement vaincue, aussi Arayn s'enfuit-il au nord, vers Kaboul, qui fut également bombardé par les forces armées de l'Inde. Aux dernières nouvelles, Rojet apprit que Arayn avait disparu à Mazar-e Sharif ou dans les environs en essayant de passer au nord, bloqué par la force d'occupation chinoise en Asie centrale. Le jeune homme de dix-neuf ans avait-il essayé de s'échapper au nord pour retrouver les résistants des montagnes dont le nombre décroissait ?

L'année suivante, le fils aîné de Rojet se porta volontaire pour prendre le commandement d'une petite compagnie musulmane en Tanzanie. Il fut également vaincu. Les milices chrétiennes envahirent Dar es-Salaam[1] et capturèrent Orhan. Le dernier soir avant que la prière de Rojet fût exaucée, son

1. Dar es-Salaam : mot à mot, la « Maison de la paix » ; surnom donné à Jérusalem.

fils de vingt-trois ans fut déclaré prisonnier de guerre, le message parvint dans son intégralité avec une demande de reddition sans conditions. C'en était fini. Mais aussi cela n'avait jamais eu lieu. Le lendemain matin, lorsque le Pôle des Pôles s'éveilla, il était allongé dans une mosquée à l'emplacement où la Tour de Lumière s'élançait jadis vers le ciel.

Le retour de Saladin

Un des jeunes apprentis du coiffeur courut à notre rencontre, un ballon de football au pied. Mais il shoota trop fort, le ballon rebondit sur une berline blanche et revint droit sur lui, le faisant tomber à la renverse. Ses amis, jusqu'alors invisibles, émergèrent des ombres en riant avec une furieuse joie enfantine. Le garçon rit avec eux et lorsqu'il me regarda, son sourire lui éclairait encore le visage.

– Pourquoi ai-je su ce qui allait se passer ? fit Rojet en tentant de sourire. (Il attendit que les enfants soient partis, et son sourire disparut aussi vite qu'il était apparu.) On m'a dit il y a bien longtemps que je trouverais un homme qui refuserait la mort. Quand je suis revenu ici, à cette époque – à ton époque –, j'ai compris. Il fallait que j'initie les choses avant qu'elles commencent pour nous. Ton apparition dans notre mosquée en a été la confirmation.

Il n'avait aucune raison d'inventer une histoire aussi abracadabrante, cela n'aurait eu aucun sens. Aussi m'en voulais-je d'avoir menti à cet homme, qui commettait l'erreur de penser que mon désespoir immature pouvait justifier le sacrifice de ses enfants. Aussi cessai-je de mentir.

– Je courais après une fille, Rojet.

Rojet était sorti avec Azad, mais en rentrant, il avait assisté à un spectacle inattendu : moi, en train de courir. Peu de gens connaissaient l'existence de ces ruelles au Caire, dit-il, et parmi ceux qui étaient capables de s'y retrouver, personne ne les arpentait en courant au beau milieu de la nuit. Et comment savait-il que je n'étais pas d'ici ? Parce que je courais comme un Occidental, à pas lourds. Il savait également que Zuhra avait dévié de son itinéraire initial tandis que je la pourchassais, et que rapidement, je courais après du vent.

Cette révélation ayant été faite, Rojet n'avait plus aucune raison de me cacher quoi que ce soit, de dissimuler ce qu'il désirait réellement savoir.

– Tu as certes été honnête avec moi, mais il m'en faut davantage. J'ai besoin de savoir si j'ai tort de tant honorer ta présence.

Les menteurs vont en enfer et les martyrs aux cieux. Un martyr peut-il être menteur ? Ou, pire, un menteur peut-il être un martyr ? Mais en avouant la vérité à Rojet, je lui infligerais ce qui m'avait été infligé. Rojet serait métamorphosé : il passerait du statut de l'honnête homme en deuil à celui de pauvre type misérable de mon acabit. Dire qu'une mauviette comme moi pouvait blesser un saint de son envergure.

– S'il te plaît, dit-il, posant la main sur mon épaule. (Ce n'était pas un simple contact physique qu'il établissait entre nous, mais quelque chose qui allait bien au-delà.)

– J'ai peur de m'avouer qui je suis, Rojet. (Peut-être était-ce la confiance née de notre conversation, ou peut-être était-ce autre chose, mais mon esprit sembla se dissoudre en des fluides qui s'écoulèrent de ma bouche, devenue une sorte de bec dégorgeoir.) Je ne m'autorise pas à dormir la nuit, mais je n'arrive pas à rester éveillé pendant la journée. Je veux accomplir mille choses, mais je suis incapable d'en achever une, car je m'inquiète constamment de la suivante. Je ne peux t'offrir que des réponses comme celles-ci. Je ne sais pas si cela pourra t'être utile, mais...

– Quand tu me dis ce que tu es, tu me dis ce que tu n'es pas.

Ses yeux me suppliaient de poursuivre, pressentant que c'était le début de la crue.

– Je suis né malade et chétif, mais jusqu'à ce jour j'ai été rétif à remercier Dieu pour chacune de mes balades. Je suis profond et superficiel, larron et plein de fiel, arrogant et fringant, timide mais aride, fort en gueule et pas bégueule, perdant et décadent, poétique et ensuite prosaïque, inestimable et méprisable, je rends évidentes les choses les plus complexes. Je veux me noyer sur place mais je commets le péché de rester à la surface, je suis aussi bien optimiste que pessimiste, romantique et sceptique, cynique et tonique, je suis un mystique amoureux du bon sens. Je suis bien plus vieux que mon âge fatidique, un apôtre de la vérité et de l'essence, une aberration amorale, un garçon et une nation, un enfant en colère, domestiqué et fier, un fondamentaliste fédéraliste, un islamiste individualiste – mais refusant de l'admettre. Je suis déprimé, dépressif, c'est le résultat massif de la pression de l'Occident primé sur mes peuples opprimés, l'Orient désarçonné, vaincu, comme les Turcs. Je fus victorieux à Badr mais m'endormis à *fajr*[1], aussi inesthétique qu'un androïde, fort comme un salafi sous stéroïdes. Au paradis je me languirais de l'enfer...

Mais cela ne satisfit pas Rojet ; je ne répondais pas à sa question.

– Le mieux serait peut-être que tu me dises à quoi tu rêves.

– À quoi je rêve ?

– Ce que tu souhaites, précisa-t-il.

– Tout au monde se présente sous forme d'oppositions deux à deux, et je ne peux être heureux sans les deux termes qui s'opposent. S'il y avait moyen d'échapper à cela, je serais l'homme le plus heureux au monde.

---

1. Voir note p. 155.

– Mais la première vie est toujours une barrière qui s'oppose à la suivante, dit Rojet. (Autrement dit, je dois mettre un terme à ma vie pour que cesse cet antagonisme en toutes choses. Mais cela, il ne le dit pas.) Dans ta bouche, ça paraît tellement difficile, alors qu'en fait, c'est très facile.

Facile ? Mais oui. Comme auparavant, les mots sortaient de ma bouche, une avalanche d'eau altérée, pelucheuse, avec une célérité et une harmonie jusqu'alors inimaginables.

– Comment un homme comme moi, qui est tant de choses à la fois, peut-il rêver d'une seule ? Je suis impertinent et imprudent, culotté et effronté, dur et pur, un couard débonnaire, un fanatique téméraire. Je suis incapable de me souvenir d'aujourd'hui et je refuse d'oublier hier, je cherche un sens à tout, ma vocation est de trouver la quintessence en tout. Je juge les gens qui ont l'audace de me juger, pourtant je manque les prières avec régularité. Je lis le Coran à peine et je pleure comme une fontaine. Je baisse les yeux mais je continue à regarder comme je peux. J'écoute de la musique et ensuite j'interdis la danse, j'adore le rythme mais je subis le silence, tout cela parce que je suis un ayatollah sunnite, un alcoolique repenti avec un ventre tellement malade, c'en est misérable. Je suis un million de gens, Rojet, et tous ont accumulé une part de moi trop importante. Je passe d'un extrême au rêve, de la rébellion au pire des conformismes. Une facette de mon esprit peut donc accepter la réalité et l'autre est prise et va me foudroyer.

« Alors je me tourne de tout cœur vers la foi et le côté sombre qu'il y a en moi se met à pleurer, "as-tu osé trahir la cause" ? Et là toujours je fais une pause. Je suis tellement compulsif, abrasif. Je suis trompeur mais en finesse, exagérément génétique, mon héritage typique est comme une richesse, je suis motivé et réactif, énervé et actif. Je suis toujours le premier à tirer, je dérange, toujours paré, ça me démange. Je suis en colère contre ma religion, l'extrémisme me tente, le pessimisme est ma rente, la laïcité me fâche, mais le libéralisme est lâche, je suis conventionnel dans ma pensée, excentrique avec le passé, la modestie n'est pas mon fort, mais sans théologie je suis mort. Je file à La Mecque, je suis dépravé comme la Médine, je sombre sans rien voir tel un *hijrah* inutile, noir comme la Kaaba, abîmé et plus sage pour Ouhoud[2], parfois la vie est rude, sourd à l'appel de *hidaya*[3], liant de nouveaux mes pieds au *bidayah*[4]. Je suis un soufi qui a par mégarde épousé une idéologie. Si j'étais Atatürk, je disparaîtrais avant d'atteindre quarante ans, mais pas moins ; si j'étais sa mère, je me tuerais et réclamerais ensuite son pardon...

A priori, de tels aveux n'étaient pas censés provoquer des éclats de rire de la part de l'auditeur. Mais le simple fait d'être assis à côté de lui aurait dû m'apprendre que je devais m'attendre à tout. Quelques minutes furent nécessaires avant que ses gloussements se tarissent. Et même après, ses yeux furent fatigués d'avoir tant ri.

– Tu as entendu ce que tu viens de dire ? demanda-t-il.

Ma foi, cela faisait tout de même un gros morceau à mémoriser.

– À propos d'Atatürk ?

– Non, non ! (L'effort lui arracha un soupir.) Tout ce que tu as dit.

– Tout ?

– La façon dont ces mots sont sortis de ta bouche. N'as-tu pas éprouvé un sentiment de liberté ?

Mais ce n'était pas de la liberté que je ressentais ; c'était plutôt de l'étonnement. Pendant un instant, je vis dans les yeux de Rojet ce que j'avais vu dans les yeux de ses fidèles – un respect calme, mêlé de crainte. Puis cela disparut.

---

2. *Ouhoud :* montagne près de Médine, en Arabie saoudite. Les premiers musulmans y ont essuyé une défaite, lors de la seconde bataille contre les non-convertis à la nouvelle religion.

3. *Hidaya :* le bon chemin, celui qui mène à Dieu.

4. *Bidayah :* le commencement, le début.

– Moi je te le dis, avec des mots comme ça, tu pourrais probablement changer le monde. Ou te changer toi-même, ce qui est plus difficile, mais mieux.

Et c'est alors que j'entendis quelqu'un crier mon nom. Je regardai sur ma gauche, dans la rue, et vis Muhammad – mon coiffeur – qui faisait de grands gestes à mon intention.

– *Salam aleikoum*, Muhammad.

Je n'aurais pas dû dire cela : c'était un coup à attirer l'attention de plusieurs autres personnes dans la rue. Heureusement, seul le coiffeur répondit.

– *Wa aleikoum salam.*

Après quoi il se mit à baragouiner dans son jargon. Je commençai à essayer d'assembler les mots qu'il prononçait, pour obtenir des expressions qui aient un sens. Rencontré ton ami. Nom bizarre. (En arabe, le nom précède l'adjectif.) Demandé ton adresse. Lui ai dit toi.

Moi ?

– Merci, réussis-je à articuler.

– Il courait, lui aussi, ajouta Muhammad en souriant. Vous aimez tous courir.

Je me tournai vers Rojet et le présentai en entamant un mouvement de rotation du buste :

– Voici l'homme qui a indiqué le chemin à Azad...

Sauf que Rojet n'était pas derrière moi.

Dans mon excitation à présenter mon impressionnant maître et compagnon soufi, je l'avais oublié. Étonnant, que l'intérêt que je témoignais à quelqu'un puisse être si égoïste. Cela ferait un superbe sujet pour le sermon du vendredi, songeai-je. Le problème, toutefois, c'est que l'individu le mieux placé pour prononcer ledit sermon avait disparu. Je jetai un œil dans le couloir, dans la rue, et même de l'autre côté de la rue, mais il avait disparu. Le coiffeur se demandait-il à qui j'avais parlé ? Pensait-il que j'avais un ami imaginaire ? Un ami avec qui, peut-être, je partais en courant.

Le siècle où tout a dérapé

Le portier était une bonne âme, je ne m'étais jamais donné la peine de le reconnaître : les sacs attendaient devant notre porte, soigneusement alignés. J'aurais au moins dû le remercier avant de monter, mais je ne l'avais pas fait. C'était tout moi – toujours tout trop tard. J'ouvris la porte, puis ressortis traîner les courses à l'intérieur. Mon colocataire était installé dans la causeuse, en train de lire un des nombreux livres de philosophie qu'il avait apportés. Un court instant je fus pris de l'envie urgente de lire quelque chose de stimulant, mais cette envie se dissipa lorsque Haris – ayant humé l'arôme caractéristique – demanda :

– Tu as acheté de la pizza ?

Je levai un bras pour confirmer son soupçon. Son visage se fendit d'un grand sourire, on aurait dit qu'il avait mariné dans un bac de produit radioactif. Il irradiait un halo vert similaire aux bouteilles de Gatorade citron jaune-citron vert.

– Des petits pains et des pâtisseries, aussi. (Je soulevai un autre sac.) Il y a du jus de pomme, du soda, et même du faux alcool.

Je lui montrai les deux bouteilles qui ressemblaient à du vin, fier d'avoir pu les acheter en déjouant la vigilance de Rojet.

– Du faux alcool ?

– Tu sais. Ça ressemble à du vin, ça a le goût du vin, mais ce n'en est pas vraiment.

Nous mangeâmes de bon cœur, sans prononcer un seul mot, jusqu'à rincer à l'aide du pétillant égyptien non vinifié les morceaux de croûte et de légumes de la pizza coincés entre nos dents. Qui aurait pu penser que manger en compagnie de Haris de la nourriture achetée au supermarché puisse procurer une telle satisfaction ? Mais parfois, les plaisirs les plus insignifiants nous satisfont au-delà des promesses des plaisirs réputés plus nobles.

Pénétré de cet état d'esprit, je lui demandai :

– Comment te sens-tu, maintenant ?

– Je crois que le repos m'a fait le plus grand bien, répondit-il avant de roter. Je devrais peut-être arrêter de m'inquiéter pour toi.

– Eh bien, le coiffeur, lui, m'a pardonné. (J'indiquai de l'index ma nouvelle coupe de cheveux et ajoutai :) Il m'a même shampouiné. Et gratuitement.

Haris trouva cela particulièrement truculent. Je lui racontai donc l'histoire dans les détails :

– Muhammad – c'est ainsi qu'il s'appelle – a failli m'arracher le bras pour me conduire au pas de course à son salon. Je lui ai demandé ce qu'il voulait, mais il s'est contenté de montrer du doigt mes cheveux. C'est seulement quand Muhammad m'a obligé à mettre la tête en arrière dans le lavabo que j'ai compris qu'il ne supportait pas de me voir avec une chevelure aussi crasseuse et peu soignée. Ça faisait un certain temps que je ne m'étais pas douché et ses apprentis m'ont donné un shampoing qui m'a fait un bien fou, j'aurais voulu que l'eau ne s'arrête pas de couler. Je ne vais pas en cours demain, ajoutai-je.

Si nous n'y allions pas, nous avions un long week-end de quatre jours. Bien sûr, cela signifiait aussi que nous manquions un cours qui nous avait coûté fort cher.

– Tu as d'autres projets à la place ?

– Je me disais que nous pourrions peut-être aller quelque part, demain.

– Et si on entreprenait une excursion touristique ? proposa-t-il.

Il me fit comprendre que c'était le moment de sortir mon guide – ce que je fis, et je me mis en quête d'un site ne figurant pas encore sur les nombreuses pellicules photo.

Mes yeux se fixèrent sur une rubrique repérée par le signe « À voir absolument » : la citadelle de Saladin à l'intérieur de laquelle se trouvait la monumentale mosquée de Muhammad Ali. La mosquée devait son nom au gouverneur du XIXe siècle manifestement ottoman, mais d'origine albanaise, qui était quasiment responsable de la défaite du gouvernement d'Istanbul, et était réputée pour son mélange éclectique de styles européens et de formes islamiques ottomanes traditionnelles. Éclectique, allais-je découvrir, signifiant également hideux.

– Que dirais-tu de la mosquée de Muhammad Ali ? suggérai-je.

– C'est quand même assez loin. Est-ce qu'il y a autre chose à voir, par là-bas ?

– Oui, ce n'est pas ce qui manque, répondis-je en scrutant de nouveau la page. La mosquée se trouve à l'intérieur de la citadelle de Saladin, donc il y a tout un tas de musées et de vieilles mosquées. On peut probablement y passer la journée.

Nous tombâmes donc d'accord.

Haris annonça que le plantureux repas l'avait assoupi, et il se retira dans la chambre, me laissant seul dans ma chaise-citronnade. J'envisageai de me replier moi aussi dans la chambre. Mais je ne m'étais éveillé que quelques heures auparavant et je n'étais pas fatigué. Malheureusement, je n'avais rien d'autre à faire que d'aller m'allonger dans la chambre.

Une migraine fit son apparition, sans que je sache avec certitude si elle était physique ou métaphysique. Dans les deux cas, ce n'était pas bon. Parmi les deux sortes de migraine, une seule pouvait être combattue avec du Tylenol. Et je restai donc ainsi allongé à fixer les murs noirs, l'atmosphère noire, le plafond noir et toute cette noirceur, chaque nouvelle minute annulant la soirée, le délicieux repas et la satisfaction de l'avoir partagé sans qu'il y ait eu de dispute. Mon esprit était mon pire ennemi : à condition de lui accorder suffisamment de temps, il était capable de réduire à néant n'importe quelle défense. Si mes mains avaient été des pistolets, j'aurais tourné le canon de mes doigts sur mon cœur, et fait sauter les pipe-lines qui acheminaient le pétrole jusqu'à mon cerveau, ce diable d'organe qui n'exploitait que son carburant. Le pétrole présente cette caractéristique assez générale qu'il tend à se rendre à la source de grands problèmes.

Enfant malade de parents aisés, j'avais toujours douté de ce qui m'appartenait en propre : mes dons, mes capacités, mes rêves, ma poésie et ma prose s'appuyaient sur une fondation que je ne m'étais pas forgée mais que j'avais trouvée en l'état : les fruits d'un arbre interdit, un éden de banlieue pour la bourgeoisie presque blanche. Ceux qui étaient venus à cette religion de leur propre gré étaient animés d'une foi indéfectible. Chaque avancée étant due à leur intense détermination. Mais ceux qui, comme moi, étaient nés dans l'islam et avaient appris la perfection du passé qui coulait dans leurs veines, étaient confrontés à un héritage pour lequel ils souffraient énormément. La vie n'était pas un voyage vers Lui, comme cela aurait dû l'être, mais synonyme d'insécurité, le genre de sensations que procurent les échecs. Il n'y a qu'une seule chose dont nous puissions être sûrs : nous ne pouvons vivre à la manière de ceux qui nous ont transmis la foi, en nous en confiant la survie. Je préférais encore consacrer la moitié de ma vie à déplacer les montagnes.

Nous autres enfants musulmans de musulmans sommes les enfants nains de géants, effrayés par l'étendue déconcertante des ombres qui s'enracinent dans le passé et se déploient loin dans l'avenir. L'islam nous a été offert et nous devenons fous jusqu'aux extrémités du fanatisme et de la violence pour prouver que nous sommes à la hauteur de ce cadeau que nous n'avons pas demandé et que nous ne méritons pas. Brisés comme un Atlas mal préparé, nous n'étions rien, jaillis de quelque chose que nous pensions être tout. Je doutais que quiconque au Caire eût des pensées bien différentes de celles-ci, dont l'impact était de plus en plus âpre, et qui ne cessèrent que lorsque le parasol du sommeil projeta enfin son ombre engourdissante sur mon esprit. Dieu merci, l'obscurité. L'aveuglement, la surdité et l'engourdissement ne durent qu'un certain temps, et ce néant est mon refuge sacré.

Lorsque Zuhra naquit

Aucun homme ne peut savoir comment il viendra au monde ; aucun homme ne peut savoir de quelle manière, à quel moment et de quel endroit il en repartira, à l'exception de ceux qui détiennent ce savoir de Dieu. Par conséquent, Wanand n'aurait pu deviner que les derniers jours de sa vie seraient marqués par le type de faiblesse qu'il n'avait réussi à surpasser qu'au terme de plusieurs années. Les événements avaient conspiré pour le mener dans une véritable impasse, où le seul moyen d'obéir consistait à désobéir.

Dix-neuf ans avant son retour, Wanand avait épousé une femme du nom de Shanazi. Pendant des années ils s'efforcèrent d'avoir un enfant ; lorsque Zuhra naquit, cinq ans plus tard, ce fut au prix de la vie de sa mère. Mais Wanand n'aurait pu imaginer ce que cela signifiait d'être Zuhra, de comprendre que sa vie n'avait été possible qu'au prix de la vie d'une autre personne. Pas de n'importe quelle autre personne. De sa propre mère. Laquelle, après l'avoir protégée pendant neuf mois, lorsque le monde n'était qu'obscurité, n'avait connu pour toute récompense que la mort. La vie de Zuhra avait été gâchée par une personne sur laquelle elle ne pouvait exercer aucun contrôle : elle-même.

Et puis, l'année suivante, Wanand connut un amour d'une autre nature. Dans la mosquée à côté de chez lui, il entendit un sermon prononcé par un jeune prêcheur prometteur du nom de Rojet Dahati. Après le prêche de Rojet, Wanand lui posa un flot ininterrompu de questions. Aucune ne trouva directement réponse. Toutes, en revanche, furent renvoyées à Wanand.

Cela devint rapidement la norme. Rojet et Wanand passèrent des heures, et ensuite des journées, à discuter, à étudier, et assez vite, Rojet annonça ses projets d'un Ordre de Lumière, visant à rassembler les Kurdes les plus vaillants pour les conduire au salut attendu depuis si longtemps. Wanand était si proche de Rojet, à la fois *oustad* d'une grande piété et ami de confiance, qu'il devint le premier *mourid*[1]. En tant qu'Immortel – car c'est ainsi que les membres de l'Ordre s'appelleraient –, il jura qu'il ferait tout pour que l'Ordre demeure secret. Mais au cours des derniers jours de sa vie, Wanand se rendit compte qu'en prêtant serment il avait commis la plus grosse erreur de sa vie.

La punition encourue lorsqu'on révélait l'existence de l'Ordre était l'expulsion, ce qui n'empêcha pas Wanand de transgresser : il annonça à Zuhra que son père avait rejoint cette communauté, car il savait qu'en tant que Kurde elle comprendrait l'importance d'une telle révélation. Mais lui dévoiler l'existence de l'Ordre n'était pas seulement un parjure, c'était aussi s'exposer à un grand danger. En effet, l'histoire personnelle troublée de Zuhra lui interdisait l'accès au Chemin dans la paix de l'âme. Toutefois, lorsque Rojet eut vent de la transgression commise par Wanand, il ne le punit pas. Au lieu de cela, il garda une certaine distance avec celui qui avait été naguère son ami proche, une distance qui contribua à ce que Wanand commette sa seconde transgression.

Pendant les premières semaines de leur retour, Wanand crut qu'il avait été dépêché à Agouza pour exposer sa fille au passé

1. *Mourid :* terme technique chez les soufis : celui qui veut, celui qui aspire à Dieu.

et à sa modernité, afin que le départ de son père soit plus facile à supporter. Voire pour lui indiquer qu'il y avait encore l'espoir qu'elle persévère, une fois que son père aurait quitté cette terre.

Car Rojet avait présenté une autre requête à son *mourid* : Zuhra ne devait pas accompagner Wanand, pas même jusqu'à l'endroit d'où Wanand s'en irait. Sachant qu'une telle instruction était impossible à respecter, pourquoi Rojet avait-il imposé à son disciple un fardeau sous lequel celui-ci ne pourrait que crouler ? Tandis que son père, et tous ceux qui connaissaient le monde qu'elle connaissait, s'en iraient, Zuhra était censée rester pour que tout se passe bien. Quels choix s'offraient à elle ? Retourner au sein de la communauté kurde du Caire pour retrouver sa mère, qui était plus jeune qu'elle ? Aller à la rencontre de son père qui n'aurait qu'un an de plus qu'elle ?

Comme Wanand s'apprêtait à s'en aller, son *oustad* lui révéla ce qu'il lui avait caché jusqu'alors.

– Mon frère en islam... (Quelle douce formule !) Tiens-toi sur la citadelle du Caire, où notre père Saladin se tint jadis. Tous ceux qui ont besoin de te trouver te trouveront là-bas.

Wanand enveloppa son *oustad* dans ses bras. Les larmes coulèrent, il ne les réprima point, elles mouillèrent sa chemise et glissèrent sur sa peau.

Mais Rojet ne pleura pas.

– Si Dieu est avec toi, il n'y a aucune raison de pleurer.

Mais tant de choses se produisent sans raison.

– Je sais, répondit Wanand. Je pleure pour mon ami. Je pleure car il comptait sur nous et nous l'avons déçu.

– Tu ne me déçois pas, mon ami, fit Rojet en serrant Wanand plus fort. Contente-toi de ne pas décevoir Dieu et tu n'auras aucune raison de pleurer.

Mais les lèvres de Wanand échappèrent à son contrôle.

– Je ne peux pas croire...

– Toutes les choses ont une fin, Wanand. Sinon, comment serait-il possible que quelque chose de mieux commence ?

(Rojet tint la tête de Wanand entre ses mains et l'embrassa sur le front.) Je suis tellement jaloux du chemin que tu vas emprunter et de l'endroit où tu vas. Tu seras un martyr, Wanand. Ne demande pas le pardon uniquement pour toi, mais je t'en prie, implore aussi le pardon pour moi. Choisis-moi, en ce jour où il n'y aura plus d'autre ombre que la Sienne. En tant que professeur, frère et ami, je t'ai aimé, et cet amour ne périt pas, quand bien même le monde dans lequel il aura vécu périra, lui. (Wanand pleura de plus belle.) Tu es le premier d'entre nous à rejoindre Dieu. N'est-ce point là source de joie ?

–Je ne peux pas m'imaginer quitter...

C'était Satan qui murmurait. Et Wanand l'écouta. Ses jambes devinrent de plomb, trop lourdes pour bouger. Mais comme à d'innombrables reprises son *oustad* avait été là pour lui, il fut présent de nouveau, cassant des liens incassables.

– M'aimes-tu ? demanda Rojet en le regardant dans les yeux. Ou aimes-tu Dieu ?

Un mur islamique entre sa fille et moi

Mon colocataire entra dans la chambre, une serviette ceinte à la taille. Pas vraiment ce que j'avais envie de voir en premier au réveil.

– Quelle heure est-il ? demandai-je.

– Onze heures.

Je repoussai les couvertures à la hâte, m'assis sur mon séant et cherchai mes mules. Haris cherchait lui aussi, mais c'est de vêtements dont il avait besoin. Ses cheveux noirs mouillés gouttaient sur le carrelage poussiéreux de la chambre.

– Tu te lèves tard, fit-il remarquer, emportant un paquet d'habits dans la salle de bains. (Du bout du couloir, invisible donc, il ajouta :) Je me suis levé il n'y a pas longtemps, mais moi j'ai pris ma douche. (Merci pour le renseignement.) On devrait y aller sans trop tarder.

– Ouais, soupirai-je. (Cela signifiait qu'il allait à nouveau falloir que je me douche en quatrième vitesse, alors que mon corps réclamait un solide décrassage.) J'espérais me réveiller plus tôt.

Me laver les dents me procura un sentiment sensationnel : à chaque frottement, j'éprouvai la satisfaction d'enlever un peu de la saleté qui s'était accumulée dans ma bouche depuis mardi. Je m'y repris à plusieurs fois pour me frictionner le visage, retirant à chaque fois une couche supplémentaire de saleté ou de peau, sans d'ailleurs être capable de distinguer l'une de l'autre. Je m'octroyai le luxe d'une douche de dix minutes, car j'avais manqué une journée – deux, en fait – mais un quart d'heure eût été exagéré. Je terminai le grand nettoyage en m'aspergeant tout le corps de déodorant, craignant d'être à nouveau privé d'hygiène, contraint d'empester.

Au moins grâce à moi, le couloir sentait bon.

Comme nous arrivions tranquillement dans le vestibule de l'entrée, le portier monta les marches à notre rencontre. Il me regarda, s'absorba dans une pensée profonde, puis se tourna vers Haris en grommelant qu'il y avait quelque chose d'urgent.

– Il a cru que nous avions loupé notre taxi. (Haris montrait du doigt la rue où le taxi avait attendu. Sauf qu'il n'était plus là.) Je suppose qu'il s'est posé des questions, il a dû demander au chauffeur pourquoi il était garé devant notre immeuble.

– Et alors ?

– Le taxi attendait des clients pour les emmener à la citadelle.

– Mais c'est là que nous allons !

– Bravo, fit Haris, sur un ton victorieux. Enfin bref, il a pensé que c'était notre taxi. Alors qu'en fait le chauffeur était là pour d'autres clients.

Au sourire de Haris je sus qu'il allait m'annoncer quelque chose.

– Ta petite copine, *yaar*, fit Haris en éclatant de rire avant de dévaler les marches.

Nous passâmes l'essentiel du long trajet à regarder par les vitres du taxi, appréciant le développement anarchique du Caire. Cela m'ennuyait. Mais ce n'était qu'un moyen d'éviter de penser à ce qui m'ennuyait réellement. Haris se fichait-il de moi ?

Il ne me laissa pas le loisir de lui poser la question.

– Tu sais, commença-t-il...

– Attends, l'interrompis-je. Est-ce que tu as pris tes clés ?

Il tâta sa poche latérale et m'annonça que oui.

– Je voulais juste vérifier, parce que moi j'ai oublié les miennes. (Je n'avais sur moi que mon passeport bleu. Puis je repris le fil de la conversation.) Tu disais ?

– Je me disais juste que c'est la pire heure de la journée pour sortir. (Haris m'invita à regarder de nouveau par la fenêtre.) Aller dans le désert en plein milieu de journée. On doit être un peu débiles.

Tout comme un certain architecte.

La mosquée de Muhammad Ali était située sur le plus haut point de la citadelle, dominant Le Caire qui s'étalait au loin. Nous ne pouvions distinguer tout au plus qu'un horizon flou sur lequel se découpaient les édifices les plus hauts. Quant à la description de notre guide touristique, elle n'était que partiellement correcte. Si la mosquée présentait effectivement « un mélange architectural rare de Turc ottoman et de XIXe siècle occidental », elle était également disgracieuse et fort vilainement outrée. Le triste signe d'une créativité brusquement tarie.

Haris fit la grimace.

– C'est la mosquée la plus laide que j'aie jamais vue, dit-il.

Nous rejoignîmes le cercle du Coran juste après les prières de midi, quand bien même je n'avais aucune envie d'y prendre part. En outre, comparées aux dernières prières de groupe auxquelles j'avais participé, que pouvais-je espérer de celles-ci ? Haris, en revanche, dans sa candeur, attendait impatiemment de réciter ses prières de tout cœur. Sans doute parce qu'il les prononçait sur un ton mélodieux et splendide, alors que les miennes n'étaient que de l'arabe écorché par un accent américain trop gouleyant. Aussi, tandis que Haris s'asseyait, je me dirigeai vers le musée, lui promettant de le retrouver une heure plus tard à l'entrée principale. Entre mon point de départ et la destination que je m'étais choisie se trouvait un parc dépourvu de la moindre trace de verdure. Je n'en étais même pas à la moitié lorsque je les aperçus, assis.

Installés sous le seul arbre, face à La Mecque. Le regard de Wanand croisa le mien et se déporta sur le côté, ce qui était une manière de m'inviter à le rejoindre. Je m'approchai en traînant les pieds. Aucun agent de police n'était en vue. Seuls quelques touristes essayaient d'échapper à la chaleur. Pourquoi cherchais-je des étrangers ? Wanand me fit asseoir à côté de lui, de manière à former un mur islamique entre sa fille et moi. Je pense que Zuhra voulut poser une question (en l'occurrence : pourquoi étais-je présent ?) mais elle détourna la tête avec indifférence, en direction de la mosquée sans attrait.

– Tu es prêt ? demanda Wanand.

Pensant que la question était destinée à Zuhra, je restai silencieux. Jusqu'à ce qu'il pose à nouveau la question.

Prêt pour quoi ?

– Je visitais juste la mosquée, je m'apprêtais à aller voir le musée. Je ne savais pas que tu attendrais...

Wanand m'interrompit en faisant preuve d'une frustration palpable.

– Mon heure est venue ! *Bas*[1] *!*

L'heure de partir. Son heure avait sonné. Boum. Bam. Ou je ne sais quel bruit faisait la personne qui quittait sa vie. Je le sentis dans le fond de ma gorge, de l'acide brûlant mettait au supplice la base de ma langue, alors que Zuhra incarnait les délices d'un portrait impassible. Quand son père se leva, elle l'imita, et je me levai en dernier, les observant qui s'éloignaient vers quelque endroit paisible de la citadelle où il n'y avait ni gardien ni touriste.

– Où allez-vous ? demandai-je.

La réponse de Wanand fut sobre :

– Nous nous en allons.

1. *Bas ! :* « Ça suffit ! », en arabe.

Haris

J'espérais contre tout espoir. Peut-être s'était-il perdu au musée. Mais vu que le musée était assez petit pour que je le passe deux fois de suite au peigne fin, c'était peu probable. Avait-il vu Zuhra quelque part et décidé de s'en aller avec elle ? Je n'étais pas optimiste. Je ne pensais pas qu'il se fût absenté pour conter fleurette pendant quelques heures à une belle. Il se passait autre chose. Je regardai une fois de plus à l'extérieur de la citadelle, mais il n'était pas parmi les touristes.

Ma consternation attira l'attention d'un policier à la tenue impeccable qui m'intercepta alors que je faisais mon deuxième tour.

– Il y a un problème ?

– Je cherche quelqu'un... (Et sans attendre, je répondis à la question suivante.) Mon ami pakistanais.

Puis ma voix se fit plus fluette, en partie parce que j'étais soucieux, en partie parce que j'avais la certitude que l'agent n'avait pas vu mon colocataire. Pourquoi me faisait-il systématiquement des coups de ce genre ?

– *Salam aleikum*, annonça le policier. Je m'appelle Mahmoud.

– *Wa aleikum salam*. Je suis Haris.

Mahmoud présenta ensuite son ami qui s'approchait, Marwan, lui aussi policier. Ils auraient pu être cousins. Pendant que Mahmoud expliquait ce qui m'arrivait, Marwan secoua la tête. Je fis un grand effort pour tâcher de les distinguer.

Marwan sourit.

– On doit pouvoir t'aider.

– Comment ça ?

– Je crois avoir vu ton ami, dit-il. (Je lui demandai où, et il indiqua l'entrée de la citadelle.) Mais il est parti il y a une heure environ, peut-être davantage.

– Il est parti ?

Marwan opina.

– Il a pris un taxi. Il a été pris juste ici, dit-il, s'interrompant pour indiquer de nouveau l'entrée de la citadelle. (C'est ce policier qui aurait dû nous servir de guide.) Je ne l'aurais pas remarqué s'il n'avait eu l'air complètement effrayé. Ou alors il était peut-être en retard pour quelque chose. En tout cas, il était rudement pressé de s'en aller.

– Était-il avec une jeune fille ?

– Non, il était seul.

Effectivement, voilà qui ressemblait à mon colocataire.

Je ne pouvais certes pas en être certain, mais il était probable qu'il s'agisse bel et bien de mon colocataire, lui qui excellait dans l'art de faire n'importe quoi. Je remerciai donc Marwan et Mahmoud et fis mine de partir. Mais Marwan m'arrêta en m'attrapant le bras, comme s'il avait voulu me secouer brutalement la nuque.

– Où allez-vous ?

– Je rentre à mon appartement, répondis-je. C'est certainement là qu'il est allé.

Marwan me demanda d'attendre. Je ne m'en réjouis guère, mais il n'était pas question que je conteste les ordres d'un policier égyptien. Surtout en Égypte.

Lorsqu'il revint, lui et Mahmoud souriaient.

– Ça te fera gagner du temps, annonça Mahmoud, de monter dans notre voiture.

– Il ne faut pas que vous vous sentiez obligés de...

– Tu viens du Pakistan et tu pries dans notre mosquée.

Il jeta un regard oblique au drapeau égyptien qui flottait près de l'entrée.

– Ces pays n'ont pas d'existence réelle. Ils nous ont été imposés. Alors, ne discute pas, allons-y ensemble.

Il prit mes mains dans les siennes et resta dans cette position.

Le moment n'était peut-être pas choisi pour lui avouer qu'en fait, nous avions manqué les prières. Et que j'étais originaire d'Inde.

Le fleuve des musulmans martyrisés

La tête calée contre la vitre, j'observai les vies des Égyptiens encore vivants : un film au ralenti, sur fond plaintif de moteur japonais ; le premier plan paraissait falsifié, le second plan étranger, comme tous les aspects de nos existences, soit artificiel, soit importé. Aucune de ces personnes à l'extérieur, ni même le chauffeur de taxi qui me ramenait à la maison, n'aurait à oublier la tête de Wanand, qui avait enflé puis s'était dégonflée. Je baissai la vitre pour laisser entrer un peu d'air, en espérant que l'odeur de la modernité masquerait celle de vomi que j'avais encore sur moi. Après m'être assuré que le chauffeur ne regardait pas, j'essuyai le sang séché de mon bras sur ses sièges noirs, probablement en plastique.

Nous nous étions retrouvés tous les trois dans la citadelle, formant une sorte de triangle – si ce n'est que ce triangle-ci avait un centre. Wanand avait sorti un petit pistolet argenté de sous son *thobe*, sur lequel ricocha une fois le soleil, une fois seulement. Peut-être ai-je suffoqué. Au moment où il porta l'arme à sa tempe, peut-être. Je voulais qu'il se retienne, qu'il réfléchisse à nouveau, qu'il apprécie la gravité de l'instant une fois encore et reconsidère sa décision, plutôt que d'achever sa vie dans le flou d'un coup de feu. Mais il n'y avait rien entre le pistolet qu'il venait d'exhiber et son crâne, à l'exception d'un regard d'amour qu'il lança à Zuhra et une prière murmurée, tout cela exécuté en un enchaînement de gestes automatiques. Il ne fallait pas regarder, me dis-je, mais tout se passa si vite que je ne pus détourner la tête.

Le doigt de Wanand éloigna la détente de sa tête. Un bref temps d'arrêt, suivi d'un seul déclic, l'unique son de la terre entière, qui se perdit rapidement dans le bruit de détonation d'une balle propulsée dans sa cervelle. Dans la même seconde, son visage gonfla et se ratatina, m'envoyant par terre à la renverse, tandis que des bouts de crâne retombaient en pluie tout autour. Par contraste, Zuhra se montra parfaitement impassible, et je me sentis bien irrespectueux à maculer mes mains et mes bras de vomi. J'ai dû à nouveau trébucher au sol. Je me suis retourné pour regarder. J'ai dû essayer de m'en aller, pris de haut-le-cœur, en toussant. Je n'avais encore jamais vu un homme mourir. Ni une femme : je ne la vis que pour la voir partir, l'arme contre sa tempe, puis elle fut à terre. Elle était trop jeune. Elle aurait dû rester.

Allah Hafiz, Zuhra.

Bon sang, j'aurais dû fermer les yeux.

Et maintenant mes yeux ne pouvaient plus se fermer. Un embouteillage sur la corniche me bloqua non loin de l'appartement, ce qui aurait pu être une bonne chose. Plus j'y pensais plus j'en étais sûr : il serait impossible de regarder Haris dans les yeux. Pas après ce qui venait de se passer. Il faudrait que je lui dise pourquoi j'étais reparti sans lui, et alors il saurait. Il avait toujours su. Il savait ce que je pensais et quand je mentais ; il sentait ce genre de choses. Dehors, des bancs disséminés, des lampadaires très ornés et un trottoir bien entretenu, et soudain une pente abrupte vers le Nil, en contrebas, qui paraissait presque immobile. Mais cependant plus mobile que nous.

Mon chauffeur se retourna, faisant trembler les bourrelets de graisse de son visage.

– On n'a jamais eu autant de circulation.

Mais le bougre connaissait son affaire. Il avait emprunté cet itinéraire pour augmenter le prix de la course. Et j'avais l'esprit trop en ébullition pour m'inquiéter d'une si médiocre arnaque. Je fis donc tomber quelques billets froissés sur le siège avant. Je sortis sans prononcer un mot de plus, me faufilai entre les taxis immobilisés, et me dirigeai à pied vers le Nil. J'avais besoin de calme, mais je ne pus apprécier les eaux impavides. Des Cairotes circulaient de toutes parts sur les trottoirs, s'exprimant presque par cris. Ils étaient aveugles. Pas seulement en raison de leurs vêtements d'un goût douteux et aux couleurs tapageuses, mais parce qu'ils ne voyaient pas ce qui leur était arrivé. Chacun méritait qu'on lui hurle à l'oreille, cependant mon laïus n'aurait déboussolé personne. Une gifle peut-être, mais ils n'étaient que parlottes. Ils auraient poursuivi leur chemin. Une balle dans la tête peut-être. Sauf que je n'avais pas de pistolet.

Je ne doutais pas qu'il y ait eu jadis un pays appelé Égypte. Simplement je me demandais où il était passé. Des immeubles étrangers, rationalisés jusqu'à atteindre une perfection standardisée hideuse, éclipsaient pratiquement tous les minarets de la ville, à l'exception d'un ou deux encore à la traîne ; leur heure assurément ne tarderait pas à venir. Ce qui restait encore était recouvert d'autoroutes, cachant à la vue ces sables qui avaient naguère fait partie intégrante du peuple, chaque sentier conduisant à son paradis passé avait subi les assauts des bulldozers. On avait changé d'ère. Et qu'avions-nous fait ? Nous avions manqué la grande époque, nous avions même loupé la plupart des occasions de la manquer, si bien que nous nous trouvions où j'en étais aujourd'hui : à me demander dans des langues archaïques à quoi bon continuer.

Mais si ceci était le destin, alors à quoi bon le remettre en question ? Après tout, le Nil n'aurait pas eu l'idée de demander à Dieu pourquoi il s'écoulait du sud vers le nord. Les fleuves ne sont pas aussi présomptueux que les musulmans : le Nil faisait ce qu'il avait à faire, ses eaux glissaient dans un lit creusé au temps jadis pour se jeter dans le grand lac occidental dans lequel il disparaissait, conformément à un plan datant d'un temps révolu. Par ici, si près de l'embouchure, il étouffait sous la pollution, et ce n'était guère que du fuel que crachotait un pont athée promettant encore potentiel et prospérité. Naguère d'un bleu somptueux, serpent tonitruant à la peau tissée dans le ciel matinal, il était désormais d'un vert régurgité, empli des résidus des maladies attrapées au fil de son histoire. Il eût été bien préférable qu'il achevât sa course au Soudan. Mais le fleuve allait trop loin, ses efforts étaient par trop artificiels, et devant moi, à proximité du pont du 6 octobre, je vis pourquoi le monde musulman avait besoin de répit. Animés de l'envie de vivre, mais héritiers d'une gloire passée, nous ne pouvions accepter le fait que nous avions disparu au profit d'une autre civilisation. Avions-nous parcouru plus de six mille kilomètres pour nous déverser dans une mer appartenant à quelqu'un d'autre ?

Comme Karachi, Kuala Lumpur, Istanbul et Beyrouth – et la liste est infinie –, Le Caire frappe l'observateur comme étant une ville qui ne sait à quel monde appartenir. Et ses enfants, les Cairotes, qui se reproduisent à une vitesse vertigineuse, ne le savent pas davantage. Peut-être admettront-ils qu'ils ont été conçus pour être noyés. En bons musulmans ils mourront étouffés avec le nom de Dieu sur les lèvres. Il est possible que certains d'entre eux annoncent que se noyer est un destin enviable et acceptent le renoncement avec tout l'enthousiasme dont un être humain est capable dans une telle situation. Vais-je trop loin ? Je vois les gamins, je vois qu'ils sont déjà très loin, ils ont dépassé Alexandrie depuis belle lurette pour se jeter dans la Méditerranée, les vagues clapotent sur les berges de la Côte d'Azur, lèchent l'Europe comme des chiens désespérés, si contents de voir leurs maîtres qu'ils leur bavent dessus. De temps en temps, ils ont droit à une caresse sur le dessus de la tête.

Les mômes issus des milieux aisés du Caire s'habillent à la mode occidentale, mais ce n'est pas le vêtement qui fait mal. C'est le regard dans leurs yeux. S'ils arrivent à respirer, c'est grâce à leur apparence. Et ils le savent. Je suis certain que les Cairotes adoreraient que quelqu'un les extirpe du Nil et les propulse dans le ciel. Mais ils ne volent pas. Il est trop tard pour eux, à présent. Les eaux les maintiennent au-dessus de la surface. La Providence leur a fait cadeau de la respiration. Et le courant les tire par les pieds, les rapprochant du nord. Ils ne peuvent pas faire grand-chose, hormis soupirer et apprécier la vue.

– *Maak flous*[1] ?

C'était un mendiant, quémandant une petite pièce. Tout en lui faisant signe de s'écarter, j'aperçus Keyf Khoshi, seul à un coin de rue. Je courus aussi vite que possible, mais Keyf regardait dans une autre direction. Étonnant, qu'un grand type au teint mat s'agitant au milieu de véhicules jaunes et noirs collés au sol comme autant de guêpes n'ait pas attiré son attention. Mais il avait l'esprit ailleurs. Et il tenait un pistolet à la main. Derrière moi, le mendiant réclamait de l'argent à un autre passant. Probablement à un de ces couples se tenant par la main, regardant par-dessus leurs épaules pour voir si leurs parents n'étaient pas dans les parages, parmi les autos immobilisées. Et pendant tout ce temps, mon chauffeur s'en voulait d'avoir pris le chemin le plus long.

Keyf était en train de s'en aller. J'arrivais sur la dernière file lorsque sa tête implosa, et immédiatement après un panneau publicitaire Pepsi se détacha. Cela, mais surtout le coup de feu un quart de seconde plus tôt, provoqua une course panique généralisée parmi les piétons, personne ne sachant véritablement où se précipiter. Des chauffeurs de taxi surgirent de toutes parts, laissant les clés sur le contact et les portières grandes

1. *Maak flous ?* : « Est-ce que tu as un peu d'argent ? », en dialecte égyptien.

ouvertes. J'en conçus une formidable fierté, ce genre de fierté que l'on éprouve lorsqu'on estime être à l'origine de quelque chose de significatif. Mais mon statut de simple mortel me fut rappelé bien vite lorsque le Pepsi sans caféine s'effondra. Je me projetai en arrière sur le capot du taxi. La chaleur du moteur me brûla le dos. Je me redressai d'un geste vif en pivotant sur moi-même et tombai sur la chaussée, me protégeant la tête de mes bras tremblants.

Haris

Nous pénétrâmes dans un petit fourgon de police de marque européenne, sans doute rapide, peint du blanc réglementaire et d'un bleu rassurant. Marwan conduisait, Mahmoud assis à côté et moi à l'arrière. Nos portières claquèrent à l'unisson, en une harmonie qui m'arracha un bref sourire. Puis la sirène se mit à rugir, Marwan écrasa l'accélérateur et nous filâmes sur les routes, laissant derrière nous le désert pour pénétrer la banlieue, slalomant entre des autos trop contentes de se laisser doubler. Tâchant de m'occuper à de menues tâches pour ne pas sombrer dans la panique, je me mis à vérifier que je n'avais rien oublié. Portefeuille ? Oui, je l'avais. Clés ? Zut, les clés !

– Il n'a pas ses clés ! dis-je.

– Alors il ne pourra pas entrer ? s'étonna Marwan, presque aussi paniqué que moi. Est-ce que vous pouvez appeler quelqu'un pour l'aider ?

Il n'y avait qu'une seule personne.

– Mon ami...

Marwan plongea la main dans sa poche et en sortit un téléphone portable. Je composai le numéro et attendis deux sonneries. Rehell décrocha.

– Rehell, fis-je. C'est moi, Haris...

– *Salam*, l'ami, *izzayak*[1] ?

Ce n'était pas le moment. Je répondis en anglais, ce qui me fit soudain réaliser qu'il était sans doute préférable de ne pas impliquer les policiers dans notre conversation, aussi amicaux qu'ils aient pu paraître. Ils n'en représentaient pas moins un gouvernement qui ne m'inspirait pas du tout confiance. J'annonçai donc à Rehell que j'étais avec des agents de police, mais qu'il n'y avait pas lieu de s'inquiéter : ils me prêtaient main forte, et un téléphone, et me ramenaient chez lui. De là, nous réfléchirions ensemble à la situation. En l'occurrence, où donc mon colocataire était-il parti ? Et qu'est-ce qui l'avait fait fuir sans me prévenir ?

Grâce aux gyrophares, nous réalisâmes un très bon temps. Mais lorsque nous arrivâmes, Rehell n'était pas devant son immeuble, ce qui me parut étrange. Marwan et Mahmoud acceptèrent de rester dans la voiture pendant que je gravissais en courant les quatre volées d'escalier. Rehell était juste devant sa porte, il discutait à voix basse avec Mabayn.

– *Salam*, Haris, fit Rehell sans l'esquisse d'un sourire. Voici Mabayn, ton colocataire pakistanais.

Hein ?

– Quoi ?

Rehell m'attrapa par les épaules et me secoua.

– Nous avons déjà pris la décision : Mabayn va descendre avec toi et dire aux flics qu'il est ton colocataire. D'accord ?

– Qu'est-ce qui te fait dire qu'ils vont gober ça ?

Mabayn intervint :

– Il faut que les policiers s'en aillent, Haris.

J'avais envie de demander pourquoi. Mais ils semblaient possédés.

---

1. *Izzayak ?* : « Comment vas-tu ? », en dialecte égyptien.

– Il faut qu'ils s'en aillent, Haris. Et maintenant, dit Rehell en me poussant vers les escaliers. Ils ne feront pas la différence. Dis-leur juste qu'il est rentré par ses propres moyens.

– Que je leur dise quoi ?

– Vas-y ! Trouve une raison en descendant, nom d'une pipe.

Mabayn et moi sortîmes ensemble. Mahmoud se pencha par la fenêtre et prit la parole en premier :

– C'est ton colocataire ?

Parfait. Des messages urgents leur arrivaient par radio et ni Marwan ni Mahmoud ne paraissaient beaucoup s'intéresser à moi – ils semblaient avoir d'autres chats à fouetter. Je commençai à expliquer ce qui s'était passé – Mabayn était malade, il était venu ici parce qu'il n'avait pas les clés et ne voulait pas rester tout seul, mais ils s'en contrefichaient.

Une fois qu'ils furent partis, j'exigeai de Mabayn une explication.

– Remontons, Haris.

Il s'engagea dans les escaliers sans m'attendre. À vrai dire, il remonta littéralement au pas de course, oubliant que j'étais derrière lui. En arrivant chez eux, je vis Mabayn juste devant la télévision, décidé à ne pas louper une miette de ce qui se passait sur le petit écran. Al-Jazira prévenait le monde arabe. Les corps d'un homme d'une cinquantaine d'années et d'une adolescente avaient été retrouvés à la citadelle. Ils s'étaient donné la mort par balle. À ma grande horreur, ils montrèrent les corps, et je les reconnus immédiatement : Zuhra et son père, Wanand, échoué à ses côtés.

– C'est justement là que vous étiez, non ? demanda Mabayn.

Je sentis le bras de Rehell sur mon épaule, mais avant que je puisse réagir, d'autres nouvelles furent annoncées : des témoins faisaient état de l'explosion possible d'une bombe à l'un des principaux croisements de Doqqi, à hauteur de la corniche.

Autrement dit, tout près de notre appartement, au sud. L'exactitude des faits n'était pas établie, les envoyés spéciaux n'étaient pas encore arrivés sur place. Ils étaient sans doute à l'instant même en train de quitter la citadelle. Marwan et Mahmoud étaient peut-être en train de se faire réprimander pour avoir abandonné leur poste à un moment aussi crucial ; ou alors on leur demandait peut-être de rallier Doqqi au plus vite. Quelle que soit la situation, la police du Caire allait condamner les principaux axes de la ville, ériger des barrages routiers, imposer le couvre-feu, organiser des descentes dans les mosquées et arrêter des véhicules. En l'espace de quelques heures, l'Égypte serait sens dessus dessous.

La fierté des Kurdes

Kibr passa le dernier après-midi de sa vie persuadé que tout se déroulait conformément aux plans de l'Ordre. Wanand avait fait offrande de sa vie à la citadelle ; on ne pouvait reprocher à Rojet la disparition de Zuhra : il avait fermement ordonné à Wanand de ne pas l'emmener avec lui. Keyf Khoshi s'était donné la mort à un important croisement de la ville choisi par Rojet ; la panique qui s'en était suivie avait obligé les services de sécurité à interdire à la circulation les rues alentour, sectionnant ainsi la ville du Caire entre la moitié nord et la moitié sud.

Dans le sillage des actes commis par l'Ordre, les pauvres allaient enrager. Systématiquement mis sur la touche par le gouvernement, ils seraient furieux de constater qu'une fois de plus, ils avaient à subir la répression par lui imposée. Le monde moderne, pendant ce temps, serait terrifié. Ces actes trahissaient-ils l'instabilité de l'Égypte ? Allaient-ils perdre leur argent et leurs propriétés pour cause de révolution et d'anarchie ? Sans parler de l'industrie touristique, pour laquelle ce serait un revers terrible, voire fatal. Apeuré, le gouvernement remonterait toutes les pistes sans en négliger aucune. Au fil des enquêtes, des suspects imprévus seraient découverts, des dingues attendant de commettre les horreurs qui avaient présidé à la formation de l'Ordre de Lumière. Mais les Immortels eux-mêmes auraient disparu bien avant que le gouvernement soit capable de les identifier.

Rojet retourna à la mosquée pour y retrouver Kibr et Azad, afin de partager avec eux leurs dernières heures. Il revenait juste d'une marche en plein midi dans le dédale de rues sans noms enterrées au-delà de la mosquée de Sayyidna Houssayn qui constituait le quartier kurde du Caire. Depuis son retour au Caire, c'était la seule fois que Rojet se trouvait au grand jour, et il prenait tout à fait la mesure des conséquences de ses actes. L'observant par les fenêtres, les anciens tout comme les jeunes de la communauté kurde se demandaient qui était cet homme, cet homme qui marchait si effrontément devant leurs maisons. Et ils avaient beau être invisibles à ses yeux, ils se redressaient, appréciant en silence un homme dont la dignité islamique n'était pas seulement préservée – alors que tant de musulmans ces temps-ci, hommes et femmes, se contentaient de se tenir fièrement sur la défensive sans aller au-delà – mais qui véritablement rayonnait. Aucun ne sortit pour le saluer, le suivre, voire le questionner.

Mais il s'était fait comprendre.

Pendant les quelques heures qui suivirent, Rojet parla avec Azad et Kibr ; il mit un terme aux discussions en rappelant de quelle manière ils prendraient congé, et à quelle heure. Puis, leur adressant ses plus grandes salutations de paix, Rojet sortit par la porte, révélant un instant un ciel superbe ; l'heure du coucher du soleil approchait lentement. Du rose, du pourpre tirant sur le prune, de l'orange en ébullition, du saumon, un rouge nocif et du bordeaux, toutes ces teintes – mais pas de bleu.

Kibr lui aussi salua Azad qui était tendu, en se disant que la meilleure stratégie était de l'abandonner dans la mosquée. Sinon, comment obliger Azad à s'en aller ?

Azad regarda Kibr partir, tenant un rosaire au lieu d'un pistolet. Parmi les Immortels, vivants et morts, Kibr était leur plus grand champion. Là où allait la fierté des Kurdes, aucun bien matériel n'était nécessaire.

Tue-moi, *habibi*

Si l'ordre de passage que Rojet m'avait indiqué était correct, alors c'était ensuite au tour de Kibr.

J'errais à la recherche de Rojet, ou plus précisément de sa mosquée. Et cependant, après avoir cherché un certain temps, il parut assez évident que je n'en trouverais pas le chemin. Mes pieds se plaignaient de tous les kilomètres parcourus. Il me fallut quelques minutes de plus pour me rappeler que Zaheed vivait lui aussi dans ce secteur. J'avais son adresse en tête, aux côtés de tant d'informations que nous ferions mieux d'oublier, et qui cependant nous accompagnent jusqu'à nos derniers jours. Je n'avais aucune envie de le voir, mais mes autres options étaient inexistantes. Je pourrais peut-être me soulager les pieds chez lui, boire de l'eau fraîche, m'asseoir et réfléchir à ces trois suicides.

Zaheed habitait un immeuble hideux de trois étages qui jouait les colosses à côté d'un plus petit situé juste à côté. Je me rappelais le numéro de son appartement et montai les escaliers en traînant des pieds, évitant pendant toute mon ascension les échardes plantées dans le bois. Arrivé sur son palier, il me fallut choisir entre deux portes, une sale, l'autre très sale. Je choisis la plus propre et frappai trois fois. Elle s'ouvrit. Zaheed marqua tout d'abord un temps d'arrêt avant de se précipiter vers moi et d'étreindre mon corps dégoûtant.

– *Allo ? Salam aleikoum !*

Bon sang, qu'est-ce qui lui prenait, il répondait au téléphone ?

– Il faut que je te parle, lui dis-je.

– Bien sûr, bien sûr, *yaar*... Entre donc !

Il m'attira dans la cuisine, me fit asseoir sur sa plus belle chaise et annonça qu'il serait de retour dans une minute.

– Je me suis retrouvé coincé ici sans argent, mentis-je, quand il réapparut. (À vrai dire, je n'avais même pas vérifié si j'avais de l'argent sur moi. Et *effectivement* j'étais coincé.) Ça ne t'ennuierait pas que je passe la nuit ici ?

Bon sang, pourquoi lui avoir demandé un truc comme ça ?

– Pas de problème, pas de problème, *yaar*. Tu as besoin de liquide ?

– Pas vraiment, dus-je reconnaître.

N'étais-je pas totalement incohérent ? Si, très probablement. Mais Zaheed était trop content pour s'en rendre compte.

– Veux-tu appeler Haris pour lui dire que tu passes la nuit ici ?

À vrai dire, non, je n'en avais pas la moindre envie.

– Ouais, je crois que c'est ce que je devrais faire.

Je souris donc (c'était me semblait-il la chose à faire), et je m'approchai du téléphone comme je m'étais approché de l'appartement de Zaheed, ces deux actes étant des épreuves ahurissantes prouvant la puissance avec laquelle la volonté peut s'imposer au corps. Jusqu'à ce que l'esprit rappelle au corps qu'il n'était pas nécessaire que je compose véritablement le numéro, que je pouvais à la place me contenter de faire semblant. Aussi ne composai-je pas le numéro et, résultat peu étonnant, personne ne décrocha.

– C'est le répondeur, fis-je en me tournant vers Zaheed. Hé, dis-je, c'est moi... Je me suis retrouvé coincé sans argent... Je suis chez Zaheed. Tout va bien. Je reviens demain.

Je raccrochai, très fier de moi, jusqu'à remarquer l'expression contrariée de Zaheed.

–Je sais que tu es fatigué ce soir, commença-t-il, mais mon ami et moi allons voir le spectacle son et lumière aux pyramides. Si ça ne te dit pas, ce que je comprendrais tout à fait, tu peux rester ici. Il y a de quoi manger au frigo et un lit que tu peux prendre.

Les pyramides. Mon esprit réfléchit à toute vitesse. Wanand était allé à la citadelle avec Zuhra. Keyf avait choisi un grand carrefour du centre-ville. Il y avait une chance, aussi réduite fût-elle, que l'un d'eux se rende aux pyramides. Kibr serait probablement le troisième – le futé de la bande – et je ne voyais pas de site plus significatif. Bien sûr, je pouvais aussi continuer à errer à la recherche de leur mosquée, ou rester en retrait dans un appartement vide. Tout seul, dans le vieux Caire ? Dans un immeuble comme ça ?

– C'est assez loin, les pyramides, non ?

J'avais l'impression que le seul moyen de survivre était de voler à Zaheed un peu de son énergie.

–Mon ami a une voiture. Il y aura aussi une *rave*, là-bas, ce soir. On pourra s'y arrêter, si tu veux.

Je donnai une gifle imaginaire dans le vide, sans savoir si j'avais décliné sa dernière proposition par respect pour lui, au nom de nos préceptes religieux ou tout simplement parce que j'étais épuisé. Le fait de ne pas saisir exactement ce que j'avais voulu exprimer le chagrina.

Nous attendîmes tous deux devant son immeuble un autre Pakistanais tapageur aux manières bruyantes – un Pendjabi sans doute. Lorsqu'il se présenta, je ne fis aucun effort pour mémoriser son nom, pris d'un mouvement spontané de répulsion en voyant sa voiture japonaise de minet dont l'autoradio faisait vrombir les basses à plein volume.

Je fis le trajet sur la banquette arrière, obligé de subir les assauts d'une musique de danse égyptienne. En dépit de ce boucan infernal, Zaheed et son ami zinzin réussirent à bavarder sans interruption. *Habibi ! Yalla*[1] *! Habibi !* Nous traversâmes un petit village pour nous garer sur un talus derrière une haute barrière grillagée. Même de là nous apercevions les pyramides – incroyablement gigantesques. Au-delà des monuments grandioses, la *rave* battait son plein, invisible mais tout à fait audible – rien de très islamique. N'était-ce pas un manque de respect vis-à-vis des morts ?

Le spectacle son et lumière était assez classique, quoique de meilleure qualité que ce à quoi je m'attendais. Un conteur livrait une version condensée de l'histoire de l'Égypte ancienne, illustrée de diagrammes laser projetés sur les flancs des pyramides. Je trouvai ce spectacle tout à fait de mauvais goût : une glorification de la cupidité et de l'obstination païennes, cette même tyrannie qui avait essayé d'écraser nos frères, les Israélites. Voir Zaheed et son ami absorbés par cet exposé me fut insupportable. Mes collègues du Pendjab, qui employaient la même langue lascive, réduits à ceci. Lorsqu'une civilisation commence à mourir, elle commet toutes sortes d'actes paradoxaux. Elle commence à s'enticher de civilisations défuntes. Ne supportant plus le discours qui nous était asséné, je prétextai un besoin urgent d'aller aux toilettes pour quitter à la hâte le secteur touristique. Je suivis la direction qu'un employé obligeant m'avait indiquée – et c'est alors que je tombai sur Kibr, qui marchait d'un pas pressé.

– Qu'est-ce que tu fais ici ? demandai-je.

Kibr montra du doigt les pyramides.

– Je vais à la *rave.*

1. *Yalla ! :* « Allez ! Allons-y ! », en dialecte égyptien.

Saladin savait

Kibr éclata de rire en voyant mon air abasourdi.

– Tu as l'air étonné. (J'observai ses pieds. Il portait de simples sandales noires.) Quand Keyf, quand il – tu sais – il y a eu une explosion. Est-ce que... ?

Kibr m'interrompit, pas seulement verbalement, mais aussi physiquement, en s'avançant vers moi.

– Nous savons ce dont nos âmes sont capables et ce dont elles ne sont pas capables. Nous gardons cela en tête avant d'envisager un lieu.

– Comment peux-tu le savoir ?

– Des années de discipline, de prière et de réflexion, peuvent peut-être t'enseigner des choses que tu ne sais pas encore.

– Je posais juste la question...

Kibr m'attrapa le bras avant que je puisse finir ma phrase.

– Il faut que je te parle, dit-il en me conduisant à un muret de pierre sur lequel nous nous assîmes. (Ou plutôt sur lequel il s'assit, m'obligeant à l'imiter.) Il faut que je te dise une chose importante à propos des Égyptiens.

Il s'interrompit, jusqu'à ce que je le presse de continuer. En fait, c'est plutôt qu'il ne savait apparemment pas par où commencer.

Dans les semaines, les mois et les années à venir, l'Égypte allait vivre une série d'épreuves ; certaines seraient brèves, d'autres ressembleraient à des épidémies chroniques. Ce qu'il ne fallait pas oublier cependant, c'était que sans affaiblissement, il n'y aurait pas de renforcement. Je fis toutefois valoir que les Égyptiens, comme les autres musulmans, pouvaient s'inquiéter que le mouvement de balancier n'ait pas lieu, qu'il n'y ait pas d'amélioration, que les choses ne fassent que dégénérer, sans que la tendance s'inverse. Un court instant, Kibr parut perdre le contrôle qu'il exerçait sur cette conversation qu'il avait initiée. Mais le bref moment de doute se dissipa.

– La réaction égyptienne consiste ou bien à s'enfuir sans se retourner ou bien à bâtir un château et subir un siège en restant à l'abri derrière des murailles. Ces fortifications ont même des noms : socialisme, nationalisme et fondamentalisme, toutes impliquant une perspective autoritaire et offrant une protection bien meilleure que les simples abris auxquels le peuple était habitué. Le problème est que le peuple a commencé à trop apprécier son château. Il a commencé à confondre l'intérieur et l'extérieur – sa peau a commencé à s'épaissir pour devenir comme du granit, les murailles du château se sont élevées pendant que le peuple se rapprochait du sol.

– Tu es en train de dire que les Égyptiens sont coincés dans des châteaux ?

– Dans des contes de fées, plutôt, rectifia Kibr en souriant. (Ses collègues kurdes aimaient raconter des contes fantastiques. Était-ce la raison pour laquelle il trouvait cela drôle ?) Mais pour aller d'ici à demain, il nous faut migrer, ce qui signifie nous exposer à de nombreuses menaces, dont Dieu seul connaît le danger véritable. Nous trouverons le salut au terme de cette quête. Sacrifier notre vie n'est pas le but de l'opération.

Il avait ajouté cette dernière phrase après un silence, comme une pensée après coup.

– Mais n'est-ce pas une obligation ?

– Pour moi ? Si. (Puis, après une pause il précisa :) Mais ce n'est pas une nécessité.

Mon trouble se mua en suspicion : Kibr me jalousait-il de voir que Rojet s'intéressait à moi ? Cette pensée avait beau être tentante, je ne pouvais le soupçonner de ça.

– Pourquoi choisir de commettre quelque chose si tu n'y es pas obligé ? demandai-je.

– Si nous ne faisions que ce que nous sommes obligés de faire, je ne serais pas en train de te parler, soupira-t-il. (D'une voix plus forte, il affirma :) Je suivrai Rojet. Ou, pour être plus précis, je le précéderai.

Il marqua un temps d'arrêt afin que je réfléchisse à ce qu'il venait d'affirmer. Sauf que je ne savais comment m'y prendre.

– Il y a beaucoup de gens qui font d'eux-mêmes ce qu'ils veulent, reprit-il, si bien que tout leur entourage les imagine différents de ce qu'ils sont.

Attends.

– Es-tu en train de me dire que Rojet est un usurpateur ?

Kibr secoua la tête, mais cela signifiait ni oui ni non.

– Rojet cherche. Tu vois ce que je veux dire ? (Pourquoi ne lâchait-il pas tout simplement le morceau ?) Il s'est produit un événement auquel nous musulmans aurions dû être préparés. Si bien que les choses ont très mal tourné pour nous. Mais Rojet, occupé qu'il était à chercher quelqu'un capable d'inverser le mouvement des marées, en a oublié que toute marée montante finit forcément par redescendre. Même si c'est mauvais, même si cela va devenir plus mauvais encore, cela ne durera pas éternellement.

– Tu penses qu'il se trompe ?

– Il *te* trompe, répondit Kibr.

– Pourquoi me tromperait-il ?

– Existe-t-il autre chose que la tromperie ?

– Pourquoi réponds-tu à ma question par une autre question ?

– Et toi, pourquoi fais-tu la même chose ?

J'eus envie de lui envoyer mon poing à la figure. Au moins, ce ne serait pas une question.

– Si tu choisis de quitter le château à pied plutôt que d'essayer de t'enfuir et de t'écraser au sol, tu feras ce qu'il faut. Mais il a trop peur pour te le dire.

Je déglutis.

– Pourquoi suivrais-tu un peureux ?

– Imagine que tu saches ce que tu es censé croire, croire si fort que tu pourrais t'accrocher à ta foi quand manifestement il n'y a pas d'espoir dans le monde, mais que tu ne puisses pas te résoudre à croire ainsi. Ensuite, imagine que tu aies trouvé quelqu'un comme toi, qui ait trouvé un moyen de croire. Ce serait un grand jour pour ceux qui ont peur du monde. Mais ce ne serait rien pour ceux qui ont peur de Dieu.

– Ton maître n'a pas peur de Dieu ?

–Je n'ai pas dit cela. (Il l'avait tout de même pratiquement affirmé.) L'islam a commencé dans une société païenne. Si de cette obscurité une lumière peut émerger, alors les choses ne sont pas désespérées. Mais Rojet ne voit pas cela. Croulant sous le poids de tout ce qui nous est arrivé, il s'est mis à douter, et depuis lors ce doute n'a cessé de le ronger. Il voulait faire ce que Abd al-Bari aurait fait, sauf que nous ne sommes pas Abd al-Bari, dit-il en posant la main sur mon genou. Nous n'avons pas vécu à son époque. Et tu ne vivras pas à notre époque. Le chemin est pour chacun, en solitaire.

– Alors pourquoi vas-tu sacrifier ta vie ?

J'avais posé une question, mais Kibr réussit néanmoins par répondre en posant une autre question.

– Est-ce la solution, de sacrifier ma vie ? dit-il en retirant sa main. Écoute-moi bien. (Le spectacle son et lumière approchait 2000 avant notre ère.) Nous sommes les descendants des hommes en qui Saladin avait le plus confiance. Il les a choisis lui-même et les a envoyés vivre dans la pénombre du Caire pendant des générations. Tu imagines ? Toutes les générations qui se sont succédé sans se faire remarquer. Je suis sûr que même ton guide touristique ne fait pas mention de la communauté kurde qui vit au Caire. Car personne hormis nous n'est au courant. Et toi.

– C'est bizarre que tu sois kurde.

Quelle remarque idiote. Heureusement, Kibr enchaîna :

– Saladin savait que la plus grande menace qui pesait sur sa *oumma* était, et demeurerait, les Francs. Il savait également que leur résister nous détruirait. Et que voit-on dans ce monde musulman moderne ? (J'avais observé les lasers qui rebondissaient sur les tombeaux des pharaons sous l'œil approbateur des touristes blancs : ils avaient déjà vu le spectacle sur la chaîne Discovery.) L'Ordre de Lumière a presque entièrement disparu. Bientôt il n'y aura plus d'Immortels. Qu'adviendra-t-il du monde une fois que nous l'aurons quitté ?

– Je l'ignore. (En fait, ce n'était pas vrai.) Un suicide lors d'une *rave* au pied des pyramides. (Bon sang, les conséquences.) Vous allez mettre l'Égypte cul par-dessus tête !

– L'Égypte est déjà cul par-dessus tête, répondit Kibr en me tapotant le dos avec malice. Nous allons la remettre sur ses pieds.

Sur ce, il se leva et partit en direction de la *rave.*

C'était tout ?

Je le rappelai. Dieu merci, il se retourna et attendit que je l'aie rejoint, tandis que je pensais déjà aux mille questions que j'avais à lui poser, pour tirer parti de ce rab de temps qui nous était alloué.

– Pourquoi m'as-tu dit tout cela ?

Kibr me planta l'index en pleine poitrine, juste à hauteur du cœur.

– Parfois on attend trop longtemps et on laisse passer le moment où il fallait agir. Après quoi on ne se pardonne pas d'avoir agi trop tard, et on sombre dans la misère et le désespoir, ce qui est le meilleur moyen de s'éloigner de l'islam. Mais à la vérité, trop attendre, ce n'est qu'une erreur ; or, nous commettons tous des erreurs, pas vrai ? (Son doigt se détacha de ma poitrine et indiqua les cieux au-dessus de nous.) Si une erreur est une chose si horrible, alors tous les êtres humains sont horribles.

– Mais regarde-moi ! (Non, ne me regarde pas.) Je suis devenu si horrible.

– Quand nous aurons disparu, tu seras le seul à te souvenir de nous. (Kibr, compatissant ?) Tu devrais savoir désormais que je ne peux pas te sauver. D'ailleurs, pourquoi voudrais-je ton salut ?

J'opinai.

– Le chemin est pour chacun, en solitaire.

– Tu ferais un bon étudiant. Si ce n'est que...

– Que quoi ?

– Bientôt il ne restera plus de professeur. (Je posai la main sur son épaule ; jamais je n'aurais pensé avoir le courage de faire ça.) Reste et transmets ton enseignement, Kibr. Reste et enseigne.

– Non, répondit-il en retirant ma main de son épaule. Toi, tu restes.

Ce fut spectaculaire. De derrière les pyramides, l'explosion éclipsa le rayon perçant des lasers. Des catapultes de feu tombèrent du ciel en cascades, projetant des ombres d'un orange violent sur la pénombre des pyramides. Les touristes trébuchèrent, tombèrent dans le sable, essayant de s'y enfouir, projetant en tous sens leurs chaises pliantes blanches. Les policiers, pressés de protéger tous ces dollars qui prenaient peur, se précipitèrent, ne sachant que faire. J'éclatai de rire lorsqu'il y eut la panne de courant : on ne put alors voir qu'à la lueur des flammes dont la taille décroissait lentement.

Mais je ne suis pas resté.

Qui réprimander quand vient l'heure des réprimandes

Je me retrouvai sur une voie déserte qui aboutissait à une fourche, sans le moindre panneau indicateur. J'aurais pu m'arrêter et attendre Zaheed et son ami, qui auraient certainement su quel chemin emprunter, mais l'idée de m'immobiliser en les attendant me rebutait. Au lieu de cela, je quittai la rue principale et m'engageai dans la petite rue parallèle, de manière à ne pas perdre de vue le grand axe, et je poursuivis ma route jusqu'à ce qu'il fût impossible que, de là où j'étais, l'explosion de la pyramide ait été visible. Et donc j'étais libre. J'avais des brûlures d'estomac, suite aux haut-le-cœur de la journée, mes intestins étaient de plomb et mes orteils hurlaient à la mort, ce qui devenait chez eux une habitude. Deux cents livres à un distributeur automatique, dont vingt promptement dépensées en taxi ; mon chauffeur de taxi n'avait pas la moindre idée du capharnaüm dont il s'éloignait.

Malheureusement, Keyf avait fait en sorte qu'il n'y ait pas d'itinéraire facile pour regagner Mohandissine. Après avoir passé le pont, nous fûmes pris dans un embouteillage tardif, conséquence d'un contrôle routier installé en toute hâte. L'incident précédent avait déjà déclenché un premier vent de panique, et avec Kibr, il était certain que le temps d'attente allait être doublé. Je remis l'argent au chauffeur qui était à cran et me retrouvai dans Doqqi, cherchant un autre moyen de regagner mes pénates. Personne (Dieu merci) ne m'avait vu avec les Kurdes décédés, si bien que je ne pouvais être soupçonné. Je traversai la rue, remerciant Dieu que l'éclairage soit peu lumineux et progressai en longeant des broussailles. Des gargouillis dans le ventre me suggéraient de commencer par me nourrir ; pensées et réflexions pourraient attendre. Je m'apprêtais à me diriger vers le nord pour me trouver à manger, mais j'en fus empêché par le crépitement de pas pressés qui retentirent à côté de moi.

Je le reconnus à sa calotte.

Allait-il se donner la mort sur le bord de route ? Pris de pitié, je chuchotai son nom – il s'immobilisa, comme pétrifié au sol.

– Ce n'est que moi.

En m'entendant, il se détendit.

– *Salam aleikoum.* (Je lui serrai la main, mais lorsque le contact physique s'acheva, il laissa son bras pendre le long de son corps.) Ils sont tous partis, or, je dois m'en aller avant Rojet...

En entendant son nom prononcé, je fus à nouveau pris de l'envie de le revoir.

– Rojet est déjà parti ?

– Non, pas encore, mais tous les autres...

J'étais l'un d'entre eux à présent. Ne le savait-il pas ?

– Rojet va-t-il bientôt passer à l'action ?

– Il est sur Jamiat al-Douwal et c'est là que je devais le retrouver, mais je ne sais pas si je peux y aller.

Il n'y avait dans ses yeux nulle trace de la conviction extraordinaire que j'avais pu voir chez les Immortels, tous les frères d'Azad, cette formidable fournaise. Si je devais me donner la mort, songeai-je, il y avait fort à parier que je serais parti bien avant qu'il ait posé le doigt sur la détente. J'avais tellement envie de transmettre à Azad la conviction qu'il aurait dû posséder.

– Est-ce que tu es prêt ? lui demandai-je en lui adressant un clin d'œil.

– À traverser la rue ?

Quoi ?

Comment Azad était-il entré dans l'Ordre ? Je ne savais pas tout ce que Rojet savait, mais j'en savais certainement assez pour renvoyer ce type au premier coup d'œil. Ouvrant la voie, Azad s'approcha du bord de la rue. Azad allait-il réellement 1/traverser, 2/chercher un moyen de progresser vers le nord, 3/trouver l'endroit où il quitterait cette terre, 4/sortir son pistolet de sa poche et 5/se tirer une balle dans la tête ? Je ne pensais pas non plus être capable de presser la détente pour lui. Encore pire. Et si Azad se tirait accidentellement une balle dans le pied ? Ou, Dieu m'en préserve, dans mon pied ? Je me voyais sautiller sur un pied, tenant l'autre dans mes mains devenant rouges de sang, à la recherche d'un agent de police, un taxi, n'importe quoi, criant à l'aide tout en me demandant ce que je pourrais fournir comme explication.

Pour l'instant, nous bénificiions d'un délicieux sursis, puisque l'intensité de la circulation nous empêchait de traverser. D'un instant à l'autre, toutefois, il y aurait une percée, et alors tout s'effondrerait. J'allais être obligé de le ramener à Mohandissine. Et qu'allait-il se passer si nous trouvions un taxi et que la balle partait une fois que nous serions à l'intérieur ? Alors là, pour le coup, je serais vraiment... mais il y eut un coup de klaxon et je revins à la réalité. Azad, qui marchait à seulement un pas devant moi, vacilla sur le bord du trottoir. Sur ma droite, un camion Mercedes qui fonçait sur la file du milieu fit à nouveau retentir son klaxon, comme pour se convaincre qu'il existait bel et bien. Nous convaincre tous les deux, lui et moi.

– Nom de Dieu, murmurai-je à voix basse, de manière que seul Azad puisse entendre.

Avant que sa bouche s'ouvre, mes deux mains, et toute l'énergie que je pus réunir, attrapèrent Azad par les épaules et le poussèrent en avant. Heureusement, seul son pied gauche se posa sur la chaussée. Le reste du corps trébucha et tomba, le bras droit amortissant l'impact de tout le poids du corps. Deux taxis firent une embardée pour l'éviter, des freins crissèrent, des pneus perdirent le contact avec le sol en raison de brusques coups de volant. Sous le coup de l'adrénaline, Azad se rétablit sur ses pieds en moins d'une seconde. Par réflexe, sa main gauche se logea sous le coude droit, à l'endroit où le choc avait eu lieu. Comme je rigolais de la futilité de son geste, ses yeux plongèrent droit dans les miens. Le klaxon tonna une troisième fois et fit sursauter Azad – le camion était trop près pour freiner. J'ai porté le canon à ta tempe. J'ai appuyé sur la détente. Il ne te reste plus qu'à accueillir la balle du pistolet. Il confirma sa foi en Dieu, sa main relâcha son coude et le camion le percuta à pleine vitesse, faisant jaillir du sang qui gicla en direction du ciel, puis retomba, retombant au sol comme de grosses gouttes de pluie. Je m'enfuis à toutes jambes, remontai la rue, laissant derrière moi les autos qui dérapaient et les bruits de ferraille qui retentissaient, n'osant regarder derrière moi, seulement étonné de la vitesse à laquelle j'étais en train de devenir quelqu'un d'autre. Lorsque je m'arrêtai enfin, épuisé, presque un kilomètre plus loin, je contemplai mes mains coupables.

Est-ce vous qui avez fait cela ?

L'histoire des vaincus

Je profitai de l'hospitalité patriotique du chauffeur de taxi. J'étais un touriste, descendu à l'hôtel al-Nabila, et il fallait vraiment que je rentre. Il entendit : apeuré. Il entendit : impuissant. Il entendit : aisé. Un quart d'heure plus tard, moyennant quarante dollars, je me trouvais à une rue du Metro, qui était encore ouvert. L'Occident ne dormait jamais. Heureusement, ce n'était pas le cas d'une partie de la circulation, et je pus ainsi traverser d'une traite.

Les employés du McDonald's étaient pressés de fermer. Des publicités géantes pour des hamburgers et des frites me firent de l'œil, tâchant de me piéger à la dernière seconde, mais je choisis le Trianon. Certains schémas ne se laissent pas démonter. D'autres aussi, d'ailleurs : j'aperçus une superbe Égyptienne aux cheveux blonds en chemise rouge vif à rayures bordeaux. Son blue-jean usé était particulièrement seyant au pire sens du terme : la nimbant d'un halo de culpabilité non pas parce qu'il était ajusté – et pourtant il l'était vraiment – mais plutôt en raison de la plénitude fertile de son corps, à deux doigts de faire exploser le tissu. Je voulus posséder un cheval et être Manas, Shiban ou Bayazid. Je l'aurais fait grimper sur ma monture et nous serions partis au galop. Mais elle me passa devant pour se jeter dans les bras d'un Égyptien musculeux.

En regardant autour de moi, je vis que les quelques filles encore dans la rue étaient surveillées de près par des hommes fiers qui s'accrochaient à l'unique victoire qu'ils avaient remportée.

Vaincu, je m'assis à la lisière extérieure du Trianon. Dans la minute, la même serveuse – la jolie – prenait ma commande, débordante de confiance en elle. Je choisis un cappuccino, mais au moment où elle sourit, elle et son job me déplurent immédiatement. Aucun de ces restaurants n'employait de jeunes femmes portant le *hijab* : ces voiles risquaient de nous faire penser à Dieu et non pas à l'argent, nous obligeant à avoir une pensée pour les pauvres et donc à dépenser moins. Je posai un bras sur la table, et laissai tomber mon visage dessus ; mes cheveux grattèrent la peau à proximité du coude et, la tête penchée, je contemplai le reste du Trianon. J'eus le sentiment que j'aurais pu passer le reste de ma vie à observer l'intérieur du café.

C'est en 1918 que nous avions renoncé aux promesses, lorsque notre califat avait rendu son dernier souffle. La fin de la Première Guerre mondiale fut une période sinistre, pas seulement pour les Ottomans, mais aussi pour les Alliés, les Allemands et les Austro-Hongrois. Au terme du traité de Trianon, la Hongrie vaincue dut abandonner les deux tiers de son territoire – dont une partie lui appartenait depuis plus de cent ans – et la moitié de sa population. Ensuite, après la Seconde Guerre mondiale, les Hongrois perdirent davantage de territoire, cette fois-ci au profit de l'Ukraine et de la Tchécoslovaquie. Les Hongrois devinrent l'une des minorités les plus éparpillées d'Europe. Je me demandai si les propriétaires du café avaient la moindre idée du sens du nom « Trianon » dans l'histoire des vaincus.

Kibr voulait-il que j'aille dans le quartier kurde du Caire ? Voulait-il que j'annonce aux autres Kurdes comment les Immortels étaient décédés ? Croiraient-ils quelqu'un qui n'était même pas kurde, quelqu'un qui avait rencontré ces Immortels seulement quelques jours plus tôt ? Mais en même temps, je ne pouvais pas ignorer ses avertissements, ni ceux d'Azad avant lui. Le monde allait changer, et ce serait pour le pire. Tant d'Égyptiens s'efforçaient d'être occidentaux, comme si l'on pouvait posséder le message de Dieu et agir ensuite comme s'il ne signifiait rien. Même si c'était ainsi que moi j'agissais, cela aurait dû être l'essentiel pour tous les autres, ils auraient dû brûler cette ville pour construire sur ses cendres un nouveau Caire, avec des rêves de fidélité et des lits tout neufs pour y faire ces rêves. Sinon, ils seraient brûlés par ce qu'ils essayaient d'atteindre. Cela même qui n'acceptait jamais leurs sacrifices. Mais les civilisations pouvaient-elles être planifiées à l'avance ?

Les visites de Rojet, en tout cas, semblaient l'être. Il tira la chaise en face de moi avec tant de précautions qu'elle ne crissa pas. Je notai, avec une pointe d'envie, qu'il était autrement mieux vêtu que moi, je le voyais pour la première fois habillé à l'occidentale. Il s'était rasé et arborait à présent une élégante barbe de trois jours.

– *Salam aleikoum.*

– *Wa aleikoum salam*, répondis-je, la tête à peine relevée de la table.

– Comment vas-tu ?

J'indiquai mon cappuccino.

– Ce n'est pas une réponse, fit-il remarquer.

Je relevai la tête.

– Non, en effet, répondis-je sans hostilité aucune. (Quelque part, les Ouïgours mouraient de faim, les Irakiens étaient à l'agonie, les Palestiniens disparaissaient et les Américains se battaient pour la liberté. Ou peut-être contre la liberté ?) Je suis fatigué, Rojet. Mon esprit, mon corps, tout. J'en ai tellement marre d'être ici.

– Mais alors pourquoi es-tu venu ?

Je poussai un grognement. Je ne parlais pas de ce café en particulier.

– Le café est bon.

– Alors tu aimes ce qu'on y trouve, fit Rojet en clignant de l'œil, mais tu n'aimes pas la manière dont c'est présenté. Ou la raison pour laquelle c'est présenté de cette manière, si je puis me permettre une telle audace.

Je m'attendais à ce qu'il se lance dans un nouveau discours, une réflexion sur la nécessité d'abandonner, de céder. Et s'il avait commencé, je l'aurais écouté, j'aurais appris et j'aurais sans doute accepté son message. J'étais tout ouïe. Il n'y avait simplement plus d'énergie ailleurs dans mon corps.

Vous savez qui est cette jeune femme

Mabayn couvrit du doigt le dessus du flacon et renversa la bouteille. Il se tamponna l'aisselle gauche d'une goutte d'eau de Cologne, puis fit de même avec l'aisselle droite. Il regarda dans la glace et sourit, satisfait de ce qu'il y voyait. Il allait faire une surprise à Sarah ; ils ne s'étaient pas vus, ni même ne s'étaient parlé, pendant une interminable période de deux jours. Il portait une besace, à l'intérieur de laquelle il avait soigneusement plié une rose et aussi un poème – quelques vers de mirliton rédigés tardivement la veille. Avec de la chance, ce soir serait peut-être le grand soir. La jeune fille avec qui habitait Sarah était à Bahreïn, elle rendait visite à de la famille – l'idée que des gens aient envie de visiter Bahreïn amusait Mabayn – et elle était seule, dans son dortoir, à la cité universitaire.

Sortir de la maison ne fut pas le plus difficile. Ce n'était certes pas l'heure de l'une des cinq prières obligatoires, pourtant les parents de Mabayn étaient quand même occupés à prier. Un jour, ils entendraient parler d'elle. Mais pendant cette période intermédiaire, c'était inutile. Plus tard. En attendant, il se concentrait sur le présent, à califourchon sur la ligne séparant le jeudi du vendredi. Occupés à leurs dévotions, ses parents n'auraient pas pu l'entendre s'esquiver par la petite porte. Il laissa la voiture au point mort et la poussa silencieusement hors du parking, pour n'allumer le moteur qu'une fois dans l'avenue. La radio l'informa de perturbations de la circulation, faisant vaguement état de certaines modifications du trafic. Le chemin le plus rapide pour rallier Zamalek était barré, il allait donc falloir que Mabayn descende jusqu'à Doqqi, puis fasse le tour par l'autre côté.

Mabayn était tellement tendu qu'il en transpirait. Alors il s'inquiéta de ne pas avoir mis suffisamment de déodorant, ce qui eut pour effet de le faire suer davantage. En désespoir de cause, il abaissa un peu la vitre, juste assez pour avoir un filet d'air, sans pour autant être décoiffé. Une fois l'hôpital des Berges dépassé, la circulation devint plus fluide. Seulement deux taxis devant lui et un camion assez loin derrière. Mabayn se détendit, il descendit la main jusqu'à l'autoradio et tomba sur le dernier succès d'Amr Diab. Dieu, ce qu'il l'aimait ! Un coup de klaxon retentit, mais il ne put l'entendre. Trop de basses. Puis un autre coup de klaxon, qu'il n'entendit pas non plus. Lorsqu'il releva enfin la tête, plus par habitude que parce qu'il était inquiet, il aperçut les deux taxis chacun d'un côté de la route. Son cœur ne fit qu'un bond, et sans qu'il sache pourquoi sa main également lâcha le volant.

Le camion, qui l'avait doublé alors qu'il ne regardait pas était en train de piler. Mais il ne freina pas assez vigoureusement. Un corps humain fut catapulté en l'air. Le camion fit ensuite une brusque embardée sur la gauche, emboutissant la voiture de Mabayn. Il poussa un cri, écrasa le klaxon à plusieurs reprises, mais ne fut pas entendu. Amr Diab en appelait à Allah. Horrifié, Mabayn vit que les yeux du conducteur s'étaient retournés dans leurs orbites. S'ils observaient quelque chose à présent, c'était la cervelle de leur maître, qui se demandait comment il avait pu propulser un piéton si haut dans les airs. Mabayn écrasa l'accélérateur, en essayant de ne pas perdre le contrôle du véhicule au moment de la violente décélération, espérant pouvoir se replier sur la bretelle d'accès au pont. Ça lui ferait une bonne histoire à raconter à sa copine, et tant pis pour l'explication qu'il devrait donner à ses parents pour avoir sérieusement endommagé le véhicule. Mais juste au moment où Mabayn changeait de trajectoire pour s'engager sur la bretelle, le camion tangua et fit un tête-à-queue, heurtant l'arrière de sa voiture, le forçant à s'écraser contre le mur de soutènement.

Les premiers agents de police qui arrivèrent sur la scène de l'accident ne remarquèrent pas l'auto emboutie de Mabayn. Ils avaient été envoyés pour ramasser les morceaux d'un homme éparpillés sur trois files et demie. Mais le conducteur du camion, en revenant à lui au son des sirènes et à la vue des gyrophares, renseigna la police sur ce qui s'était passé. Sans celui qui avait causé sa perte, l'auto de Mabayn aurait pu être ignorée pendant longtemps encore. Mais les restes de la voiture de Mabayn explosèrent soudain en flammes, le moteur du camion fut très vite en surchauffe et embrasa rapidement ce qui restait du véhicule de Mabayn, et tout fut carbonisé. Presque tout. On trouva une photo d'une très jolie fille, et un policier fut nommé pour établir la relation qui existait entre elle et Mabayn. Malheureusement, la mission fut attribuée à un jeune agent du nom de Hassan, totalement novice. On lui confia également la tâche d'aller prévenir les parents de Mabayn, car les autres policiers plus expérimentés avaient été placés sur les lieux des attentats.

Pour Hassan, les choses commencèrent très mal : d'abord, il lui fallut consoler un conducteur de camion absolument inconsolable, car il avait non seulement réduit un homme en bouillie en le percutant à pleine vitesse, mais en avait tué un autre la seconde d'après. Particulièrement mal à l'aise, Hassan obligea l'homme à se rendre à l'hôpital qui se trouvait à proximité, et le confia aux soins du personnel médical. Une fois cela accompli, il remonta dans son véhicule et roula jusqu'au domicile de Mabayn, qui ne se trouvait pas très loin. Il n'eut pas le temps de réfléchir à la manière dont il allait demander ce qu'il était censé demander.

Hassan sonna à la porte, priant pour ne pas vomir lorsqu'elle allait s'ouvrir. Un homme imposant, au cou recouvert d'une barbe épaisse, tenait un Coran à la main, il occupait tout l'encadrement de la porte. Pour parfaire le tableau, une femme voilée apparut, dont la seule présence rendit la tâche de Hassan plus délicate encore. C'était comme s'il devait annoncer à un million de parents la nouvelle d'un million de décès.

– Êtes-vous les propriétaires d'une voiture dont la plaque d'immatriculation est la suivante ? demanda le policier en ayant la judicieuse idée de fournir le numéro plutôt que de montrer la plaque elle-même.

– C'est la voiture de mon fils, répondit le père de Mabayn, réalisant seulement alors que Hassan était un policier. Est-ce qu'il s'est passé quelque chose, monsieur l'agent ?

– Il y a eu... (Fallait-il attendre un peu ou bien annoncer la nouvelle sans détour.) Il y a eu un accident. (Il avait marmonné cette dernière phrase, mais la mère de Mabayn entendit, et se mit bientôt à sangloter de frayeur.) Il y a eu un accident à Doqqi, poursuivit Hasan.

– Je ne savais pas que mon fils était sorti de la maison...

Hassan fut décontenancé.

– Il est très tard, monsieur. (Mais le moment n'était pas bien choisi pour réprimander les parents. Ils s'infligeraient bien assez de reproches ultérieurement, et certainement jusqu'à la fin de leurs vies.) Il était très tard pour rouler...

– Mon fils...

Hassan secoua la tête sans répondre.

– Où est son corps ?

Des larmes étaient certes apparues aux coins de ses yeux, cependant le père de Mabayn s'exprima d'une voix claire et intelligible. Mais Hassan remarqua ses doigts crispés sur le Coran, les phalanges blanchies.

Le jeune policier s'écarta de la porte.

– Quand vous vous sentirez prêt, monsieur, nous souhaiterions vous poser quelques questions. Merci de m'appeler...

Il était en train de sortir un stylo, mais le père de Mabayn l'interrompit :

– Vous pouvez me les poser maintenant.

Ce que Hassan fit alors, il n'y avait pas moyen d'y couper. Mais par la suite, pas un jour ne passerait sans qu'il regrette d'avoir fait ce qu'il avait été obligé de faire. Hassan tira de sa poche la photographie que la police avait retrouvée dans l'auto de Mabayn. Il la retourna et demanda au père de Mabayn :

– Vous savez qui est cette jeune femme ?

Son fils l'avait-il tuée dans l'accident ? Était-elle dans l'autre voiture ? Était-elle dans la voiture de Mabayn ? Qu'est-ce que cela changeait ? Cela changeait tout, dans les deux mondes. Dans ce monde-ci, et pire, dans l'autre monde.

– Je ne l'ai jamais vue...

– Elle s'appelle Sarah El... (Hassan avait oublié son nom de famille. Ce qui ne semblait d'ailleurs pas si important puisque de toute façon le père de Mabayn ne la connaissait pas. Quant à savoir pourquoi Hassan continua, aujourd'hui encore il l'ignore.) Cette photographie se trouvait dans la boîte à gants de l'auto de votre fils. (Nous n'avons pu sauver votre fils, mais à la place nous avons récupéré cette photo.) Avez-vous entendu parler des attentats-suicides à la bombe ?

Le père de Mabayn recula d'un pas.

– Pas Mabayn !

– Non, non, fit Hassan en secouant la tête. (Il avait juste espéré apaiser la souffrance d'un père. Décidément, il n'en loupait pas une !) Le conducteur, dont le camion... euh, avant que ça arrive... Il a percuté quelqu'un qui marchait sur la route... et ensuite on pense que le conducteur du camion a perdu connaissance... (Le père de Mabayn se mit à pleurer et Hassan présenta ses excuses.) Je suis navré, monsieur. Nous en reparlerons à un meilleur moment.

Mais le père de Mabayn attrapa le bras de Hassan. Il n'y aurait pas de meilleur moment.

– J'aimerais savoir. Qu'est-ce que cette fille a à voir avec les récents attentats ?

Hassan était devenu agent de police afin de subvenir aux besoins de sa famille et pour protéger les honnêtes citoyens. Jamais il ne s'était imaginé se retrouver un jour dans une telle situation. Il se demanda si le père de Mabayn le détestait.

– Sarah était étudiante à l'université américaine, mais uniquement pour l'été. Si vous vous rappelez l'attentat-suicide à proximité des pyramides, il y a quelques jours... (Hassan marqua un temps d'arrêt pour se reprendre.) Elle est morte dans l'attentat. Elle a d'ailleurs été la seule victime. (Hassan s'avança et serra le père de Mabayn dans ses bras.) À Dieu nous appartenons et auprès de lui nous retournons.

Nous ne sommes pas de simples mortels

– Il faut que je te dise quelque chose, fis-je. Je t'en supplie, ne te mets pas en colère.

– Je ne me mettrai pas en colère contre toi, répondit Rojet en souriant.

Il n'était pas en colère. Cela signifiait-il que je pouvais continuer ? Je lui dis ce que j'avais sur le cœur :

– Je ne veux pas que tu t'en ailles.

– Pourquoi pas ?

Au moins, il souriait toujours.

– OK, voilà pourquoi tu ne peux pas être en colère. (Allais-je vraiment lui dire ? En tout cas, plus question que je garde tout cela pour moi.) Quand je suis arrivé ici tout à l'heure, je suis sûr que tu étais plus ou moins derrière moi, mais je ne crois pas que tu aies vu ce que j'ai vu, parce que tu ne regardais pas dans cette direction. Il y avait cette fille égyptienne absolument splendide. Je veux dire, éblouissante. Tu pouvais la regarder s'en aller jusqu'à ce que tes jambes cessent de te soutenir, tomber par terre, dans les pommes ; même évanoui, tu aurais rêvé d'elle jusqu'à reprendre tes esprits. Et là, tu n'aurais plus eu qu'une envie, savoir où elle était passée. Mais – surprise – elle était avec un homme. Elles sont toutes avec un homme.

Rojet éclata de rire, mais il n'y avait pas la moindre colère dans son rire – il tenait donc parole.

– Chaque homme veut une femme. Mais au-delà des raisons superficielles, il en existe de plus profondes.

– Depuis que je suis né je n'ai connu que souffrance et maladie. Les autres mômes ont vécu ces fameuses années où ils se croyaient invincibles. Moi je n'ai jamais eu ce luxe, Rojet. Et je le regrette vivement.

– Pourquoi regrettes-tu tant cette vie ?

– Les choses superficielles me prouvent que j'existe vraiment. (Je regardai par terre, comme si c'était un moyen de me regarder moi-même. Où voulais-je en venir ?) Rojet, je ne ressens pas ce monde de la même manière que les autres. Ou du moins comme ils semblent le ressentir. Tu l'as dit : nous vivons à une époque de glorification du corps, or, le mien a été une éternelle source d'échecs. Je suis une idole brisée. Peux-tu imaginer que tous les gens autour de toi soient des dieux, sauf toi, en raison d'erreurs indépendantes de ta volonté, de défauts que tu n'as jamais demandés ? Ils sont parfaits, beaux, et moi je suis brisé, laid.

Rojet compléta cette pensée pour moi. Mieux que je ne l'aurais fait, bien sûr.

– Le monde te dit que tu es une idole, et donc, pour être à la hauteur – non, non, c'est trop simple, trop immature. Formulons cela autrement. Le monde te dit que comme tu es un être humain, tu es une idole. Donc, pour faire partie de la race humaine, afin d'exister véritablement, conformément à la culture dans laquelle tu as toujours baigné, il faut que tu sois vénéré, comme toutes les autres personnes. Évidemment, une idole qui n'est pas vénérée n'est pas crédible. Mais il existe également une deuxième raison qui explique ce que tu ressens...

Médusé par son analyse, je grommelai :

– Quoi ?

– Tu penses être capable de davantage. Donc, tu estimes que tu devrais recevoir davantage.

Je fixai mon cappuccino, sans être certain de la façon dont je devais réagir à cela.

– Mais je suis toujours tout seul.

Il ne pipa mot pendant deux minutes, deux minutes de solitude supplémentaire.

– Dieu est seul, lui aussi. (Le charme des mots qu'il prononçait !) Tu veux qu'on t'accorde plus d'attention, mais aucune de ces filles, aucun de ces modes de vie insignifiant, ne peut te consacrer l'attention que tu réclames, parce que – comme les Immortels, comme moi, comme quelques autres dans le monde – tu comprends toute la profondeur de l'attention dont les êtres humains ont besoin. (Tout le reste était oublié, il n'y avait plus devant moi que lui et ce qu'il me disait.) Nous ne sommes pas en mesure de nous satisfaire nous-mêmes, sauf en ce qui concerne les protestations des démunis.

Rojet attrapa la cuiller qui se trouvait à côté de ses doigts et la fit glisser jusqu'au milieu de la table, avec autant de facilité qu'il arrivait à me convaincre et m'émouvoir. C'était un héros de bande dessinée hors du commun, de ceux que l'on découvrait dans les livres et dont on brossait (maladroitement) le portrait dans les films. Celui que la plupart des gens n'avaient jamais l'occasion de rencontrer, ils se contentaient de l'imaginer : de le représenter en dessin, en film, par l'écriture, ou de l'étudier. Mais c'était sa voix inoubliable qui m'attirait le plus chez lui.

– Je ne peux pas survivre de cette manière, si ?

– Nous ne sommes que de simples mortels.

Je ne me croyais pas capable de sourire, mais c'est pourtant ce que je fis. Si lui n'était pas en colère, je n'avais pas non plus à l'être.

– Pourquoi finissons-nous toujours par parler de la mort ? demandai-je.

– Au moins, nous ne sommes pas des extrémistes, dit-il. Ils tuent d'autres gens. Nous ne tuons que nous-mêmes.

Ton anniversaire au McDonald's

Lorsque la serveuse arriva avec la note, Rojet me demanda :

– Où vas-tu maintenant ?

– Nulle part, répondis-je. Je n'ai pas les clés de mon appartement.

– Et Haris est à l'appartement ?

J'acquiesçai tandis qu'il se levait.

– Oui, mais je ne veux pas le réveiller.

Je me rendis compte en disant cela qu'il ne dormait certainement pas. Il était plus probablement en train de remuer ciel et terre pour me retrouver.

Rojet se dirigea vers le McDonald's, me laissant à la traîne. Il regardait régulièrement sur sa gauche, portant son attention sur la circulation de plus en plus fluide, conséquence probable des barrages routiers, des soucis de sécurité, de la panique et de l'heure tardive. Mais le Trianon me manquait déjà.

–Je suis fatigué, Rojet. On ne peut pas retourner à ta mosquée ? Je pourrais me reposer là-bas.

Il revint à moi d'un pas brusque ; je fus étonné par son agressivité soudaine. Et ce n'était pas tout, il me regarda droit dans les yeux.

– Tu serais prêt à te servir de ma mosquée comme d'une chambre à coucher ? Tu te fiches de nous, alors que nous nous occupons de toi. Tu nous prends de haut alors que toujours nous te respectons.

Une seconde auparavant, il était content de moi.

– Je ne te prends pas de haut, Rojet, dis-je.

Il regarda l'extrémité du pâté de maisons et suivit le bâtiment jusqu'à l'autre bout, comme s'il préparait un croquis d'architecture. Avachi contre le mur, j'hésitais entre m'asseoir et m'écrouler. Je ne tenais que grâce aux quelques calories et à toute la caféine du cappuccino.

– La police cherche dans tous les bons endroits, dit-il, extatique. De toute façon, comment pourraient-ils nous trouver ? Nous sommes déjà partis. Nous n'avons jamais existé.

Je lui fis signe de se baisser, l'obligeai à me regarder droit dans les yeux.

– Pourquoi t'en vas-tu ?

Il prit soin de croiser mon regard.

– Nous ne sommes pas de ce monde, dit-il.

Mais au lieu d'argumenter à nouveau, je lui posai une autre question :

– Si tu viens du quartier kurde du Caire, tu es encore vivant, non ? Il le faut bien, n'est-ce pas ?

Il s'assit alors complètement, en appui sur les chevilles, comme font les musulmans pour la prière.

– Quel jour sommes-nous ?

– Jeudi, je crois.

Il pressa ma main.

– Je suis né demain. (Pressant avec plus de vigueur encore, il conclut dans un sourire immense :) Veux-tu venir me voir ?

– Non. (Non ?) Je veux dire oui. (Le Trianon était loin à présent, et le reste n'était qu'un immense vide.) Je n'arrive pas à croire que tu vas faire ça.

– Il le faut.

– Ce n'est pas bien, Rojet, dis-je en posant une main sur son genou. Tu peux rester et faire quelque chose pour l'islam, pour les Égyptiens, pour nous. Je veux dire, si les choses ont changé et si tu sais comment elles auraient pu être...

– Pendant plus d'années que tu n'en as passé sur cette terre, j'ai réfléchi, commença-t-il en enlevant hâtivement ma main de son genou. Ce n'est pas à toi de me dire ce qui n'est pas bien.

– Te donner la mort, ce n'est pas bien.

C'est à ce moment-là qu'il explosa. Il lança des mots que je ne me rappelle pas, des accusations que je préférerais oublier, bien que certaines soient encore bien présentes dans mon esprit. Mes protestations, le souvenir que j'avais du décès d'Azad, rien de tout cela ne résista à son assaut. Il décréta que j'étais présomptueux et me condamna, le tout asséné sur un ton débonnaire.

– Je ne dirais même pas arrogant, insista Rojet. Azad n'était peut-être pas le plus courageux des hommes, mais il est resté bien campé sur ses pieds quand le camion lui a foncé dessus. Alors que toi tu aurais foncé droit vers le camion, en te proclamant visionnaire, un visionnaire qui aurait par miracle vu la lumière – et oh, comme elle était vive et claire !

J'avais essayé de l'obliger à rester, car il comptait pour moi – l'aimais-je ?

– Je ne veux pas entendre ça, Rojet.

– Tu as peur ?

Je haussai le ton :

– Ouais, c'est exactement ça, Rojet. Tu es satisfait maintenant ?

– D'une certaine manière, répondit-il, ce qui me donna envie de hurler. (Ne comprenait-il pas le but des questions rhétoriques ? Tu n'y réponds pas, Rojet.) Alors pourquoi t'empresses-tu de nous accuser ? poursuivit-il. Crois-tu que nous ayons peur de quelque chose ?

– Nous ne sommes peut-être pas obligés de réagir. Nous sommes peut-être censés d'abord agir.

– Tu t'en prends à nous parce que tu te détestes, mais tu as trop peur de croire ce que tu crois réellement, éructa-t-il d'une voix devenue tendue, brusque, contrariée, impatiente.

Tu détestes ta vie, non parce que tu n'as pas ce que tu veux, mais parce que tu sais que cette vie ne peut t'offrir ce que tu désires le plus au monde. Il existe d'autres niveaux d'existence mais ils n'existent que pour ceux assez courageux pour s'élever. Cela ne t'a pas seulement traversé l'esprit, cela campe dans ton esprit sous une grande tente.

– Et alors qu'est-ce que je suis censé faire ? (Assez de rhétorique.) Suis-je un musulman ou un Occidental ? Suis-je un traditionnel ou un moderne ? Tout le monde dit que l'islam est la réponse. On lit cela sur la moitié des mosquées de cette satanée ville. Mais ce n'est qu'un mauvais slogan.

Les gens qui attendent des formules placardées sur les monuments qu'elles les sauvent devraient se poser des questions.

Je faillis sourire. Cela faisait un beau slogan. Qu'il aille se faire voir, dans ce cas, pour m'avoir distrait.

– Je n'attends pas des formules placardées qu'elles changent ma vie.

– Exactement ! s'exclama-t-il, soulignant le mot comme on frappe sur un tambour. Et pourtant, alors que tu sais que personne n'attend rien des affiches ou des slogans, des chants ou des rassemblements, toi tu espères quand même. C'était comme si tu croyais en la pesanteur, et néanmoins pestais contre le monde à chaque fois que tu retombais par terre après un saut.

C'était une façon de présenter les choses. Mais il y en avait bien d'autres, toutes creuses, au final.

– Quoi que tu dises, il y a toujours le fait que des gens font figurer ces mots sur des affiches – et il y a bien une raison à cela, Rojet. Ils prétendent avoir la réponse. Mais parmi toutes les réponses que j'ai entendues, aucune ne m'a indiqué comment changer celui que je suis. (Je marquai un temps d'arrêt, et j'entendis comme un déclic. Pas la détente d'un pistolet, mais plutôt un craquement de jointure.) Un bout de papier ne peut peut-être pas devenir un arbre et je suis idiot de croire que c'est possible. Ou même que cela devrait être possible.

Rojet se releva, comme s'il cherchait un arbre.

– Si un bout de papier aspire à redevenir arbre, il devrait cesser de se soucier de graines, de sol, de racines et, plus que tout, d'arbres. Il devrait accepter qu'on lui écrive dessus et endurer patiemment ce qu'il doit endurer, même une fois froissé et jeté à la poubelle, même quand ces poubelles sont déversées à la décharge, où le bout de papier va pourrir et puer. Quand un morceau de papier se décompose, il retourne à la terre, est réintégré au sol dont un arbre nouveau émergera un jour. Nous autres musulmans, nous ne nous élevons pas pour ensuite nous soumettre. Plutôt, nous nous soumettons et ensuite nous nous élevons.

– Tu peux bien l'affirmer, mais dans le fond, qu'est-ce que ça signifie ?

– Les Arabes du désert avaient l'islam, mais ils n'avaient pas la foi. Ce qui signifie qu'il faut obéir avant de comprendre pourquoi. C'est un choix, mais si tu fais suffisamment de choix en gardant cela à l'esprit – et uniquement cela, contrairement à toutes les autres choses dans ta vie et dans la vie de n'importe qui –, tu sauras ce qu'il y a derrière ces choix. C'est ce que les enfants d'Israël ont dit à Moïse, paix sur lui. Ils agissaient, et ensuite seulement comprenaient.

Cela cependant ne me donna pas envie de brandir les poings en l'air. Ni d'être fier de moi-même. Ni même de me soucier un tant soit peu de moi-même.

– Je suis censé venir à l'islam parce que j'ai échoué partout ailleurs ? (Non.) Toute ma vie j'ai entendu dire que je n'étais pas assez blanc, pas assez fort, pas assez bon, pas assez beau, pas assez basané. Et après tout ça, je suis censé accepter le fait que posséder moins, c'est en fait posséder davantage ? Que nous cédons, tout simplement, et qu'ensuite, si Dieu le veut, Il nous autorise à comprendre ? Ce n'est pas un choix, Rojet. C'est se faire acculer contre un mur et s'entendre dire qu'on a la liberté.

Rojet se pencha sur moi. Adoptant une meilleure posture pour me juger.

– Ni vraiment laïc ni vraiment croyant, mais d'une certaine manière un peu des deux, hein ? Et à quoi cela t'a-t-il mené ?

À l'extrémité nord de Jamiat al-Douwal, un peu après minuit, dehors sans avoir les clés de chez moi, n'ayant pas mangé correctement depuis plusieurs jours. Si Rojet s'en allait, il me faudrait ajouter « seul » à ma réponse silencieuse.

– Cela ne m'a mené nulle part, répondis-je.

– Si c'était ta destination, elle est atteinte.

– Je n'apprécie pas le sarcasme. (Enfin, si c'était du sarcasme.)

– Dieu t'a infligé échec après échec pour te rendre plus modeste, et qu'est-ce que tu fais ? Tu es l'*oumma*. Tu changes, mais pour un temps. Tu pries, mais seulement quelques jours. À la minute où la menace s'éloigne, tu te révoltes, dit-il en s'éloignant de moi. Tu puais la sueur le jour où tu es entré dans notre mosquée. Comment pouvais-je ne pas te suivre à la trace, alors qu'avec cette odeur je t'aurais retrouvé n'importe où au Caire ? Je ne t'ai pas choisi parce que j'ai vu en toi un potentiel ou une promesse. Je t'ai choisi parce qu'il était nécessaire de faire dégonfler un peu la baudruche de ton ego.

– Il y en a qui sont pires, Rojet, dis-je en détournant le visage.

– C'est ton excuse ? fit-il d'une voix qui tournait à la colère, les mots sortant de sa bouche comme de la calligraphie en fusion. Dieu a tout fait pour toi. Mais toi, as-tu jamais fait quelque chose pour Lui ? Toujours à te défendre, toujours à offenser les autres. Toujours à te protéger, toujours à attaquer les autres. Tu es un morceau de papier qui s'est transformé en arbre au tronc de haine, de déni, d'indifférence, sans une once d'humilité, de modestie, de perspective.

Peut-être était-ce de la rage. Ou, plus pertinemment, je me rendais compte qu'il avait raison :

– Je suis un hypocrite...

– C'est ce que tu penses ? Tu aspires à la vie alors que tu sais depuis l'enfance que la vie est un mirage. La sagesse a d'emblée été à ta portée alors que d'autres devaient se défaire de l'ignorance. Alors pourquoi essayes-tu encore d'atteindre ce qui est falsifié ?

– Parce que je veux de la fantaisie.

– Il faut que tu sortes de ce mauvais rêve de la fantaisie, déclara Rojet en croisant les bras. La vie émane de la mort, la mort émane de la liberté, la liberté émane de la foi, la foi de la soumission, la soumission de l'humilité, et l'humilité de l'honnêteté – l'honnêteté de voir ce que nous avons essayé, ce que nous avons nié, ce que nous avons accepté et ce que nous avons refusé. Là tu te vois. Alors mets à profit cette capacité de voir véritablement. Ouvre-toi et regarde ton sang, de manière à le purifier de la fausseté qu'il y a en toi.

Le discours de Rojet s'interrompit. Il passa les mains au-dessus de la tête ; il portait quelque chose ressemblant à une besace. Si j'avais eu une vue perçante, j'aurais pu la remarquer plus tôt. Elle était ouverte et dégageait une odeur de frites. Un Coran y était enveloppé dans du tissu, il y avait également une sorte de grosse plaque en bois et une bouteille remplie d'eau. Lorsqu'il sortit la plaque de bois, je vis qu'il s'agissait d'un porte-livre sur lequel on plaçait traditionnellement le Coran.

– Il n'existe pas d'ego sans Son ego. S'Il n'est le premier, il ne peut rien y avoir après. C'est là, réellement, ton erreur : tu as essayé d'être Descartes, dit Rojet en riant. Tu as essayé de t'affirmer, et ensuite d'affirmer ton Seigneur. Ce n'est pas dans ce sens-là que ça marche.

– J'ai mal compris l'islam, reconnus-je.

Il déclara d'une voix abrasive :

– Tu as commencé par toi-même et non par Dieu. Il ne s'agit pas d'une simple erreur de compréhension. Tu es trop intelligent pour ça. Tu es plutôt coupable de *shirk*, le seul péché impardonnable : celui de s'associer à Dieu. Cela, il faut que tu le saches, est le péché qui ne peut être pardonné.

Je déglutis, mais trop bruyamment. Je me considérais certes comme un mauvais musulman, mais jamais me serais-je imaginé assez mauvais au point de me rendre coupable de *shirk*. Sa voix se fit apaisée, douce, somnolente.

– Mais voir et parler, reprit-il, ce n'est pas la même chose que croire. Nos mosquées sont devenues des foyers pour les vivants, loin d'être les tombeaux et les tombes des croyants qu'elles devraient être. Il ne faut pas accepter ces mécanismes et ces idéologies ; il faut se réapproprier sa mortalité. Tu travailleras dur jusqu'à te voir tel que tu es vraiment, pour qu'un jour les enfants de tes enfants puissent se tenir sous un soleil imposant. Et sais-tu pourquoi ? Parce que cette destruction sera porteuse de création. Notre élimination permet l'illumination. Les dieux se meurent, le moi est déchu, l'Occident renversé, les traîtres trahis, le capitalisme enrayé et le paganisme a, enfin, commencé à périr de nouveau. Les temps jadis sont au coin de la rue. Si seulement je pouvais les connaître, ainsi que toi, puisque telle est ta destinée.

Au milieu de la nuit, au milieu d'une rue vide, la victoire était acceptable. Je tâchai de hausser le ton pour parler d'une voix égale, et j'y parvins presque :

– Je suis prêt maintenant.

– Tu ne l'es pas, rétorqua Rojet. Tu ne l'es pas du tout.

– Je le serai.

– Tu ne peux pas te sacrifier tant que tu ne te connais pas.

– Je me connais.

– Ah bon ? Bien, dit Rojet qui ne paraissait que trop ravi. Qui es-tu ?

– Je suis rien, dis-je, à quoi j'ajoutai : et maintenant que je crois ceci, je dois me sacrifier. Je dois montrer que je le crois vraiment.

– Mais n'est-ce pas un péché que de reprendre ta vie ? (Rojet se souvenait si bien de notre première discussion qu'il imita ma façon de parler.)

– Si je ne suis rien, je ne détruis rien. Alors où est le péché ?

Rojet s'interrompit pour tirer sur l'extrémité de sa manche, faisant apparaître sa montre.

– J'ai fait beaucoup de choses dans ma vie, mais elles ne sont rien, à l'exception de ce pour quoi Dieu me récompensera. Sois mon témoin, c'est moi qui t'ai donné le manche de la hache et ai montré l'idole.

Il me confia ensuite une étrange responsabilité : il me fut demandé de tenir cet emballage en carton contenant un repas à emporter. De chez McDonald's, manifestement. Je lui demandai :

– C'est à toi ?

– Garde-le.

– Est-ce que tu vas manger avec moi ?

– Je pense que tu as posé trop de questions.

Haris

J'avais dévalé les escaliers pour savoir si le portier était au courant de quelque chose, mais il était endormi. S'il avait su quoi que ce soit, supposais-je, il m'en aurait fait part. En outre, si mon colocataire était rentré, pourquoi serait-il resté dans le hall ? Aussi passai-je l'essentiel de la soirée à l'appartement, en compagnie des nouvelles bouleversantes dont Rehell m'avait fait part. Il appela, passa même deux fois. Des amis étaient chez lui, qui nous préviendraient si mon colocataire se présentait pendant son absence.

Le comportement récent de mon colocataire m'inquiétait. Ayant passé deux années à l'université de New York avec lui, je l'avais vu de l'extérieur et de l'intérieur. Pendant notre séjour en Égypte, il s'était ouvert à moi en quelques occasions, me faisant part de ses frustrations, exaspérations et humiliations. Aussi lorsque Rehell résuma la dernière conversation qu'il avait eue avec lui, je commençai à paniquer. Je me trouvai soudain bien bête de ne pas avoir pris au sérieux les peurs auxquelles je n'avais jusqu'alors pas accordé grande importance. Était-il possible qu'il soit impliqué dans les attentats ? Il y avait eu une explosion massive à une *rave* au pied des pyramides. Une seule personne avait trouvé la mort, une jeune

Syrienne, si mes souvenirs étaient bons. Il y avait eu une panne d'électricité dans la majeure partie du sud et de l'est du Caire. La nouvelle avait été annoncée sur les chaînes d'information internationales et l'Égypte, qui avait pris la place d'Israël comme paradis des vacanciers occidentaux, courait au-devant de sérieux ennuis. Tant et si bien que lorsque le téléphone sonna, je me précipitai dessus, les deux mains en avant.

– *Salam*, Haris. (Ce n'était que Rehell, aussi poussai-je un soupir.)

– Tu croyais que c'était lui. Je suis désolé, l'ami.

Mais avant que je puisse répondre, une autre voix intervint.

– Rehell, raccroche et viens voir !

C'était un des nombreux amis dont je n'arrivais jamais à retenir les noms.

J'entendis Rehell écarter le combiné de sa bouche. S'ensuivit une conversation animée, mais je ne pus distinguer ce qui se disait. Rehell reprit finalement la parole.

– Oh, mon Dieu ! s'écria-t-il. Rejoins-nous, Haris. Viens vite !

Je raccrochai violemment le téléphone, vérifiai que les clés étaient dans ma poche et franchis à nouveau le seuil au pas de course, pressé par l'urgence dans la voix de Rehell. Le poste de police au bout de notre rue était désert, mais j'entendis des sirènes au loin, trop loin pour dire si elles venaient par ici ou s'il s'agissait d'avertissements répétés. Pitié, mon Dieu.

Je grimpai les quatre volées de l'étroit escalier, une sorte de ciment gris tristounet qui dégageait un spleen infini. Au bout d'un couloir tout aussi étroit, l'appartement de Rehell. La porte n'était pas refermée, elle s'ouvrit à la première poussée. Rehell et deux de ses amis européens étaient agglutinés devant le téléviseur, le logo Al-Jazira scintillait au coin de l'écran. Mabayn n'était pas assis juste devant la télé – son endroit habituel incontesté. Étrange. Encore plus étrange : ils fixaient un écran noir ; les cameramen faisaient leur possible, mais les barrages routiers de la police – et le gouvernement apeuré – empêchaient de recevoir l'image d'Al-Jazira.

Le journaliste faisait son récit en bredouillant d'étonnement, comme si le Qatar se trouvait au Caire. Des rapports dignes de foi annonçaient que le McDonald's de Jamiat al-Douwal avait fait l'objet d un attentat à la bombe. Les dégâts ne concernaient pas seulement les deux niveaux du restaurant mais deux pâtés de maisons entiers, de part et d'autre, avaient été complètement soufflés par l'explosion.

Ceux qui croient et font le bien

Rojet s'avança devant le McDonald's, ayant choisi le fast-food comme rampe de lancement, et m'ayant choisi, moi, comme public. Je ne posai plus d'autres questions. Je n'essayai pas de lui saisir la main ni de le prendre par l'épaule. Pas plus que je ne l'étreignis en guise d'adieu. La meilleure chose à faire était d'attraper une cigarette de la poche de mon pantalon, à côté de mon passeport, et de me la coincer entre les lèvres. Rojet sortit sa bouteille d'eau, puis son Coran qu'il installa sur le porte-livre, devant lui. Il dévissa le bouchon et s'aspergea les mains, le visage, les bras (jusqu'aux coudes), ses épais cheveux noirs, puis les pieds. Une forte odeur familière m'assaillit les narines, mais sa nature m'échappa. Cela n'avait d'ailleurs pas d'importance, dès l'instant où il se mit à réciter. Abraham jeté au feu, les versets attaquant le ciel nocturne. Je fus incapable de lutter contre les larmes. Ma main gauche était accaparée par son inutile repas à emporter, l'autre n'avait rien à faire.

Je me retournai, trouvai une allumette dans mon autre poche et la grattai au dos de la boîte, coincee en équilibre instable sur ma jambe levée. Pas tout à fait en équilibre, et maladroit de mes mains, comme toujours, je fis tomber l'allumette par terre. Une bulle éclata derrière moi, arrachant de mes lèvres la cigarette inutilisée. Le temps ralentit puis s'accéléra, je fus projeté visage à terre. Je sentis du sang sur mes lèvres, qui dégoulinait sur mon menton. Mais pas un instant sa voix ne bredouilla. Son arabe était saisissant, l'élocution sidérante à travers le feu vrombissant. À chaque seconde qui passa, les flammes s'élevèrent plus haut dans le ciel, plus blanches autour de lui, jusqu'à ce quelques secondes se soient écoulées et que son corps ne soit plus rien d'autre qu'une ombre lointaine. Rojet se pencha en avant et son front toucha le sol marbré, s'inclinant dans les flammes – vision dont mes yeux ne purent se détacher.

Les fenêtres du premier étage du McDonald's tremblèrent puis se déchirèrent, une fissure apparut à une extrémité, se propagea de droite et de gauche en toile d'araignée. Je pris appui sur ma jambe vaillante pour courir, mais il était trop tard : je fus projeté à trois mètres, cloué au sol. Je me relevai, courus précipitamment en arrière, jusqu'à un endroit à l'abri, avant d'oser observer le bâtiment du McDonald's. Le restaurant se consumait dans des flammes hautes comme dix hommes, le feu se propageait de toutes parts dans le pâté de maisons, les magasins et autres restaurants brûlaient dans un feu d'artifice qui anéantissait tout sur son passage.

L'instant d'avant, si l'on m'avait posé la question, j'aurais dit que Rojet était comme tous les humains. Il avait sa propre vie bien en main, Dieu avait voulu qu'elle croise ma destinée pendant plusieurs jours, qui avaient coïncidé avec la fin de son existence et le milieu confus de la mienne. Dieu avait-il créé Rojet pour m'enseigner non pas comment rester mais plutôt comment prendre congé, et avait-il été conçu pour cela uniquement ? Le Caire n'était plus une ville troublante qui vous condamnait et croulait sous la populace. La ville était plutôt comme elle aurait été. L'Égypte n'était pas un pays étranger, ni même un pays arabe, mais semblait disparaître à la lumière du feu de ce phare.

Je regardai derrière moi, m'attendant à ce que Rojet ait attiré une foule qui se serait tenue là, appréciant ce qui venait de se passer, mais il n'y avait que les bruits des voitures de police, au loin, qui repartaient de là où elles s'étaient arrêtées – près de là où Azad était parti ? Même si cela devait maintenant remonter à plus d'une heure. À présent, ce devait être le vendredi saint. Pourquoi les minarets n'explosaient-ils pas en louanges et ovations ? Je crus entendre des fenêtres s'ouvrir, au loin, le bruit d'Égyptiens, dans leurs appartements, observant ce spectacle intense, qui ne ferait bien sûr que les effrayer. Une autre explosion, je trébuchai à nouveau, heurtant du pied une capsule de bouteille : Coca-Cola. Les lettres en boucles rigolaient. Même nos ordures étaient occidentales.

Allais-je revoir Haris ? Allais-je répondre à ses questions ? La police allait-elle nous interroger ? Assez de questions, assez de doutes, assez d'hésitations ; j'étais submergé d'excuses : les musulmans n'avaient rien d'autre à mettre en avant que des excuses, ils y recouraient sans cesse. Je n'avais plus l'intention de laisser quiconque me demander quoi que ce soit, ni d'en savoir davantage sur ce qui s'était passé ici. Comme le professeur s'en était allé, l'élève s'en irait. Sinon, une fois le calme revenu (pour exploser à nouveau un autre jour), il était possible que je retourne à New York – à condition que la police ne me retienne pas éternellement – au terme d'un été qui ne m'aurait rien apporté, hormis des souvenirs traumatisants. Le choc des civilisations était terminé. Le choc avait eu lieu et ils avaient gagné, leur croyance allait croissante et la notre décroissante, nous avions perdu notre conviction, notre motivation, et ensuite, une fois la conviction et la motivation disparues, nos vies à leur tour avaient disparu. Si quelqu'un avait un jour voulu décrire la défaite la plus cuisante, c'eût été celle-ci. Nous leur avions donné du fil à retordre et nous avions failli gouverner le monde, mais « failli » seulement. « Presque » n'est pas suffisant. Un siècle auparavant, les Ottomans étaient les fous d'Europe. Un siècle plus tard, nous sommes les fous du monde.

Le monde a perdu six individus pleins de bonté, cinq hommes et une femme. Et moi dans tout cela ? Si seulement quelqu'un d'autre avait pu rester à ma place pour dire à Kibr que je n'en avais pas l'intention. Je fis un pas en avant, suivi d'un second, plus douloureux, en raison de la morsure de la capsule de bouteille. Riant, j'envisageai de me jeter vertueusement dans le four, tout en étant amèrement troublé par une blessure d'enfance. Je m'avançai courageusement d'un pas. De là, je pus tendre la main et sentir la chaleur. Mais je compris vite que je ne pouvais procéder par petits pas. Il fallait que j'y aille d'un saut, c'était une question de foi, il fallait que je me concentre, que j'exécute une légère génuflexion, et que je me propulse en avant. Il allait falloir que je parte de suffisamment loin pour ne pas être effrayé, mais d'assez près pour arriver au fond de l'enfer. Des prières pour moi et mes parents, pour mes péchés à pardonner, et pour que mon sacrifice soit accepté, des prières pour les Immortels, pour Rehell et pour Haris.

Mais au bout du compte, ce ne fut pas mon effort qui me poussa vers ces flammes avides et sans pitié.

Bukra

Demain

Bulleya,
Qui sait qui je suis ?
Je ne suis pas Moïse ni le pharaon.

Bulleya,
Nous n'allons pas mourir :
Dans la tombe, c'est quelqu'un d'autre.

Bulleh SHAH

Les Kurdes des jours derniers

Ce qui se serait passé ne pouvait pas arriver. Ce n'était plus possible. En Afghanistan, la Base s'était activée prématurément. Les événements inattendus d'Égypte, dont elle n'avait pas eu connaissance, forçaient le cours du destin. Il allait falloir réduire les frappes spectaculaires visant à intensifier les contradictions existantes au sein des gouvernements musulmans et imposer la montée en puissance des peuples islamiques. Certains des combattants de la Base furent rappelés, leurs énergies dirigées sur d'autres cibles, de manière à ce que l'opération première puisse tout de même réussir, à défaut des autres attentats, destinés à coïncider avec les quatre puissants coups contre le Grand Satan. La guerre commencerait donc à moindre échelle. Cependant, les activités de la Base ne suffiraient pas à détruire les peuples islamiques, comme précédemment.

Les gouvernements musulmans furent unanimement choqués par les attaques en Égypte, et seraient pareillement surpris par leur cessation soudaine. Ces régimes n'avaient jamais véritablement été attachés à leurs propres peuples, et ils étaient prêts à appliquer sans tarder des mesures répressives. Ils reprirent leurs recherches intrusives et leurs arrestations illégales, appréhendant toutes les organisations sur lesquelles pesaient des soupçons – même infimes – de contacts avec les Talibans, débusquant au passage d'autres militants. Plus que tout, ils intensifièrent l'oppression et l'aliénation du peuple. Le fait que l'Amérique soutienne ces efforts allait engendrer des problèmes, mais très peu à court terme : l'Afghanistan n'avait aucune chance. L'Irak encore moins. Toutefois, la colère qui enflammait les populations, dans un monde parallèle, n'allait pas déferler. Seule l'Amérique avait été attaquée. Les sacrifices de l'Ordre avaient épargné l'Europe et l'Asie de l'Est, s'assurant ainsi un certain soutien au plan global. Lorsque l'Irak tomba et que les mensonges inévitablement furent révélés, la nation musulmane enragea. Mais rien de tout cela ne fut comparable à ce que fomentait la communauté kurde, dans les ruelles du Caire, où des générations jusqu'alors dans l'attente accédaient soudain à une nouvelle conscience. Non pas en raison de l'avènement du Messie, mais à cause des événements qui imposaient qu'ils réagissent.

Les aînés kurdes avaient remarqué l'ancien inconnu qui avait déambulé fièrement dans leurs rues ; plus tard, entre eux, ils en avaient discuté. Qui était-il et pourquoi était-il allé dans cette mosquée désaffectée ? Le lendemain, ils envoyèrent un groupe la fouiller. Ils trouvèrent des notes, laissées dans des carnets en lambeaux, qui leur ouvrirent tout un monde, car elles n'étaient pas seulement en anglais ou en arabe, mais aussi en kurde. Il était fait référence en ces langues à des événements qui allaient (ou n'allaient pas) avoir lieu : avertissements, peurs, rêves... on ne pouvait écarter tout cela d'une simple pichenette. Les anciens se réunirent donc et sondèrent la communauté, mais il s'avéra que personne n'avait entendu parler de cet autoproclamé Ordre de Lumière kurde, que personne n'avait jamais eu le moindre contact avec eux. Cependant, tous ceux qui étaient présents s'entendirent sur un point : ce devaient être ces même Kurdes qui avaient récemment semé la panique au Caire. Aussi les anciens se posèrent-ils la question : leur communauté était-elle sur le point d'être découverte, ou bien pourrait-elle continuer à demeurer cachée, comme elle l'avait toujours été ?

– Avec ou sans le Messie, prévint Youssouf ibn Imad al-Din, l'un des anciens les plus pieux et les plus respectés, l'heure est venue pour nous d'agir. Ces événements affectent nos sœurs et nos frères égyptiens, même s'ils n'ont pas un impact direct sur nous.

Un autre n'était pas de cet avis :

– Nous devons rester dans l'ombre, paisibles, et attendre, comme il nous l'a été demandé.

– Le temps du calme est révolu, s'insurgea le jeune Wanand. Comment peut-on rester calme alors que dehors gronde ce bruit assourdissant ?

Youssouf comprit.

– C'est un signe de Dieu. Deux de leurs corps ont été retrouvés là où notre père Saladin se tenait pour embrasser du regard la cité qui était sienne.

– Elle reste notre cité, intervint une ancienne, confirmant ce qui venait d'être dit, aussi devons-nous la protéger.

Ainsi débattirent-ils jusqu'à tard dans la nuit, et également le soir suivant, et les discussions se poursuivirent dans les foyers ; on envisagea des développements à venir, on relaya les ouï-dire, on évoqua l'histoire en transmettant les rumeurs ; les conversations prirent des tournures vigoureuses. Youssouf ibn Imad al-Din et Wanand ibn Warith étaient favorables à la création d'une sorte d'organisation, qui garantirait premièrement la sécurité de la communauté kurde du Caire. Et deuxièmement ?

– Ce gouvernement est allé trop loin, dit l'un des anciens.

Un autre aîné, Jalal al-Din, prit la parole :

– C'est ce gouvernement qui est notre ennemi, et non pas les Francs. Sans de tels régimes, il n'y aurait pas de problèmes avec les croisés. Ils n'oseraient pas s'attaquer à nous.

– Nos gouvernements sont le reflet du peuple.

– C'est que le peuple est corrompu !

Wanand se redressa et sa voix tonna :

– Alors, il faut changer le peuple – mais quelle est la chance que, dans cet environnement, un tel changement soit permis ?

Des murmures se propagèrent, certains étaient d'accord avec ce qui venait d'être dit.

– Nous devons nous unir pour assurer notre défense. Si notre tâche est d'aider le peuple, alors nous devons être capables de le défendre de ceux qui risquent de le mettre en péril.

– Tu veux que nous combattions l'État ?

Un garçon se leva, et avec ses paroles se dissipèrent les brumes de l'indécision.

– Nous savons que le gouvernement va se retourner contre nous. Ou bien nous prenons l'initiative de l'affrontement, ou bien nous attendons qu'ils nous tombent dessus, comme ils le font avec d'autres innocents, dont la seule faute est de porter la barbe, de demander justice, ou d'être offensé par la corruption et l'iniquité de la société.

– Nous devons combattre, déclara Wanand rayonnant. Kibr a raison.

Je laisse tomber l'arabe

Mon visage s'écrasa sur le sol en marbre, qui n'était pas aussi brûlant qu'il aurait dû l'être. Je sentis quelque chose de petit rouler dans ma bouche, j'en conclus qu'on m'avait certainement tiré dessus. Une balle m'aurait transpercé la partie postérieure du crâne ? Et j'aurais la balle entre les dents ? C'était plutôt une dent, cassée ou arrachée au moment de l'impact de la chute. Une douleur lancinante me vrillait la tête, à la limite de la brûlure. J'étais à trente centimètres des flammes et les bras de quelqu'un s'agrippaient à mes jambes, me serrant violemment pour essayer de me relever.

Il me retourna, me tint par les épaules et les empoigna fermement.

– Il faut qu'on s'en aille !

Il me secoua de plus belle, si fort que je faillis avaler ma dent. Je la bloquai sous ma langue. J'en aurais peut-être besoin, plus tard.

– Hello ? On y va !

– Haris ?

– Oui ! fit-il en me tirant, mais mon pied gauche céda et je m'effondrai sur lui. (J'entendis une autre explosion, qui provenait de l'incendie derrière moi.) On y va, répéta Haris en hurlant.

Je me rétablis sur mes pieds en chancelant, titubai et montrai les flammes :

– Il est parti, Haris.

– La police arrive. (À nouveau il essaya de m'écarter, mais je voulus l'étreindre. C'est ce que je fis, il me donna l'accolade en retour, profitant de ce geste pour m'écarter du bord du trottoir, le salaud, quel malin.) Tu entends les sirènes ? Ils arrivent. Il faut qu'on s'en aille.

Il essaya de chuchoter pendant qu'on courait, mais il haletait tellement qu'aucun son audible ne sortit de sa bouche. Je courus aussi, accélérant ma foulée jusqu'à le rattraper, en dépit du terrible bruit sourd que faisaient mes chevilles, mon corps préférant manifestement la gauche à la droite. Je devais avoir quelque chose de cassé. Nous nous engageâmes au pas de course dans la rue principale, passâmes la station-service. Les seuls sons que je pus distinguer, entre le rythme effréné de notre course et le poids de nos poumons fatigués, étaient des bruits de précipitation. Haris et moi étions des usines, nos énergies mises en commun nous procuraient l'énergie nécessaire pour que nous arrivions à notre destination : le poste de police au bout de Shari al-Ghayth.

Avant que nous arrivions trop près, Haris m'attira sur le côté, me pressant de reprendre ma respiration, ce que je fis uniquement parce qu'il me le demandait. Aussi bien m'avait-il parlé en ourdou, je ne pouvais le dire. J'en compris juste assez pour continuer, sans savoir où cela allait me mener.

– J'étais sur le point de sauter, dis-je.

Pris de panique, Haris scella mes lèvres avec ses doigts. Ce fut bizarre.

– Bon sang, boucle-la.

Nous glissâmes sur le côté. Les policiers nous avaient remarqués, aussi nous dirigeâmes-nous vers eux. L'air décontracté. Essoufflés. En sueur. Moi traînant lamentablement la jambe, grimaçant à chaque pas. Allaient-il remarquer que je dissimulais un brûlant secret (enfin, façon de parler) ?

Ils sortirent alors leurs pistolets.

Je laissai tomber l'arabe.

– Je suis américain !

À défaut de clés, j'avais mon passeport. Je l'extirpai au plus vite de mon étroite poche, espérant le sortir avant que Haris montre sa pièce d'identité indienne, autrement dit, avant de me faire descendre à une douzaine de mètres du salon de coiffure. Cela ne nous aurait pas beaucoup avancé.

– Vous voyez ? (Il est bleu. Il a servi à payer vos uniformes. Enfoirés.) Américain !

Alors laissez-moi partir. Là où l'Indien voudra bien m'emmener.

Celui qui avait parlé abaissa son arme, mais pas les deux policiers derrière lui.

– Nous sommes allés au McDonald's, dis-je en me penchant en avant, feignant l'épuisement. (Feignais-je vraiment ?) Ensuite, nous sommes allés au café Trianon (avait-il la moindre idée de ce dont je parlais ?) boire un café. Mais il y a eu une explosion...

– Nous avons couru jusqu'ici, ajouta Haris en grimaçant, pour avoir l'air effrayé – plus effrayé qu'il ne l'était réellement.

– Vous avez commandé un café ?

Si ces gars étaient dans le tiers-monde, il y avait bien une raison.

– On n'a pas eu nos cafés, expliquai-je en secouant la tête, pour ne pas paraître trop en confiance. On n'a pas pu. Il y a eu une énorme explosion.

Les policiers griffonnèrent nos noms et notre adresse, inquiets de savoir que nous habitions en face de Môssieu le Ministre Très Important. Ils se désintéressèrent assez vite de nous, essentiellement pour se concentrer sur la nourriture.

– On peut voir ce que vous avez dans le paquet ?

Ma main se mit à trembler quand je me rendis compte que je serrais encore le paquet McDonald's. *Alhamdoulillah. Alhamdoulillah. Alhamdoulillah.* Le type regarda l'emballage avec curiosité. Le paquet était dans un sale état. Comme si quelqu'un était tombé dessus à plusieurs reprises.

– Ce repas est à vous ?

Oui, répondit Haris.

– Pour vous deux ?

Haris hésita. Et je dis une prière.

– Ouais. Pour nous deux.

De la tarte aux pommes, comme en Amérique

Nous fûmes raccompagnés jusqu'à notre rue, observés jusqu'à ce que nous dépassions le salon de coiffure, et ensuite nous fûmes libres. Nous arrivâmes aux marches devant l'immeuble, mes mules claquèrent sur le ciment et j'entrai enfin dans le hall, haletant. L'éclairage mordoré des lampadaires projetait de joyeux éclats caramel qui éclaboussaient les coins de mur avec insouciance. Cela faillit me faire sourire. Tout comme la vue du portier, roulé en position fœtale. Il semblait si impuissant. Si seul.

Vint ensuite l'heure de la douche froide : la question de Haris.

– Tu allais sauter ?

Il se tenait sur la marche du bas, exactement au centre, arborant l'allure d'un Hosni Moubarak ayant conquis la Palestine, mais incapable de se croire responsable d'un tel acte. Il reprit lentement ses esprits et tâcha de fignoler une question plus adaptée.

La question m'arriva par bribes :

– Bon sang... mais qu'est-ce que... tu as fabriqué ?

J'ouvris la bouche, mais je ne fis que tousser. Un son râpeux, suivi d'un écho misérable. Me voyant si démuni, il tempéra son sentiment de consternation et c'est ainsi qu'il redevint le colocataire dont je me souvenais.

– Ça va ?

Je m'assis sur les marches. Haris ne réagit pas. Il se contenta de déplacer le pied.

– Tu allais sauter, *yaar*, reprit-il, pas vrai ?

– Je veux rester, dis-je, puis je lui fis signe de s'asseoir à côté de moi.

– Tu veux rester ?

– Ouais. (Un poids dégoûtant pesait dans mes boyaux. J'avais besoin d'aller aux toilettes.)

– En Égypte ? (Il éclata de rire et posa un pied sur la première marche, les mains sur les hanches.) Enfin bon, peu importe. Tu as envie de passer le reste de la nuit sur les marches ?

Nous pénétrâmes dans l'ascenseur dès qu'il s'ouvrit. J'appuyai sur le bouton du troisième étage et m'installai au centre, Haris se décala pour me faire un peu de place. C'est alors que le sac en papier s'ouvrit, laissant échapper une odeur de frites. Lorsque l'ascenseur se stabilisa au troisième étage, Haris sortit le premier et n'eut qu'à pousser notre porte d'entrée pour qu'elle s'ouvre – j'ignorais pourquoi, mais elle n'avait manifestement pas été fermée à clé. Autrement dit, j'aurais pu entrer dans l'appartement sans l'aide de personne. Mais dans ce cas, j'aurais tout loupé.

Je poussai un soupir aussi fort et aussi long qu'une phrase entière, avec sujet, verbe, complément.

– Il faut que je mange quelque chose, dis-je, me retrouvant soudain abîmé dans l'observation du sac McDonald's. (N'aurais-je pas dû me renseigner sur son contenu avant que le policier ne s'en charge ?) Il y a deux menus là-dedans. Avec des frites. Je suppose que tu sens l'odeur, ajoutai-je en riant, avant de remarquer que ce n'était pas tout : il y a une tarte aux pommes, aussi. Mais il n'y en a qu'une seule...

Haris se fendit alors d'un sourire énorme.

– Comment savais-tu que j'aimais les tartes aux pommes ? (Son sourire se flétrit et il se mit vraiment en colère.) Tu te rends compte de ce que tu m'as infligé ?

– Ne dis rien, fis-je en haussant les épaules. Ce sera plus facile pour toi et pour moi.

– Je te déteste.

– Non, tu ne me détestes pas.

Et j'avais raison. La tarte aux pommes aida à arrondir les angles.

Je lui passai le bras autour des épaules, nous essayâmes d'entrer en même temps dans l'appartement, et nous réussîmes un instant à rester coincés dans l'encadrement de la porte. La minute d'après, chacun se moquait de l'autre. Je m'écroulai ensuite sur la causeuse, disant à voix haute combien cet endroit m'avait manqué.

Haris flâna du côté de la table, ignorant que j'avais décidé de notre emploi du temps pour l'avenir proche : nous allions dévorer notre fast-food refroidi, prier – il restait quelques heures avant l'aube – puis nous irions nous coucher. Toutefois, avant le sommeil, mais après le repas, Haris aurait droit à une explication. Après tout, il avait finalement accompli ce qu'il avait toujours été censé faire : me courir après.

Je déchirai le paquet en papier cartonné.

– Est-ce que tu veux commencer par la tarte aux pommes ? demandai-je.

– Ouais, répondit-il en s'avançant. S'il te plaît.

– Je me suis dit que ça te ferait envie, dis-je. Après tout ce que je t'ai infligé, je te dois bien ça.

Le Tout-Puissant dit dans Son Livre

J'écarterai bientôt de mes Signes
Ceux qui, sur la terre,
S'enorgueillissaient sans raison.

S'ils voient quelque Signe,
Ils n'y croient pas.

S'ils voient le chemin de la rectitude,
Ils ne le prennent pas comme chemin.

S'ils voient le chemin de l'erreur,
Ils le prennent comme chemin.

LE CORAN
Sourate VII Al'Araf, signe 146.

Note de l'auteur

Le calendrier ci-dessous contient des renseignements concernant l'évolution de l'Ordre de Lumière. Dans la mesure où des événements en rapport avec l'intrigue du roman y sont révélés, il est conseillé d'en prendre connaissance après avoir achevé la lecture du roman.

Le monde qui aurait pu être

1967 : Naissance de Youssouf ibn Imad al-Din.

1980 : Naissance de Mabayn au sein d'une famille du sous-continent indien.
Quelques années plus tard, sa famille s'installe en Égypte.
Naissance de Rojet Dahati.

1981 : Naissance de Haris.

1985 : Naissance de Wanand ibn Warith.

1986 : Naissance de Kibr al-Akrad, fils de Youssouf ibn Imad al-Din.

1988 : Naissance de Shanazi.

1998 : Naissance de Keyf Khoshi.

2001 : Une force du nom de al-Qaida lance une série d'attaques spectaculaires sur des cibles américaines, européennes et est-asiatiques, faisant des dizaines de milliers de morts et provoquant une chute libre de l'économie globale. La dépression qui en résulte dure la décennie, provoquant une série de conflits qui s'intensifient. Oussama Ben Laden, cerveau présumé des attaques, ne sera jamais retrouvé.

2002 : Naissance de l'unique frère de Keyf Khoshi.
(Il meurt en participant à la défense du Caire vers l'année 2029.)

2008 : Rojet Dahati se marie. Le nom et les détails concernant sa femme demeurent inconnus. Ils auront au moins deux enfants, des fils.

2010 : Naissance du premier fils de Rojet, Orhan Dahati.

2013 : Naissance du deuxième fils de Rojet, Arayn Dahati.

2014 : Wanand épouse Shanazi.

2020 : Création de l'Ordre de Lumière.
Peu de temps après, les guerres s'intensifient. (On possède peu d'informations concernant la nature de ces conflits, hormis ce que les membres de l'Ordre avaient révélé au cours de leur bref retour au Caire en 2001.)

2030 : La ville du Caire est attaquée et pratiquement rasée par une frappe nucléaire. Il est suggéré que d'autres importantes capitales arabes et musulmanes majeures sont également bombardées, faisant du Moyen-Orient une vaste terre en friche dépeuplée.

2032 : Karachi cède à l'assaut des forces indiennes, qui frappent ensuite Kaboul. Arayn, le fils de Rojet, disparaît. On le soupçonne d'avoir tenté de rallier les forces de la résistance musulmane de la vallée de Ferghana. (Le reste de l'Asie centrale est sous occupation chinoise.)
L'Étendue aryenne est détruite ainsi que l'essentiel de la Tour de Lumière dans le dernier assaut auquel la quasi-totalité du Caire succombera.

2033 : Orhan, le fils de Rojet, prend le commandement d'une compagnie musulmane basée en Afrique orientale, rapidement débordée par des forces résistantes inconnues. Il est fait prisonnier et sa libération est promise à condition que l'Ordre de Lumière se rende. (Cette exigence indique que l'Ordre de Lumière constituait probablement une composante essentielle des forces de résistance musulmane survivantes, et que leur reddition allait avoir un rôle pivot pour mettre un terme aux guerres, et à l'islam.)

Le monde tel qui fut

2001 : (mai) Rehell et ses amis européens arrivent au Caire, habitent le quartier d'Agouza. Peu après, Rehell fait la connaissance de Mabayn.

(juin) Haris et son colocataire arrivent au Caire, pour suivre les cours de l'Institut international de langues à Sahafiyine.

(juillet) Les forces de police dispersent une manifestation pendant le *mawlid* de Sayyidna Houssayn à l'intérieur de la mosquée de Sayyidna Houssayn. Il s'avère que les conspirateurs ont des liens avec des réseaux étrangers qui collaboreront grandement aux investigations policières durant les attaques du 11-Septembre.

En deux jours, des attentats-suicides ébranlent Le Caire ; deux badauds seulement périront. Bien que les dégâts soient essentiellement matériels, l'économie de l'Égypte connaîtra une grave récession.

(septembre) Les villes de New York et de Washington sont attaquées. La plupart des Américains considèrent le mouvement al-Qaida comme responsable, quand bien même cette information est accueillie avec incrédulité dans tout le monde musulman. En réaction à un unilatéralisme de plus en plus prononcé, l'Union européenne prend ses distances avec les États-Unis.

(octobre) Invasion de l'Afghanistan en réaction aux attaques de al-Qaida. La milice des Talibans chichement équipée est promptement renversée.

2003 : Défiant l'opinion mondiale, les États-Unis envahissent et occupent l'Irak.
Saddam Hussein est capturé à la fin de l'année 2003, peut-être grâce à l'aide inestimable des services de renseignement kurdes.

2004 : Les États-Unis et les quelques alliés qui lui restent sont forcés de reconnaître le manque de fondements concrets à la guerre menée contre l'Irak. Les prétendues armes de destruction massive ne seront pas trouvées, tandis que le scandale des prisonniers maltraités provoquent une intense indignation à l'échelon planétaire.

Remerciements

En Son nom.

Que Dieu bénisse la Camarade Suhayla Gafarova, pour avoir été la baby-sitter de ce livre dès sa naissance. Lui et moi ne nous serions épanouis sans son amour, sa finesse d'esprit et sa sagesse. Je lui en suis pour cela infiniment reconnaissant au-delà des mots : tu es la première sur ma liste car tu es la première dans ma vie car tu es la première dans mon cœur.

Benjamin Adams est toujours à l'écoute. Peut-être parce que c'est moi qui conduis, mais j'aime aussi à penser que c'est parce qu'il a un grand cœur. Ali Hashmi, banquier d'affaires, thérapeute existentiel, héros sur toute la ligne. Hasan Kazmi, qui possède entre autres dons innombrables celui de pouvoir dérider quiconque. Agha Khaled Hosseini, auteur émouvant, étonnant, source d'inspiration, et individu plus merveilleux encore, et pas seulement pour avoir pris du temps sur son succès ô combien mérité pour répondre à mes questions. Khurram Gore et Heba Nassef, chacun à sa manière. Asad Husain, pour avoir apprécié le romanesque d'un roman et avoir ensuite offert de prêter l'oreille pour l'entendre évoluer. Rabia Kamal, pour m'avoir aidé à apprendre à apprendre. Zeeshan Memon n'était pas obligé de lire les laborieuses premières moutures du brouillon, mais il l'a fait cependant.

Comment puis-je remercier *big brother*, qui a non seulement regardé, mais examiné, lu, corrigé, annoté, conseillé, aidé, tenu la main, souri, partagé, guidé et à maints égards enseigné ? (Merci à toi, Umar Bhai.) Khalil Sayed, pour l'assistance technique. (Restons-en là.) Ameer Shaikh : je ne sais que dire à quelqu'un dont la proximité est telle qu'elle va au-delà des meilleures descriptions de l'amitié. À part, peut-être : *« No ! You're not ! »* Rahilla Zafar, qui m'a aidé à faire revivre la ville des morts vivants. J'admire Adnan Zuliqar de diverses manières : pour sa vivacité, sa sincérité et son soutien ; parmi les musulmans, c'est un être très précieux ; il est le musulman que j'aimerais être ; je prie pour l'être un jour. Mon ami Daanish Masood, présent avec moi dans cet appartement numéro je ne sais plus combien dans cette rue lamentablement surchauffée de ce Caire qui nous a rendus délicieusement perplexes, huit semaines passées à essayer de comprendre ce qui nous arrivait – à commencer par essayer de nous comprendre nous-mêmes. Sans toi, ça n'aurait pas – ça n'aurait pas pu – être la même chose.

Indépendamment du nombre d'heures que j'ai passées penche sur un ordinateur, souvent aux heures les plus improbables et les plus bizarres de la nuit – le bas de mon dos m'est témoin –, ce projet n'aurait pu arriver à maturité sans Penguin en Inde, tout particulièrement Diya Kar Hazra. Lorsque le manuscrit a atterri sur son bureau, elle s'est employée à essayer d'en tirer quelque chose – et Dieu sait si le livre s'est éloigné de sa version initiale –, c'est à son habileté qu'on le doit.

Mon Apa Khala a lu les brouillons primitifs en un temps record ; Faizan Ghori connaît sur le bout des doigts le Coran ; Hugo Munda a été une formidable source d'inspiration ; le moment venu, Nabeel Hazrtji a répandu la bonne parole ; le professeur Mehdi Khorrami est le plus fantastique prof de Farsi de ce côté-ci du Ahvaz ; M. Thomas Malone, mon professeur d'anglais de terminale : je ne peux m'empêcher d'espérer que ce texte sera approuvé par lui (après tout, il est sans doute trop tard pour glaner des points supplémentaires) ; le regretté Gerald Perreault, pour avoir éveillé en moi les premières étincelles d'intérêt sérieux pour les sociétés et l'histoire ; le personnel souriant, affable et formidable de la bibliothèque publique Somers, de loin la plus grande au monde ; Steve le Pugnace ; le Gars du Zikr Soufi™ et assurément amour, respect et prières pour mes parents, pour tout ce qu'ils m'ont donné au fil des ans.

Enfin, mon grand-père, qui trouverait ses traces à chaque page de ce livre.

Que Dieu lui garde la plus haute place au Paradis.

Domaine indien
dirigé par Jean-Claude Perrier

Au sein du vaste Ailleurs, le Domaine indien se veut le reflet aussi fidèle que possible de la littérature indienne vivante et actuelle, dans ses innombrables facettes. Laquelle jusqu'à présent parvient en France, généralement, tamisée par les filtres anglo-saxons. Puisés directement à leurs sources indiennes donc, les livres de Domaine indien seront traduits essentiellement de l'anglais, mais aussi, pourquoi pas, de l'une des nombreuses autres langues indiennes, hindi, ourdou, tamoul, malayalam... Ce pourra être aussi bien des romans (en insistant, jusqu'à présent, sur des premiers romans), mais aussi des essais, documents, biographies, ouvrages illustrés... Notre ambition est de faire découvrir au public français la littérature en mouvement d'un gigantesque pays qui, en pleine évolution, tente de concilier ses racines et sa culture millénaires avec la modernité la plus pointue. De favoriser le dialogue entre deux pays d'antique civilisation.

AU CHERCHE MIDI

DANS LE DOMAINE INDIEN

INDERJIT BADHWAR
La Chambre des parfums
traduit de l'anglais (Inde)
par Gilles Morris-Dumoulin
Prix du Premier Roman étranger

INDRAJIT HAZRA
Max le maudit
traduit de l'anglais (Inde)
par Marc Amfreville

Le Jardin des délices terrestres
traduit de l'anglais (Inde)
par Marc Amfreville

SANJAY NIGAM
L'Homme greffé
traduit de l'anglais (Inde)
par Alain Porte

RAY RAO
Boyfriend
traduit de l'anglais (Inde)
par Gilles Morris-Dumoulin

ANOUSHKA SHANKAR
Ravi Shankar
L'Amour de ma vie
traduit de l'anglais (Inde)
par Carole Reyes

KALPANA SWAMINATHAN
Saveurs assassines
traduit de l'anglais (Inde)
par Édith Ochs

ARDASHIR VAKIL
Beach Boy
traduit de l'anglais (Inde)
par Natalie Levisalles

DANS LA COLLECTION AILLEURS
AU CHERCHE MIDI

DANS LE DOMAINE ANGLO-SAXON

JEFF ABBOTT
Panique
traduit de l'anglais (États-Unis)
par Fabrice Pointeau
Trauma
traduit de l'anglais (États-Unis)
par Fabrice Pointeau

STEVE BERRY
Le Troisième Secret
traduit de l'anglais (États-Unis)
par Jean-Luc Piningre
L'Héritage des Templiers
traduit de l'anglais (États-Unis)
par Françoise Smith

ANTHONY BURGESS
Le docteur est malade
traduit de l'anglais
par Jean-Luc Piningre
Mister Raj
traduit de l'anglais
par Jean-Luc Piningre

JIM FERGUS
Mille femmes blanches
traduit de l'anglais (États-Unis)
par Jean-Luc Piningre
Prix du Premier Roman étranger
La Fille sauvage
traduit de l'anglais (États-Unis)
par Jean-Luc Piningre

TIBOR FISCHER
Ne lisez pas ce livre si vous êtes stupide
traduit de l'anglais
par Marc Amfreville
Voyage au bout de ma chambre
traduit de l'anglais
par Marc Amfreville

DONALD HARSTAD
Onze jours
traduit de l'anglais (États-Unis)
par Serge Halff
Code 10
traduit de l'anglais
par Gilles Morris-Dumoulin
-30°
traduit de l'anglais
par Gilles Morris-Dumoulin

DAVID HEWSON
Une saison pour les morts
traduit de l'anglais
par Diniz Galhos

GUY DE LA VALDÈNE
Le Beau Revoir
traduit de l'anglais (États-Unis)
par Marie-Christine Loiseau

THOMAS MCGUANE
Intempéries
nouvelles traduites
de l'anglais (États-Unis)
par Nicolas Richard

RICHARD MONTANARI
Déviances
traduit de l'anglais (États-Unis)
par Fabrice Pointeau
Psycho
traduit de l'anglais (États-Unis)
par Fabrice Pointeau

HAROLD NEBENZAL
Berlin Café
traduit de l'anglais (États-Unis)
par Gilles Morris-Dumoulin

KATHERINE NEVILLE
Le Huit
traduit de l'anglais (États-Unis)
par Évelyne Jouve
Le Cercle magique
traduit de l'anglais (États-Unis)
par Gilles Morris-Dumoulin
Un risque calculé
traduit de l'anglais (États-Unis)
par Gilles Morris-Dumoulin

TOM ROBBINS
Féroces infirmes
retour des pays chauds
traduit de l'anglais (États-Unis)
par Jean-Luc Piningre
Villa Incognito
traduit de l'anglais (États-Unis)
par Jean-Luc Piningre

THEODORE ROSZAK
La Conspiration des Ténèbres
traduit de l'anglais (États-Unis)
par Édith Ochs

MARCUS SAKEY
Désaxé
traduit de l'anglais
par Fabrice Pointeau

TOMI UNGERER
Acadie
traduit de l'anglais par Édith Ochs

ROBERT JAMES WALLER
Une saison au Texas
traduit de l'anglais (États-Unis)
par Gilles Morris-Dumoulin

PETER WATSON
Un paysage de mensonges
traduit de l'anglais
par Gilles Morris-Dumoulin

RICHARD ZIMLER
Le Dernier Kabbaliste de Lisbonne
traduit de l'anglais (États-Unis)
par Erika Abrams
Les Sortilèges de Minuit
traduit de l'anglais (États-Unis)
par Gilles Morris-Dumoulin

DANS LE DOMAINE RUSSE

YAKOV BRAUN
Le Gambit du diable
traduit du russe
par Galia Ackerman

NIKOLAÏ CHADRINE
Le Temps des troubles
traduit du russe par Bernard Kreise

NIKOLAÏ GOGOL
Les Âmes mortes
illustré par Marc CHAGALL,
traduit du russe
par Anne Coldefy-Faucard

NIKOLAÏ KONONOV
Funérailles d'une sauterelle
traduit du russe
par Hélène Henry

DANS LE DOMAINE ESPAGNOL

ANTONIO BENÍTEZ-ROJO
Femme en costume de bataille
traduit de l'espagnol (Cuba)
par Anne Proenza

Mis en pages par DV Arts Graphiques à La Rochelle
Imprimé en France par la Société Nouvelle Firmin-Didot
Dépôt légal : novembre 2007
N° d'édition : 913 – N° d'impression : 87257
ISBN 978-2-7491-0913-8